Der Autor

Hartwig Hausdorf zählt zu den bekanntesten Forschern und Autoren auf dem Gebiet rätselhafter Fakten und Phänomene. Weltweit bekannt wurde er durch die Entdeckung der Pyramiden in China. Seine Bücher wurden bislang in 16 Sprachen übersetzt, darunter ins Englische, Italienische, Japanische und Chinesische. Mit seinem Werk »The Chinese Roswell« wurde er in den USA, wo er seit 2004 im Nachschlagewerk »Who's Who in the World« verzeichnet ist, zum feststehenden Begriff.

www.hartwighausdorf.de

Hartwig Hausdorf

Nicht von dieser Welt

Dinge, die es nicht geben dürfte

WILHELM HEYNE VERLAG
MÜNCHEN

Bildnachweis

Obwohl sich Verlag und Autor bemüht haben, zu sämtlichen
Abbildungen dieses Buches die entsprechende Nachdruckerlaubnis
einzuholen, ist es nicht in allen Fällen gelungen, die jeweiligen Inhaber
der Rechte ausfindig zu machen. Sofern diese uns aber in Kenntnis setzen,
sind wir selbstverständlich darum bemüht, die Inhaber der betreffenden
Bildrechte in künftigen Ausgaben namentlich zu nennen.

Archiv Autor: 5, 6, 7, 8, 12, 13, 14, 15, 16, 17, 18, 19, 21, 22, 28,
29, 30, 31, 32, 36, 38, 40, 41, Abbildungen 2 und 3 im Text;
Franz Bätz: 4, Abbildung 1 im Text; BILD Hamburg: 25; Ron Calais: 23, 24;
Klaus Deistung: Abbildung 4 im Text; Erich von Däniken: 9; Werner
Forster/Valerij Ouvarov: 26, 27; Reinhard Habeck: 11; Peter Krassa: 10;
Werner und Sabine Rossow: 20; Hansjörg Ruh: 1, 2, 3;
»Sagenhafte Zeiten«: 33, 34, 35; Ernst Wegerer/Peter Krassa: 37;
Paul White/David M. Summers: 39.

FSC
Mix
Produktgruppe aus vorbildlich
bewirtschafteten Wäldern und
anderen kontrollierten Herkünften
Zert.-Nr. SGS-COC-1940
www.fsc.org
© 1996 Forest Stewardship Council

Verlagsgruppe Random House FSC-DEU-0100
Das für dieses Buch verwendete FSC-zertifizierte Papier *München Super*
liefert Arctic Paper Mochenwangen GmbH.

2. Auflage
Taschenbucherstausgabe 08/2009
Copyright © 2008 by F.A. Herbig
Verlagsbuchhandlung GmbH, München
Printed in Germany 2009
Umschlaggestaltung: Guter Punkt, München / Anke Koopmann
unter Verwendung von Motiven von Shutterstock
Herstellung: Helga Schörnig
Gesetzt aus der 11,25/14,15 Punkt Minion
bei Christine Roithner Verlagsservice, Breitenaich
Druck und Bindung: GGP Media GmbH, Pößneck
ISBN 978-3-453-70116-8

www.heyne.de

Inhalt

Worte an meine Leser 9

1 Am Anfang war das Atom
Kernkraftwerke vor zwei Milliarden Jahren 13

Wie funktioniert ... 15 – Das Mysterium von Oklo 17
– Natürlicher oder künstlicher Ursprung? 19 – Zu
viele Zufälle 21 – Kontroverse Diskussionen 23 –
Aufgegeben und geflutet 26 – Geisterhafte Schatten
28 – Atomexplosionen im alten Indien 31 – Radioaktive Spuren 33

2 Rostfrei »Made in India«
Unmögliche Artefakte aus unmöglichen
Legierungen 37

2000 Jahre Auszeit 38 – Die geheimnisvolle Eisensäule 41 – Woher nehmen? 43 – Weltraumflüge mit
Garuda 45 – Aufbruch ins Ungewisse 48 – Beinahe
ein Wunder 50 – Dschungelrätsel 52 – Kîla: Der
»unmögliche« Dolch 55 – Eintausend Jahre oder
älter 57

3 »Wie ein Düsenjäger im Grab Tut-Ench-Amuns«

Computertechnik aus dem Altertum   61

Sturmfahrt in der Ägäis 62 – Pandämonium am
Meeresgrund 64 – Blutzoll und ein mysteriöser
Fund 66 – »Der Gegenstand ist einzigartig« 68 –
Keinesfalls ein Prototyp 69 – Erstmals 1828 patentiert
71 – »… auf anderen Himmelskörpern gelandet« 73 –
Holografische Illusionen 74 – Der zehnte Planet 76

4 Mexikaner in Rettungskapseln

Von Astronauten und anderen Helmträgern   79

Die Annalen der Cakchiquel 81 – Götter im Kosmo-
nauten-Outfit 82 – Behelmte Statuette mit Schlitzaugen 84 – Ein mörderisches Spiel 87 – Der Priester
auf dem Schleudersitz 89 – »Headsets« im Urwald 91
– Der Mann mit den »Roboterarmen« 94

5 Reizthema Gentechnik

»Designerfauna« aus Götterhand?   97

Nackte Angst 98 – Greenpeace in Rage 101 –
Bewusste Irreführung und Vertuschung 103 – China:
Keine »gentechnikfreie Zone« 105 – Artfremde Gene
melden sich zurück 109 – Zu den riesigen Nebenwirkungen … 111 – Designerfauna I: Des Menschen
treueste Freunde 113 – Designerfauna II: Der rätsel-
hafte Steppensprinter 115 – Wie wurden aus Hyänen
Geparden? 118 – Mischwesen aus Hund und Ziege?
120 – Nachtrag 121

6 Prähistorische Zündkerzen und eiszeitlicher Weltraumschrott

Filigrane Hochtechnologie aus der Altsteinzeit 123

Wie vom Donner gerührt 124 – Zukunftsvision Nanotechnik 126 – Realität holt Science-Fiction ein 128 – »Engines of Creation« 130 – Nanotechnik aus der Eiszeit 132 – Feldarbeit am Fluss Balbanju 134 – »Außerirdischer, technogener Ursprung« 136 – Das CICAP meldet sich zu Wort 138

7 Im blauen Licht verschwunden

Das Sternentor in den Anden 140

Nicht von dieser Welt 141 – »Tor zur Welt der Götter« 143 – In blauem Licht erstrahlender Tunnel 145 – Basislager der »Götter«? 146 – Wasserleitungen, die nie welche waren 147 – Die andere Seite des Sonnentores 150 – Botschaft im Stein 153 – Magnetische Verwirrungen auf Millimeterpapier 156 – Was soll uns diese Botschaft sagen? 159

8 Die »Ruinen der außerirdischen Menschen«

Unerhörtes aus dem offiziellen China 161

Spielzeug für Riesen? 162 – Auf abenteuerlichen Pfaden 164 – »… eine Abschussbasis von Außerirdischen« 166 – Acht Prozent der Proben unidentifizierbar 168 – Keine natürliche Entstehung 169 – Leichtmetall für Zukunftstechnologien 171

9   Die Spur wieder aufgenommen

Neues vom Jahrtausendrätsel
»Chinesisches Roswell« 174

Kleine Wesen mit großen Köpfen 175 – Die seltsamste Schrift, die man je fand 177 – Eine »abgefahrene« Geschichte 179 – Spurensuche im Heuhaufen 181 – Unverhoffte Entdeckung 184 – Ohne Spuren zu hinterlassen 186 – Die letzten lebenden Nachfahren? 188 – Die Minamata-Katastrophe 190 – Lange Zeit in absoluter Isolation 192 – Unheimliche Begegnung im Zweiten Weltkrieg 194 – Neue Expedition nach Baian Kara Ula? 196

10 Ägypter und andere Außerirdische

Australien birgt noch viele Geheimnisse 198

Wie aus dem Boden gewachsen 199 – Anubis im Outback 201 – Archaischer Schreibstil 203 – Die Schlange, die mehrmals zuschlägt 205 – Wo steckt die Mumie? 207 – Der Himmelsgott hält Gericht 210 – Sammlung australischer »Trophäen« 212 – Die leuchtenden Vögel der »Traumzeit« 214 – Mit dem »Sternencomputer« um die halbe Welt 217

Begriffserklärungen 220
Danksagung 228
Quellenverzeichnis 230
Register 236

Worte an meine Leser

> *»Der Horizont vieler Menschen*
> *ist ein Kreis mit Radius null,*
> *und das nennen sie dann*
> *ihren Standpunkt.«*

ALBERT EINSTEIN (1879–1955),
PHYSIKER UND NOBELPREISTRÄGER

Es gibt Dinge, die hätte man besser nicht entdeckt. Und Artefakte, die man lieber nicht dem Erdboden entrissen oder aus den Tiefen des Meeres heraufgeholt hätte. Sie stiften nichts als Unfrieden und führen zu Kontroversen mit all jenen, die zu bestimmten Sachverhalten ihre feste, meist auf einem »gesunden Menschenverstand« basierende Meinung haben.

Kommt man ihnen mit Fakten und Funden, die absolut nicht in ihr vorgefasstes und festgefügtes Meinungsbild passen, kann man oft interessante Reaktionen beobachten. Da sind die einen, die sich ganz offenbar durch nichts aus ihrer Ruhe bringen lassen. Sie lächeln hintergründig, schütteln den Kopf und »erklären« dann mit einem mitleidigen Unterton, dass es solche Dinge doch nicht gibt. Weil – wie simpel! – einfach nicht sein kann, was nicht sein darf.

Die anderen, vom Naturell nicht selten ein wenig cholerisch veranlagt, reagieren da schon eine Stufe heftiger. Voller heiligen Zorns und tiefer Inbrunst bezeichnen sie Leute, die recht ungewöhnliche Themen aufs Tapet bringen, nicht selten als verrückt und verweisen die Argumente unhinterfragt ins

Reich der Fabel. Diskussionen haben in der Regel keinen Zweck, da jegliche Sachlichkeit ins Emotionale abrutscht und der streitbare Part sich nicht selten auf einer Art Kreuzzug wähnt. Gegen Inhalte, die – einmal mehr – nicht sein können, weil sie einfach nicht sein dürfen.

Welch weltbildgefährdende Kraft muss doch manchen Dingen innewohnen, wenn sie von noch immer nicht gerade wenigen Zeitgenossen wie eine düstere Bedrohung angesehen werden. Jene regen sich zwar nicht auf, wenn die Öl-Multis zu ihren täglichen Abzock-Orgien an den Tankstellen schreiten. Oder wenn der Bürger von seinen »Volksvertretern« permanent und ohne Gnade für dumm verkauft wird. Die zwar fortwährend ihrem Wahlvolk Wasser predigen, dafür jedoch selbst umso mehr Wein – pardon: Champagner – trinken. Aber sie können sich mit bewundernswerter Heftigkeit ereifern, wenn ein paar nicht angepasste »Querdenker« ganz konkrete Fakten präsentieren, die dazu geeignet sind, einen nicht unerheblichen Anteil unseres mühsam erworbenen Schulwissens ad absurdum zu führen.

Wo kämen wir aber auch hin, wenn man unbehelligt Bericht ablegen dürfte über

– uralte Statuen im Urwald Zentralamerikas, die versehen sind mit Vorrichtungen, die an jene »Roboterarme« erinnern, mit welchen in modernsten Hochsicherheitslabors hantiert wird,
– ein »Sternentor« in den Anden Perus, dem Indianermythen seit Jahrtausenden haargenau dieselben Effekte nachsagen wie dem »Stargate« aus Kinofilm und Serie,
– Meisterstücke altindischer Metallurgie, die aus buchstäblich »unmöglichen« Legierungen bestehen und die all unser Wissen über vorzeitliche Technik auf den Kopf stellen,
– eine nicht datierbare Anlage aus grauester Vorzeit, die von

den offiziellen Stellen der Volksrepublik China als »Ruinen der außerirdischen Menschen« bezeichnet wird?

Auf den folgenden Seiten möchte ich meinen verehrten Leserinnen und Lesern eine erstaunliche Fülle an Funden und Fakten präsentieren, die einiges gemeinsam haben. Sie passen nicht in unser überkommenes Geschichtsbild, reizen zu giftigen Kontroversen, und wenn es nach nicht wenigen Zeitgenossen ginge, so hätte man sie besser nicht ans Licht des Tages gezerrt. Besser sogar doppelt so tief wieder eingegraben. Deckel zu, und Frieden herrscht wieder im Karton.

Wie hochbrisant müssen doch so manche dieser unbequemen Tatsachen sein, wenn ihre bloße Existenz heftigste Dispute auszulösen vermag. Ja, ich gebe es hier gerne zu, dass es mir große Freude bereitet, damit in den Schwachstellen eines Paradigmenrahmens herumzustochern, der längstens als vollkommen überholt und als ein »Hilfskonstrukt« von vorvorgestern entlarvt wurde. Und darum bin ich wieder, wie ich es mir schon in all den Jahren zuvor zur lieb gewonnenen Gewohnheit gemacht habe, Tausende Flugkilometer durch die Welt gereist. Um mich von der Existenz der hier berichteten Dinge selbst zu überzeugen. Und habe mich mit aufgeschlossenen, selbst auf den Spuren des Unglaublichen forschenden Experten ausgetauscht. Beispielsweise im Falle jener wahrhaft »steinalten« Nuklearreaktoren aus der geologischen Frühzeit der Erde oder Zeugnissen einer für uns unfassbaren Hightech-Metallurgie im alten Indien.

Spekulationen waren gestern. Hier kommen neue Fakten. Ihnen ist eine wichtige Aufgabe zugedacht: das alte, überkommene Geschichtsbild endlich vom Sockel zu stürzen. Auch im Elfenbeinturm der konservativsten Wissenschaftler wird sich die Erkenntnis durchsetzen, dass unbequeme Tatsachen wie Wurzeln unter dem Asphalt sind. Eines nicht mehr allzu fernen Tages werden diese mit gewaltiger Kraft durchbrechen und sich unaufhaltsam ihren vorgezeichneten Weg bahnen.

Ohne sich um all jene zu kümmern, die sie am liebsten immer vor unseren Blicken verborgen hätten. Wie sagte schon Jonathan Swift (1667–1745): »Der Mensch sollte sich niemals genieren, einen Irrtum zuzugeben. Zeigt er doch damit, dass er sich entwickelt, dass er heute gescheiter als gestern ist.«

1 Am Anfang war das Atom

Kernkraftwerke vor zwei Milliarden Jahren

> *»Die Wahrscheinlichkeit, dass wir in der*
> *fast vier Milliarden Jahre währenden*
> *Geschichte des Lebens auf unserer Erde*
> *Besuch von außerhalb hatten, ist sehr groß.*
> *Es liegt an uns, Spuren und Hinweise*
> *auf solche Besuche zu finden.«*
>
> DR. JOHANNES FIEBAG (1956–1999),
> GEOLOGE UND WISSENSCHAFTSJOURNALIST

Eine der kompliziertesten technischen Errungenschaften, die menschlicher Erfindergeist je ersonnen hat, sind die nicht ohne Grund schwer in Verruf gekommenen Atomkraftwerke. Diese beziehen ihre Leistungsausbeute weder aus fossilen Energien, wie Kohle oder Erdöl, noch aus sauberen Quellen wie Wind- und Wasserkraft. Sondern aus der Spaltung hoch radioaktiven Materials im Verlauf einer kontrollierten, unendlich verlangsamten Kettenreaktion. Und da wir bisher leider noch nicht allzu erfolgreich waren, die von allen Fixsternen in diesem Universum vorexerzierte Methode – die *Kernfusion* – beherrschbar zu machen, werden nachfolgende Generationen noch viele Probleme mit jenen wahrhaftig strahlenden Hinterlassenschaften eines zu lange unkritischen Fortschrittsglaubens haben. Ein Super-GAU, wie 1986 im ukrainischen KKW Tschernobyl geschehen, sowie unzählige Beinahe-Katastrophen – erst im Jahr 2006 wäre der nach »sicheren« westlichen Standards gebaute Reaktor Forsmark in

Schweden fast in die Luft geflogen – sprechen ihre eigene Sprache. Doch dies hier nur am Rand, denn den Kampf gegen tickende Zeitbomben der nuklearen Art will und muss ich den einschlägigen Umweltorganisationen überlassen.

Ein wenig geistige Wegzehrung über nukleares Know-how möchte ich jedoch meinen Lesern hier an die Hand geben. Denn der folgende Weg wird uns in dieses Fachgebiet führen. Darüber hinaus aber auch noch in unglaublich weit zurückliegende Erdzeitalter in der Frühzeit unseres Planeten.

Bereits im Jahre 1896 entdeckte der Franzose Antoine Henri Becquerel (1852–1908) die natürliche Radioaktivität. Gemeinsam mit dem Forscherehepaar Pierre und Marie Curie erhielt er 1903 den Nobelpreis für Physik, und sein Name wurde zur Maßeinheit für die Strahlung einer radioaktiven Substanz. Namhafte Physiker forschten auf diesem Gebiet weiter, bis es am 17. Dezember 1938 dem deutschen Atomphysiker Otto Hahn und seinem Assistenten Fritz Straßmann erfolgreich gelang, die erste Kernspaltung von Uran$_{235}$ durchzuführen. Unter Verwendung einfachster Mittel hatten Hahn und Straßmann in ihrem Labor im Berliner »Kaiser-Wilhelm-Institut« eine Entwicklung angestoßen, die sich in der Folge nicht mehr aufhalten ließ.

Vier Jahre später, am 2. Dezember 1942, setzte der aus Italien stammende Atomphysiker und Nobelpreisträger Enrico Fermi (1901–1954) mit seinen Assistenten in Chicago den ersten Kernreaktor in Betrieb. Der war – ein bodenloser Leichtsinn – auch noch unter den Zuschauerbänken im Stadion der dortigen Universität aufgebaut worden.

Dann kam Hiroshima. Die ein paar Jahre zuvor aus der Taufe gehobene Technologie hatte man zum Töten von weit über 100 000 Menschen missbraucht. Nach dem unsagbaren Schrecken wandte sich Dr. Jacob Robert Oppenheimer (1904 bis 1967), dem man in den Vereinigten Staaten den Beinamen

»Vater der Atombombe« gab, mit all seiner Kraft und Leidenschaft gegen jede Anwendung der nuklearen Kräfte: »In einem tiefer gehenden Sinn (…) haben wir Wissenschaftler nun die Sünde kennengelernt.«[1] Nichts war mehr so wie zuvor. Die Büchse der Pandora war geöffnet. Und keiner war willens, sie wieder zu schließen.

Doch kommen wir wieder zurück zur »friedlichen« Nutzung der Atomkraft und zu ein paar Fragen, die mit dem technischen Know-how einhergehen.

Wie funktioniert …

Was geschieht eigentlich hinter den meterdicken Stahlbetonmauern eines Atomreaktors? Welche komplexen Vorgänge werden in Gang gesetzt, dass letztlich elektrischer Strom durch die viel geschmähte Kernkraft erzeugt wird? Welche Faktoren müssen übereinstimmen, damit alles wie geplant abläuft?

In einem spaltbaren Material – in der Regel ist es Uran mit der Massenzahl 235 – werden durch Beschuss mit freien Neutronen die Atomkerne gespalten, wobei neben den Kernbruchstücken wiederum freie Neutronen entstehen. Diese fliegen mit einer hohen Energie in ihre unmittelbare Umgebung und zerspalten dort weitere Kerne. Das setzt sich in unendlicher Reihe fort: Die Kettenreaktion hat begonnen.

Würde man ihren Ablauf nicht bremsen, käme es im Reaktor im Bruchteil einer Sekunde zu einer verheerenden Explosion mit einer Temperatur von mehreren Millionen Grad Celsius. Er wäre zu einer Atombombe geworden. Daher bedarf es eines äußerst genau bestimmten Eingreifens von außen, und das Verhältnis verschiedener eingesetzter Substanzen zueinander muss absolut exakt abgestimmt sein. Das wirklich Komplizierte an der ganzen Technik ist also die Reaktorsteuerung. Im Klartext: die verlangsamende Beeinflussung der Kernspaltung. Grob vereinfacht ausgedrückt, ist so ein Atomreaktor nichts anderes als eine unendlich in die Länge gezogene nukleare Explosion. Inferno in Zeitlupe, wenn man so will.

Genauestens festgelegte Bedingungen müssen erfüllt sein, um den Unterschied zwischen alles zerstörendem Inferno und einer geregelt ablaufenden Energiegewinnung zu gewährleisten. Die zu Anfang beschriebenen schnellen Neutronen gilt es abzubremsen. Hierzu dienen sogenannte *Moderatoren*. Das sind dem Reaktor zugesetzte Substanzen mit leichten Atomkernen – wie etwa Wasser, schweres Wasser oder auch Graphit. Das Bremsen geschieht durch Ein- bzw. Ausfahren von Regulierungsstäben in den Reaktorkern, um die Abläufe in einem kontrollierbaren Bereich zu halten. Im Gegenzug sollte die Umgebung der Anordnung frei von Neutronen absorbierendem Material sein, da dieses die Kettenreaktion zum Erlöschen bringen kann. Unverzichtbar ist auch das Kühlmittel, das die entstandene thermische Energie in Form von Dampf zu einer konventionellen Turbine transportiert.[2]

Alle diese Vorgänge müssen von den Technikern ohne Unterlass und korrekt gesteuert werden. Nichts darf dem Zufall überlassen werden, denn alles spielt sich in einem äußerst begrenzten Rahmen zahlreicher bestimmender Parameter ab. So weit einmal ein paar Grundlagen, die ich für ziemlich bedeutend einschätze, um die Tragweite der im Folgenden geschilderten Fakten ermessen zu können. Denn da verlassen wir den so solide scheinenden Boden unseres als ewig gültig betrachteten Schulwissens und werden uns mit der schier unglaublichen Tatsache konfrontiert sehen, dass in einer unvorstellbar weit zurückliegenden Periode in der Frühzeit unseres Planeten bereits eine ganze Reihe richtiggehender Atommeiler in Betrieb gewesen sein müssen.

Das Mysterium von Oklo

Pierrelatte, etwa 160 Kilometer nördlich der französischen Hafenstadt Marseille. In einem Labor des »Commissariat à l' Énergie Atomique« (CEA) wurde am 7. Juni 1972 der Grundstein zu einer Entdeckung gelegt, die Anlass zu sensationellen Schlüssen gibt. Gemeinsam mit ein paar Kollegen machte sich der Chemiker Henri Bouzigues daran, eine angelieferte Probe des Gases Uran-Hexafluorid zu untersuchen. Dieses farblose Gas wird üblicherweise dazu benutzt, die einzelnen Uranisotope unterschiedlicher Massenzahl voneinander zu trennen.[3] Überrascht stellte er fest, dass bei der in Frage kommenden Probe das spaltfähige Isotop Uran U_{235} in etwas geringerer Menge vorhanden war, als dies normalerweise der Fall ist. Die Probe enthielt »nur« 0,7172 anstatt 0,7202 Prozent. In absoluten Zahlen ausgedrückt bedeutet dies, dass sich auf 100 000 Uranatome statt 720 Atome des Isotopes U_{235} nur deren 717 finden.[4, 5]

Eine geradezu lächerliche Abweichung, die jeder andere wohl einem Messfehler zugeschrieben hätte und dann schulterzuckend zur Tagesordnung übergegangen wäre. Nicht so Henri Bouzigues. Der war überzeugt, dass irgendetwas nicht stimmte. Darum begann er, der seltsamen Sache auf den Grund zu gehen.

Seine weiteren Untersuchungen der Probe ergaben, dass dieser auf den ersten Blick eigentlich unspektakuläre verringerte Anteil an spaltfähigem U_{235} nicht auf einen Messfehler und ebenso wenig auf einen Fehler bei der Verarbeitung des Natururans zu Uran-Hexafluorid zurückzuführen war. Und noch weniger auf eine »Verunreinigung« durch Uran, das bereits als Brennstoff in einem modernen Atomkraftwerk in Gebrauch war. Die geheimnisvolle Abweichung musste eine ganz andere Ursache haben.

So ging eine akribische Suche los, die Henri Bouzigues und dessen Kollegen sowie weitere hinzugezogene Experten für die nachfolgenden zwei Monate in Atem hielt. Zunächst einmal musste der Weg der Uranlieferung verfolgt werden, dessen spaltfähiger Anteil nicht der Norm entsprach. Alle Spuren führten in den am Äquator liegenden westafrikanischen Staat Gabun und dort in die unweit der Stadt Franceville gelegenen Minen von *Oklo*. Das französisch-gabunesische Firmenkonsortium COMUF (Compagnie des Mines d'Uranium de Franceville) baute dort das begehrte Erz im Tagebauverfahren ab.

Noch genauere Recherchen und Kontrollen brachten es dann an den Tag: Die COMUF hatte dem von ihr verarbeiteten Uranerz einen beträchtlichen Anteil an Material aus uranreichen »Linsen« auf dem Gelände der Oklo-Mine zugemischt. Die Firma war mit ihren Lieferungen in Verzug geraten, weil sie zu jenem Zeitpunkt nicht ausreichend anderes Erz zur Verfügung hatte. Aber genau dieses Material war für die von der Norm abweichende Zusammensetzung in der untersuchten Probe des angelieferten Uran-Hexafluorids verantwortlich![3]

Im Tagebaugebiet wurde nun auf der Stelle der Uranabbau unterbrochen, damit eingehende geochemische Untersuchungen vorgenommen werden konnten. Bohrmaschinen fraßen sich durch das harte Felsgestein und nahmen zusätzliche Proben. Hierdurch wurden die Wissenschaftler auf vorerst sechs linsenförmige Einschlüsse aufmerksam, bei denen der Anteil an U_{235} signifikant geringer war.

Hierfür bot sich nur eine Erklärung an. Durch das Wissen um die Halbwertszeiten bei radioaktivem Material konnte man ziemlich exakt zurückrechnen, dass die Konzentration jenes Isotopes mit der Massenzahl 235 vor ungefähr zwei Milliarden Jahren bei etwa drei Prozent lag. Damals, so die weltbildstürzende Folgerung der Physiker, müssen im Gebiet der heutigen Oklo-Mine genau dieselben Kernspaltungsprozesse abgelaufen sein, wie sie in unseren Tagen zur Wärmeerzeugung für die Produktion elektrischen Stromes ausgenützt werden. Mit anderen Worten: Vor zweitausend Millionen Jahren – die Paläontologen sprechen hier von der sogenannten präkambrischen Epoche – arbeitete in der Oklo-Region ein richtiggehendes Atomkraftwerk, das aus einer ganzen Reihe von einzelnen Reaktorblöcken bestand![6, 7]

Natürlicher oder künstlicher Ursprung?

Nachdem sich im Sommer des Jahres 1972 langsam die Erkenntnis Raum schaffte, dass vor undenklichen Zeiten eine echte nukleare Kettenreaktion stattgefunden hatte, fuhr man damit fort, am Schauplatz des unerhörten urzeitlichen Phänomens nach weiteren Spuren zu forschen. Mittlerweile wurden im Oklobecken im südöstlichen Gabun insgesamt 14 solcher fossiler Kernreaktoren entdeckt. Ein weiterer befindet sich in Bangombé, ungefähr 30 Kilometer von Oklo entfernt. Das Phänomen ist übrigens bislang von keinem anderen Ort der Welt bekannt. Nur hier im äquatorialen Afrika stehen auf engstem Raum mehr als ein Dutzend davon herum. Einzigartig? Nicht bei diesem gehäuften Auftreten. Oder bloßer Zufall? Dieser »kleine Handlungsgehilfe des Schicksals« kann einem manchmal richtig leid tun.

Trotzdem halten die meisten Wissenschaftler die mysteriösen Oklo-Reaktoren für nichts anderes als eine, wenn auch unglaublich seltene, Laune der Natur. In einer Zeit, in welcher alles Leben auf diesem Planeten aus primitiven, einzelligen, im Meer lebenden Organismen bestanden hat, sei Uran durch Auswaschung und Anreicherung zunehmend konzentriert worden. Welche genauen Abläufe sollen – aus konventioneller Sicht – aber dazu geführt haben, dass urplötzlich und gewissermaßen

»aus dem Nichts« eine Technologie entsteht, für die wir heute ein Maximum an Steuerung und Überwachung brauchen?

Etliche Bedingungen mussten erfüllt sein; das geben auch die an Zufälligkeiten glaubenden Vertreter der offiziellen Wissenschaften zu. Die Natur selbst hätte beispielsweise für Uran in genügend hoher Konzentration gesorgt. Dieses sei auf dem Grund eines ehemaligen Urmeeres im Gebiet des heutigen Staates Gabun angereichert worden. Entweder seien ganze Uran-Sedimente durch Auswaschung aus Granit (der auch heute noch geringe Spuren Uran enthält) entstanden, oder sie waren vulkanischen Ursprungs. Da die Atomphysik heute sehr genau die Halbwertszeiten radioaktiver Substanzen kennt, hätte man ermittelt, dass vor ungefähr zwei Milliarden Jahren der Anteil des spaltbaren Isotopes U_{235} bei rund drei Prozent lag. Dies ist, nebenbei bemerkt, haargenau jener Wert, auf den heute Uran U_{235} durch Anreicherung gebracht werden muss, um tauglich für den Betrieb in Kernreaktoren zu sein.

Weitere Bedingungen seien ein von Haus aus hoher Urananteil im Erz – zwischen zehn und 20 Prozent – sowie eine hohe Porosität des Gesteins gewesen. Wasser hätte als Moderator zur Verfügung stehen müssen. Und in unmittelbarer Umgebung hätte es einer exakt ausgewogenen Konzentration von Elementen wie Vanadium, Chrom oder Bor bedurft, die die raschen Neutronen zum Teil absorbiert hätten, um die Kettenreaktion zu verlangsamen. Denn andernfalls hätte es – vulgär ausgedrückt – nur einen einzigen, aber umso gewaltigeren »Rumms« getan.

Weiter wird angenommen, dass das nicht spaltbare Uran U_{235} im Verlaufe der Kettenreaktion durch den Beschuss mit Neutronen in spaltbares Plutonium umgewandelt wurde, das später zu Uran U_{235} zerfiel. Plutonium kennen *wir* erst, seit wir selbst fähig zur Atomkernspaltung sind. Und mit demselben Prinzip, das man bei den heutigen Reaktoren vom Typ

»Schneller Brüter« benutzt, hätten sich die »Naturreaktoren« von Oklo auf lange Zeit neuen Kernbrennstoff geschaffen.

Das Ganze hätte sich tief unter der Erde abgespielt, denn als die Kettenreaktion ablief, seien die »Linsen« angereicherten Urans, von mächtigen Ablagerungen bedeckt, drei- bis viertausend Meter unter der Erdoberfläche gelegen. In dieser Tiefe beträgt der Druck zwischen 300 und 400 Bar und entspricht damit dem während des Ablaufs einer Kernreaktion in unseren Druckwasserreaktoren herrschenden Druck. Unter diesen Verhältnissen bliebe auch das als Moderator dienende Wasser bei ca. 370 Grad Celsius – der Minimaltemperatur für eine Kettenreaktion – noch flüssig und bremste die durch Kernspaltung immer neu entstehenden Neutronen ab. Dadurch könnten permanent weitere Atomkerne gespalten werden, was die Kettenreaktion am Laufen hält.[8]

Zu viele Zufälle

Zugegeben: Die obige Argumentation klingt durchaus plausibel, vor allem, wenn ganz dezent auf die Tatsache verwiesen wird, dass zwei Milliarden Jahre vor unserer Zeit die Konzentration von Uran U_{235} weit höher war als heute. Und doch vermögen mich diese Einwände zugunsten einer natürlichen Entstehung nicht wirklich zu überzeugen.

Welche statistische Unmöglichkeit will man dem Zufall da in die Schuhe schieben? An der Oberfläche sei das Uran ausgewaschen und angereichert worden. Dort habe es dann ausgeharrt, ohne irgendwie zu reagieren, um im Verlauf geologischer Umwälzungen nach ein paar Hundert Millionen Jahren in etwa viertausend Metern Tiefe anzukommen. Dort hätten dann, wieder rein zufällig, eine ganze Reihe von Bedingungen zusammengepasst, damit eine natürliche, gebremste Kernschmelze in Gang gebracht wird. Dass dabei Funktionsabläufe zweier *verschiedener* Reaktor-Typen eine Rolle gespielt haben, übersieht man geflissentlich.

»Schneller Brüter« oder Druckwasser-Reaktor: Wie hätten wir es denn gerne? Gehen wir von der durchweg plausiblen Annahme aus, dass nach den Gesetzen der Statistik die Wahrscheinlichkeit für nur eine zutreffende Bedingung schon recht gering ist – wir stapeln mal tief und sagen 1 : 10 000 –, wie steht es dann damit, dass *sämtliche* Voraussetzungen erfüllt sein müssen? Fällt nur eine einzige davon flach, kann man die Kettenreaktion vergessen. Wahrscheinlichkeiten addieren sich nicht – sie multiplizieren sich bekanntlich. Jeder von uns, der schon einmal einen Lottoschein ausgefüllt hat, weiß das. Im Handumdrehen kommen wir zu astronomisch hohen Zahlenwerten, die jeden Lotto-Sechser mit Superzahl noch als eine der leichtesten Übungen erscheinen lassen. Damit aber noch immer nicht genug.

In den Minen von Oklo wurden selbst Spaltprodukte des Urans gefunden, wie etwa Plutonium. Dieses berüchtigte Element zählt zu den sogenannten Transuranen und wurde erstmals im Jahr 1945 durch Neutronenbeschuss künstlich hergestellt. In der Natur kommt es nicht vor. Zudem wiesen Uranproben aus Oklo vier Spurenelemente auf, deren Isotop-Anteile bisher nur im Verlauf heutiger Kernspaltungen aufgetreten sind. Dies waren die Elemente Europium, Cerium, Neodym und Samarium.[7]

Die Existenz von *einem* natürlich entstandenen Reaktor würde ich mir ja unter Umständen noch eingehen lassen, trotz der dafür so zahlreichen notwendigen Voraussetzungen. Deren jede für sich – dies bitte nie außer Acht lassen! – bei Nicht-Eintreten für ein Scheitern verantwortlich wäre. Denn weicht auch nur einer dieser Parameter geringfügig ab, gibt es schlicht und einfach keine Kettenreaktion. Aber 14 solcher

Reaktoren im Gebiet von Oklo und ein weiterer im nur 30 Kilometer entfernten Bangombé müssen letztendlich auch den festesten Zufallsglauben in seinem Innersten erschüttern.

Kontroverse Diskussionen

Der Schweizer Journalist Hansjörg Ruh, dem ich viele Informationen über den »Standort Oklo« verdanke, hatte vor ein paar Jahren die Gelegenheit, jene Uranabbaustätte persönlich zu besichtigen. Der dort im Jahre 1970 begonnene Tagebau hat in dem ursprünglich dicht bewaldeten Oklo-Becken deutliche Narben hinterlassen. Es entstand ein veritabler Canyon von einem Kilometer Länge und einem halben Kilometer Breite, dessen Tiefe ein wenig mehr als 300 Meter beträgt. Die uranhaltige Schicht, die dort über die Jahre abgebaut wurde, besaß eine Mächtigkeit zwischen fünf und acht Metern und war gegenüber der Horizontalen um etwa 45 Winkelgrade geneigt. Im Februar 1985 entschloss sich die Firmengruppe COMUF dann, das Uranerz nur noch im Untertagebau, also durch Stollen, zu fördern.

Gemeinsam mit einer Gruppe Besucher bekam der Schweizer die übliche Schutzkleidung verpasst, dann ging es über Naturpisten, die einen selbst die verborgensten Knochen spüren lassen, bis zur Einfahrt in den unterirdischen Teil der Mine. Eine weitere Höllenfahrt von drei Kilometern unter der Erde schloss sich an, dann war das Ziel erreicht: der sogenannte »Reaktor Nr. 10« in der Uranmine von Oklo.

Ein Geologe, der die Gruppe anführte, deutete mit dem Zeigestab auf eine linsenförmige Verfärbung im Gestein, die dem Auge des »Nichteingeweihten« mit ziemlicher Sicherheit verborgen geblieben wäre. So unscheinbar die Überreste einer ehemals dort abgelaufenen Kettenreaktion heute auch optisch sein mögen, verraten sie doch dem Fachmann, dass die Energieausbeute vor annähernd zwei Milliarden Jahren immens war. Wenn die Kernreaktion auch noch, wie die Fachleute behaupten, insgesamt mehrere Hunderttausend Jahre in Betrieb war, spricht dies in meinen Augen mehr für eine ausgeklügelte Hochtechnologie denn für puren Zufall oder eine bloße »Laune der Natur«.

Nachdem die Besucher die Unterwelt wieder verlassen hatten, brachte man sie zu den Resten des »Reaktors Nr. 2« (die Nummerierung erfolgte in der Reihenfolge der Entdeckung der Reaktoren; HH). Vom zugänglichen Rand der einen Grubenseite aus war im gegenüberliegenden Hang eine bunkerähnliche Stahlbetonverkleidung auszumachen, unter der die Reaktorreste vor der Witterung geschützt sind. Diese Befestigung soll zudem verhindern, dass die durch den Tagebau freiliegende Struktur sich löst und schließlich den Hang hinunterrutscht. Überlegungen zum Schutz vor radioaktiver Strahlung dürften indes beim Bau dieser Überdachung keine Rolle gespielt haben.

Auch Hansjörg Ruh, der Schweizer Journalist, glaubt an eine natürliche Entstehung der Reaktoren von Oklo. Er gibt zu bedenken, dass die heute als »Einschlusslinsen« erkennbaren Reaktoren durch deren Lage in einer Uranerzlagerstätte »am ungünstigsten Ort für den Bau eines Kernkraftwerkes« liegen würden.[3] Welcher Einwand aber spräche auf einem so gut wie leblosen Planeten in den Augen fremder Intelligenzen dagegen, eine Atomanlage möglichst ressourcennah zu installieren? Vielleicht waren die hypothetischen Kraftwerksbauer in ihrer Abschirmtechnik auch bereits ungleich weiter fortgeschritten als unsere Ingenieure im ausgehenden 20. und beginnenden 21. Jahrhundert.

Derselbe Gedanke würde auch Ruhs zweiten Einwand relativieren, der sich auf die Konzentration von sechs Reaktoren auf einer Länge von nur 150 Metern bezieht. Mit Sicherheit würde heute kein AKW-Betreiber seine Kraftwerksblöcke so nahe beieinander aufstellen, denn wie der Super-GAU von Tschernobyl gezeigt hat, brennt eine Kernschmelze auch meterdicke Stahlbetonmauern in kürzester Zeit unaufhaltsam durch. Aber was würde nach fast zwei Milliarden Jahren von einer Schutzummantelung auch stärksten Kalibers noch übrig bleiben?

Und schließlich weist er noch auf ein paar Abweichungen bei der Dimensionierung hin. Heutige Reaktorkerne haben im Mittel einen Durchmesser von zwei bis drei Metern, bei einer Höhe von ungefähr vier Metern. Die linsenförmigen Reaktorrelikte in Oklo sind unterschiedlich groß und zeigen – heute! – eine Mächtigkeit von bis zu einem Meter, bei einer Länge von maximal 20 Metern. Doch welche geologischen Umwälzungen sind in den Jahrmillionen über sie hinweggegangen!

Der leider viel zu früh verstorbene promovierte Geologe und Wissenschaftsautor Dr. Johannes Fiebag (1956–1999) hielt dagegen einen künstlichen, technogenen Ursprung der Oklo-Reaktoren für weitaus wahrscheinlicher. Er zweifelte die Möglichkeit für eine eigenständige Zündung des Urans aus einer Laune der Natur heraus glatt an. Als Mann vom Fach gab er eine Tiefe von mindestens 11 000 Metern und mehr an, bei der erst die dafür notwendigen Druckverhältnisse gewährleistet gewesen seien. Aus Sicht des Geologen war in jener Epoche auch keine Möglichkeit vorhanden, das – zunächst an der Oberfläche – ausgewaschene Material in derartige Tiefen zu befördern.[9] Dr. Johannes Fiebag konkretisierte seine Argumentation:

»Vor etwa 1,7 Milliarden Jahren (die Datierung wurde inzwischen nach oben angepasst; HH) hatten wir zwar die karelisch-suekofennidische Gebirgsbildungsphase, diese bezog sich jedoch auf den Gebirgsunterbau in den heutigen nördlichen europäischen Ländern. Aus Westafrika ist nichts aus dieser Zeit bekannt – wer also sollte für eine Absenkung um so viele Meter gesorgt haben? Hinzu kommt, dass Abbrand, Betriebsweise und weitere Eigenschaften ziemlich genau jenen Abläufen entsprechen, wie sie heute künstlich in Druckwasserreaktoren erzeugt werden.«[10]

Aufgegeben und geflutet

Die Diskussion um die geheimnisumwobenen Uralt-AKWs in Oklo kann also durchaus als »kontrovers« bezeichnet werden. Wie Dr. Johannes Fiebag tendiere auch ich viel eher für einen technogenen Ursprung, der auf unbekannte Besucher in grauer Vorzeit zurückzuführen ist.

Vor unendlich langer Zeit landete eine fremde, interstellare Raumfahrt betreibende Intelligenz auf dem noch sehr jungen, dritten Planeten eines kleinen Sonnensystems am Rand eines Spiralarmes dieser Milchstraße. Forscherdrang mag diese Weltraumfahrer hierher geführt haben, und wahrscheinlich benötigte man über einen längeren Zeitraum sehr viel Energie. So errichteten sie gewaltige Kernkraftwerke unter Ausnutzung der dort vorhandenen Ressourcen. Rücksicht auf die Befindlichkeiten eventueller Bewohner des Planeten hatte man nicht zu nehmen – denn das Leben begann gerade erst mit primitiven Einzellern, welche den Lebensraum Wasser für die nächsten 1,5 Milliarden Jahre sicher nicht verlassen würden. Womöglich legte man auch im Rahmen eines Langzeit-Experiments die Grundlage für die zukünftige Biosphäre des jungen Planeten,[7] doch letzteres ist nichts als eine Spekulation unter vielen.

Und vielleicht kamen »sie« irgendwann wieder. Denn seltsame und mit unserem »gesicherten« Wissen unvereinbare, hoch technische Artefakte, die schwerlich von dieser Welt stammen können, tauchen immer wieder auf diesem Planeten auf …

Ob wir jemals klären können, was sich vor nunmehr fast zwei Milliarden Jahren tatsächlich im Raum Oklo abgespielt hat, wage ich hier zu bezweifeln. Was aber in den jüngsten Jahren aus den Reaktoren in Gabun geworden ist, brauche ich meinen Lesern nicht vorzuenthalten.

Im Mai des Jahres 1997 wandten sich einige europäische Wissenschaftler mit einem dramatischen Appell in der Zeitschrift »Nature« an die Öffentlichkeit. Die seit 1972 studierten Reaktoren seien allesamt akut bedroht. Vor allem der 1986 im rund 30 Kilometer von Oklo entfernten Bangombé entdeckte, da dessen Uranerz nun abgebaut werden sollte. Der war bis zu jenem Zeitpunkt, abgesehen von ein paar wenigen Probebohrungen, unangetastet geblieben. Die Verfasser des »Nature«-Artikels forderten die Verantwortlichen aus Wissenschaft, Wirtschaft und Politik deshalb eindringlich auf, wenigstens diesen Reaktor unter Schutz zu stellen. Sie zogen auch Überlegungen ernsthaft in Betracht, dem bereits erwähnten Konsortium COMUF einen (noch zu sammelnden) Betrag von zirka 20 Millionen französischen Francs (etwas mehr als drei Millionen Euro) für den zu erwartenden Ertragsausfall zu bezahlen. Damit könne das sich mehrheitlich in den Händen des gabunesischen Staates sowie einer französischen Gesellschaft für Kernbrennstoffe befindliche Unternehmen – so die weitere Überlegung – auf die Ausbeutung der Uranvorkommen von Bangombé verzichten.[11]

Doch letztlich ging es auch ohne finanziellen Kraftakt seitens der auf den Plan gerufenen potenziellen Retter ab. Denn auf einer Sitzung des Verwaltungsrates der COMUF am 12. Dezember 1997 entschied dieser, das Uran von Bangombé nicht zu fördern, was für den zuletzt entdeckten von insgesamt 15 Uraltreaktoren die Rettung bedeutete.[12]

Leider dürften aber alle anderen 14 Reaktoren – sämtlich in der Mine von Oklo gelegen – zwischenzeitlich verschwunden sein, obgleich man auch deren Uran nicht mehr angetastet hat. Am 23. Dezember 1997, knappe zwei Wochen nach der Entscheidung, Bangombé zu erhalten, stellte die COMUF auch die Uranförderung in Oklo ein. Der Uranpreis auf dem Weltmarkt war gefallen, und die langsam zur Neige gehenden abbauwürdigen Uranerze versprachen keine Gewinne mehr. Dies hatte gravierende Folgen: In der Mine stellte die COMUF die Entwässerungspumpen ab. Fachleute ermittelten, dass innerhalb von drei Jahren das Grundwasser den gesamten durch Tagebau entstandenen Canyon überfluten würde. Demzufolge dürfte heute nur noch ein See an das größte Geheimnis auf dem »Schwarzen Kontinent« erinnern.

Was bleibt, ist wenigstens eines dieser Relikte, welche unter Laien wie Fachleuten eine so weitreichende Diskussion ausgelöst haben. Bei der seitens der konservativen Wissenschaften einiges an Logik verbogen und an »Zufällen« strapaziert wurde, weil es immer wieder Dinge gibt, die nicht sein können, weil sie nicht sein dürfen.

Geisterhafte Schatten

Ein anderer Kontinent, genauer gesagt, der Subkontinent Indien, trägt ebenfalls unverkennbare Spuren einstiger Anwendung der atomaren Kernspaltung. Diese sind zwar bei Weitem nicht so betagt wie die Relikte aus dem afrikanischen Oklo – aber immer noch so alt, dass Bewohner dieses Planeten schwerlich als Urheber dafür in Frage kommen.

Und es sind – auch im Gegensatz zu den Uralt-AKWs in Gabun – Spuren, die vielmehr auf eine zerstörerische Anwendung einer nuklearen Technologie schließen lassen.

In einem Gebiet, das sich über Indien, Pakistan, den Westen Chinas bis in den heute von blutigem Bürgerkrieg erschütterten Irak erstreckt, stießen Archäologen ab einer bestimmten Tiefe immer wieder auf regelrecht verglaste Schichten. Eine Art von grünlichem, geschmolzenen Glas – ähnlich den Sandverglasungen, wie sie die ersten Testexplosionen von Atombomben in der Wüste von Nevada hinterlassen haben.

Der eingangs bereits erwähnte »Vater der Atombombe«, Dr. Jacob Robert Oppenheimer (1904–1967), wurde einmal von Studenten im Verlauf einer Diskussion im Jahre 1952 gefragt, ob denn die Testbombe von Alamogordo (New Mexico) am 16. Juli 1945 die erste gewesen sei. Oppenheimers Antwort fiel recht hintergründig aus: »Nun ja. Jedenfalls in neuerer Zeit.«[13]

Aus Indien, wo noch eine ganze Anzahl besonders in den subtropischen Klimaten liegende Regionen völlig unerforscht sind, berichteten Forscher und Abenteurer von unheimlichen Relikten. So entdeckte der Reisende De Camp Ruinen, welche derart starke Zerstörungen aufwiesen, dass sie kaum durch einen herkömmlichen Brand hätten entstehen können. Etliche Felsformationen wirkten geradewegs so, als wären sie teilweise geschmolzen oder auch ausgehöhlt, wie von glutflüssigem Stahl angespritzte Zinnplatten. Die bewussten Ruinen sollen sich in einem Gebiet befinden, das sich zwischen dem Ganges und den benachbarten Rajmahalbergen erstreckt.

Es handelt sich um eine noch weitgehend unerforschte Region in West-Bengalen, nicht weit von der Grenze zu Bangladesh, dem früheren Ost-Pakistan. Diese ganze Gegend ist von Nebenflüssen und Seitenarmen des Ganges durchzogen. Nur in den monsunfreien Monaten ist dort einigermaßen ein Durchkommen möglich. In der übrigen Zeit vereitelt Hochwasser jegliche Erschließung. Dann wälzen sich die unübersehbaren braunen Fluten auf das Ganges-Delta zu, dem Golf von Bengalen entgegen. Und die lokale Tierwelt ist auch nicht ohne, mit Giftschlangen und weiteren, nicht gerade anheimelnden Geschöpfen.

Etwas weiter südlich stieß noch in den Tagen des glorreichen Empire der britische Offizier J. Campbell auf ähnliche Ruinen. Es war in den 1920er-Jahren, als er diese Gänsehaut erregende Entdeckung machte, die uns erst seit Hiroshima und Nagasaki verständlich geworden ist. Auf dem teilweise zu Glas gewordenen Boden eines Innenhofes dieser namenlosen Ruinenstätte war ganz deutlich der schattenhafte Abdruck einer menschlichen Gestalt zu erkennen.[14]

Die Erklärung für diese Erscheinung ist ebenso schaurig wie banal. In der am 6. August 1945 von einer amerikanischen Atombombe verwüsteten Stadt Hiroshima richteten die Stadtväter einen Gedenkpark ein. Im Epizentrum der einstigen Kernexplosion blieben auch einige Mauern nahezu unbeschädigt stehen. Auf ihnen kann man die gespenstisch anmutenden Umrisse von menschlichen Gestalten erkennen. Schemenhafte Spuren von Opfern dieser unbeschreiblichen Explosion, welche im Bruchteil einer Sekunde regelrecht verdampft sind. Jedoch noch »langsam« genug, um auf das dahinterliegende Mauerwerk ein verschwindend kleineres Maß an Lichtenergie auftreffen zu lassen als auf die umliegenden, nicht »abgedeckten« Partien.

So entstand – nach demselben Prinzip wie die Fotografie – das schaurig-makabre Abbild eines Menschen in der Millisekunde seines Todes im Atomfeuer.

Auch andere Indienreisende berichteten übereinstimmend, sie hätten in unzugänglichen Regionen des Subkontinentes in Ruinen liegende Städte entdeckt, welche der Dschungel nahezu vollkommen verschlungen hatte. Sie beschrieben die Mauern der Gebäude als »dicken Kristallscheiben gleich«, von unbekannten Kräften zerfressen und durchbohrt.[14]

Atomexplosionen im alten Indien

Welche schrecklichen Geheimnisse hat der alles überwuchernde Urwald des südasiatischen Staates unseren Blicken entzogen? Mag es ihm auch gelungen sein, an düstere Tragödien in grauer Vorzeit erinnernde Stätten vor uns zu verbergen, so hat Indien uns in punkto uralter Aufzeichnungen erstaunlich viele, aussagekräftige Zeugnisse hinterlassen.

Denn kein Land und Volk dieser Welt vermag auf noch umfangreichere Texte aus grauester Vergangenheit zurückzublicken als Indien und dessen Bewohner. Sogar das Alte Testament der Bibel erscheint uns im Angesicht dieses Stromes an Informationen wie ein schmales Brevier. Die Namen der altindischen Epen sind für uns veritable Zungenbrecher: »Mahabharata«, »Samarangana Sudradhara« oder »Vymaanika Shastra«, um nur einige wenige Beispiele zu zitieren.

Als diese zum ersten Mal in schriftlicher Form niedergelegt wurden, und zwar in Sanskrit, der ehrwürdigen Kunstsprache des alten Indien, war ihr Alter bereits legendär. Doch unisono berichten alle über hochmodern wirkende Flugobjekte, welche eher der Science-Fiction entsprungen scheinen denn einer Epoche, in welcher alle Reisen noch zu Fuß oder Pferd gemacht wurden.

Und sie berichten über vernichtende »Götterwaffen«, die von fliegenden Apparaten abgefeuert wurden und den Feind in einer Art und Weise dezimierten, die uns an modernste Massenvernichtungswaffen unserer Tage denken lässt. Noch bis vor kurzer Zeit wurden diese altindischen Epen nicht anders gesehen als im 19. Jahrhundert, als die ersten Übersetzungen aus dem Sanskrit ins Englische erfolgten. Eifrige, aber voreingenommene Fachgelehrte gingen mit der Einstellung an die Arbeit, dass einzig unsere westlichen Staaten der Neuzeit über einen ausgeprägten

Wissensstand und ausgefeilte Technologien verfügen. Dergestalt eingenebelt von ihrem überheblichen Zeitgeist kommentierten sie die Passagen, in denen von supermodern anmutenden Waffen die Rede war, mit abwertenden Bemerkungen wie »dummes Geschwätz« oder »diese Stelle kann ausgelassen werden, da sie nichts als Phantastereien enthält«.

Doch was sollen die Menschen einer Epoche, die mit dem Abwurf zweier Atombomben über zwei großen japanischen Industriestädten im August 1945 von einem Moment zum nächsten mit einer unfassbaren Waffe konfrontiert wurden, bei uralten Textpassagen wie der folgenden denken? Das 5. Buch des indischen »Mahabharata« beschreibt auf sehr drastische Art den Einsatz einer Waffe, die uns unweigerlich an den Albtraum von Hiroshima und Nagasaki erinnert:

»Die Sonne schien sich im Kreis zu drehen. Von der Glut der Waffe versengt, taumelte die Erde vor Hitze. Elefanten waren angesengt und rannten wie wild hin und her (…) Das Toben des Feuers ließ die Bäume wie bei einem Waldbrand reihenweise stürzen. (…) Pferde und Streitwagen verbrannten; es schaute aus wie nach einem fürchterlichen Brand. Tausende von Wagen wurden vernichtet, dann senkte sich tiefe Stille über die Erde. (…) Es bot sich ein schauerlicher Anblick. Die Leichen der Gefallenen waren von der fürchterlichen Hitze verstümmelt, sie sahen nicht mehr wie Menschen aus. Nie zuvor haben wir eine derartig grauenvolle Waffe gesehen, und niemals zuvor haben wir von einer derartigen Waffe gehört. (…) Sie ist wie ein strahlender Blitz, ein verheerender Todesbote, der zu Asche zerfallen ließ sämtliche Angehörigen der Vrischni und Andhaka. Die verglühten Körper waren unkenntlich. Den Davongekommenen fielen Haare und Nägel aus. Töpferwaren zerbrachen ohne Grund, die überlebenden Vögel wurden weiß. In kurzer Zeit war die Nahrung giftig. Der Blitz senkte sich und wurde zu feinem Staub.«[15]

An anderer Stelle des gleichen Epos wird die zum Einsatz gekommene Waffe mit dem Namen »Agneya« bezeichnet, und ganz ähnlich, aber noch dramatischer charakterisiert:
»Es war ein einziges Geschoss, geladen mit der ganzen Kraft des Universums. Eine weiß glühende Säule aus Rauch und Flammen, so hell wie zehntausend Sonnen, stieg auf in all ihrem Glanze. Es war eine unbekannte Waffe, ein eiserner Donnerkeil und ein riesiger Todesbote, der in Asche verwandelte das ganze Geschlecht der Vrischni und Andhaka. Die Leichen waren dermaßen verbrannt, dass sie nicht wiederzuerkennen waren. Die Haare und Nägel fielen ihnen aus, Tongefäße zerbrachen ohne Grund, und die Vögel verfärbten sich weiß.«[15]
Angesichts solcher Schilderungen kommen uns spontan wieder die unheimlichen Entdeckungen von Reisenden und Abenteurern in den Sinn. Wie schon erwähnt: Der dichte Dschungel hat wahrhaft schreckliche Geheimnisse unter seinem immergrünen Blätterdach vor unseren Blicken versteckt.

Radioaktive Spuren

Zum Glück sind aber nicht alle Spuren, die den Wahrheitsgehalt der altindischen Göttermythen bestätigen könnten, bis zum Tage ihrer Wiederentdeckung unter der alles kaschierenden »Lebensgemeinschaft Regenwald« verschollen. Gleich zwei vielversprechende Spuren führen in einen anderen Landesteil. Und zwar nach Kaschmir, den ewigen Zankapfel zwischen den supermodernen Atommächten Indien und Pakistan.
Wegen der exponierten Lage sowie der Nähe zu den Berg-riesen des Himalaya wird Kaschmir häufig die »asiatische Schweiz« genannt. Unabhängigkeitsbestrebungen und Grenz-streitigkeiten mit den Nachbarn Pakistan und China sorgten

allerdings schon öfter für kriegerische Auseinandersetzungen in der Idylle des Vorgebirges zu den Achttausendern des Karakorum. Im indischen Teil von Kaschmir teilen sich die Städte Jammu und Srinagar – letztere in den heißen Monaten – die Funktion der Hauptstadt jenes Bundesstaates, der offiziell als »Jammu and Kashmir« bezeichnet wird.

In der näheren Umgebung von Srinagar, das wegen der vielen, die Stadt durchziehenden Kanäle auch als »Venedig des Ostens« bekannt ist, befinden sich die Tempel von Parhaspur und Marand. Beide Stätten liegen in Ruinen, doch ganz besonders Parhaspur ist ein Areal totaler Zerstörung. Im Mittelpunkt dieser Anlage stehen die Reste einer Pyramide, die an die oben abgeflachten Stufenpyramiden der Mayas auf der mittelamerikanischen Halbinsel Yucatân erinnert. Deutlich sind noch die Terrassenstufen des Bauwerkes zu erkennen.

Doch ringsum, in einem Umkreis von mehreren Kilometern, hat es den Anschein, als wäre die Stätte von einem alles vernichtenden Bombenangriff heimgesucht worden. Der »Zahn der Zeit« allein hätte nicht so gründlich gewütet, einzig eine Explosion von gewaltiger Sprengkraft vermag ein so ausgedehntes Trümmerfeld zu hinterlassen.

War es möglicherweise eine Atomexplosion? Gibt es Indizien, die eine solche Vermutung rechtfertigen?

Der Schweizer »Götterforscher und Querdenker« Erich von Däniken war in den vergangenen Jahren wiederholt vor Ort in den Ruinenstätten von Marand und Parhaspur. Zu seiner Ausstattung gehörte auch ein Geigerzähler zum Registrieren eventueller radioaktiver Strahlung. Was er bei seinen Lokalterminen an jenen sinistren Stätten der Zerstörung fand, schilderte er in seinem Bestseller »Beweise«:

»Meter für Meter nahmen wir uns das Terrain vor. Plötzlich, in einer verlängerten Linie des Haupttores, vibrierten die Zeiger wie närrisch. Für Sekunden dröhnte in den Kopfhörern unangenehm lautes Knistern. Ich ging mit dem Apparat an den Start zurück. Das Phänomen wiederholte sich im Voranschreiten präzise an derselben Stelle. Die Fläche der radioaktiven Strahlung war 1,50 Meter breit. Wie lang war sie? Langsam scherte ich im rechten Winkel nach links aus. Das Knistern im Kopfhörer hielt an, war allerdings unregelmäßig und verschwand manchmal ganz. Die Instrumente schienen verrückt zu spielen. Ich benutzte eine tragbare Monitor-Elektronik vom Typ TMB2.1 der Firma Münchner Apparatebau. Diese Apparatur dient zur Messung und Überwachung von Alpha-, Beta-, Gamma- und Neutronenstrahlung. Ich reduzierte die einfallende Strahlenmenge pro fünfzigstel Sekunde. Es änderte sich wenig. An bestimmten Stellen jedoch verharrten die Zeiger am Ende der Skala.«[16]

Noch deutlichere Ausschläge zeigte das Gerät, als Erich von Däniken und dessen Begleiter einen viele Tonnen schweren Steinquader untersuchten, der so exakt bearbeitet war, dass man ihn beinahe für einen modernen Betonguss halten konnte. Dergestalt bearbeitete Strukturen findet man übrigens in großer Anzahl in den Anlagen von Tiahuanaco und Puma Punku unweit des Titicaca-Sees im bolivianischen Andenhochland, doch dies für den Moment nur am Rande. Die Seitenlänge des erwähnten quadratischen Monolithen betrug 2,80 Meter, die Höhe ließ sich jedoch nicht ermitteln, weil der Sockel tief im Boden steckte. Über besagtem Steinblock aber schlug der Zeiger des Messgerätes mit ganz besonderer Heftigkeit aus.

Dies alles hatte sich in den etwa 30 Kilometer von Srinagar entfernten Tempelruinen von Marand abgespielt. Tags darauf begab sich der »Götterforscher« mit zwei Archäologen zum Ruinenfeld von Parhaspur, das gleichfalls nicht weit von Srinagar gelegen ist. Dort wiederholte sich bei drei – dem zuvor erwähnten in Marand verblüffend ähnlichen – Steinquadern dieselbe heftige Reaktion des Geigerzählers.

Der Schweizer Bestsellerautor mutmaßte seinerzeit, dass sich möglicherweise radioaktive Erze im Boden befinden könnten, man sich folglich über einer Uranerzader befunden habe. Allerdings verfügen solche Vorkommen über einen Uranerzanteil, der im günstigsten Fall im Promillebereich liegt. Und auch die Messgeräte hätten schwerlich mit solchen Ausschlägen, wie in Parhaspur und Marand beobachtet, reagiert.

Aus diesem Grund halte ich es nicht für ausgeschlossen, dass die hier genannten Tempelruinen dereinst zum Schauplatz atomarer Vernichtungsorgien wurden. Deren Details so grauenvoll waren, dass sie sich im wahrsten Sinne des Wortes unauslöschlich in die Mythen und Überlieferungen dieses geographischen Raumes *eingebrannt* haben.

Wir sollten uns hüten, eingedenk solch gewichtiger Hinweise eine damalige Präsenz unbekannter Intelligenzen und deren weit fortgeschrittener Hochtechnologie so einfach in das Reich der Fabel zu verweisen.

2 Rostfrei »Made in India«

Unmögliche Artefakte
aus unmöglichen Legierungen

> »Die Welt ist voll von ungelösten
> Rätseln, und einige davon sind noch
> fremdartiger, als man es sich
> vorstellen kann.«
>
> CHARLES FORT (1874–1932),
> AMERIKANISCHER AUTOR

Indien, das offenbar vor unbekannten Jahrtausenden zur Austragungsstätte fürchterlicher Götterkriege mit atomaren Waffen geworden war, wird uns noch mit anderen unglaublichen Relikten eine Weile in Atem halten. Denn der Subkontinent hält noch eine Menge Überraschungen für uns aus einer Vergangenheit parat, an deren offizieller Geschichte stetig mehr Zweifel aufkommen. Und wir müssen nicht unbedingt – wie bei den verglasten Ruinen im schlangenverseuchten Dschungel des stetig überfluteten Gangesdeltas – die unzugänglichsten Regionen des mehr als 3,2 Millionen Quadratkilometer Erdoberfläche bedeckenden Landes durchstöbern, wenn wir unsere Suche beginnen.

Fündig werden wir nämlich schon in der Hauptstadt der Indischen Union, Neu-Delhi, die eine gleichsam wechselvolle wie an tiefe Mysterien rührende Geschichte hinter sich hat. Insgesamt zehn Stadtgründungen bedurfte es bis zur heutigen modernen Metropole, die 1911 von den Engländern auf geschichtsträchtigem Boden gegründet wurde. All diese Städte haben sich aber nicht, wie bei uns in Europa, nacheinander als Vorstädte um einen historischen Stadtkern gruppiert. Am Ufer des Yamunâ-Flusses entstand fast jedes Mal eine völlig neue Stadt neben der oft plötzlich verlassenen, nur ein paar hundert Meter entfernt. Das erklärt auch die Tatsache, dass man heute immer wieder am Stadtrand von Neu-Delhi auf die ausgedehnten Ruinenfelder der Vorläufersiedlungen stößt.

Mindestens 1000 Jahre vor Christus befand sich auf dem Terrain des heutigen Delhi die erste Ansiedlung mit dem Namen Indraprastha. Erwähnt wird sie im großen Nationalepos »Mahabharata«, in dem sich auch deutliche Beschreibungen vom Einsatz atomarer Massenvernichtungswaffen finden (vgl. Kapitel 1). Natürlich ist es möglich, dass diese erste Stadt schon deutlich früher als 1000 v. Chr. bestanden hat, da auch die zuerst mündlich überlieferten Wurzeln des »Mahabharata« um eine schwierig zu bestimmende Zeitspanne zurückdatieren. In jenen sagenhaften Zeiten lagen die Angehörigen des Kaurava- und Pandava-Clans miteinander im Clinch, der in einer volle 18 Tage tobenden Schlacht eskalierte. Diese endete schließlich mit der vollständigen Niederlage der Kauravas.[15]

2000 Jahre Auszeit

Außer dieser Erwähnung im alten Nationalepos der Inder finden sich keinerlei weitere Aufzeichnungen mehr über Indraprastha. Man gewinnt den Eindruck, als hätte die erste Vorgängerin Delhis von etwa 1000 v. Chr. bis mehr als 1000 n. Chr. ganz einfach aufgehört zu existieren. Denn über diese lange Zeitspanne von 2000 Jahren wissen wir nichts von ihr. Das einzige, obwohl auch nur mittelbare Relikt aus den Tagen Indraprasthas ist die Festung Purana Qila, die jedoch erst viel später bei der Gründung von Dinpanah auf den Überresten der vorchristlichen Stadt erbaut wurde.

Erst im Jahre 1052 unserer Zeitrechnung entstand an den Gestaden der Yamunâ wieder ein funktionierendes Gemeinwesen. Die Stadt Lalkot ist auf den Inschriften einer Eisensäule erwähnt, deren fantastische Eigenschaften ich später detaillierter beleuchten werde. Denn sie existiert noch immer und birgt offensichtlich technische Geheimnisse. Um das Jahr 1160 herum wurde Lalkot dann stark erweitert und erhielt auch gleich den neuen Namen Raj Pithora.

Wenig mehr als 30 Jahre später lag Raj Pithora in Trümmern, und neue Herrscher kündigten sich an. Die Araber kamen und mit ihnen im Gefolge der Islam. Das spätere Delhi hieß nun für einige Jahre Qut'b oder Kutub. Benannt nach Qut'b ut din Aibak, einem ehemaligen Sklaven, der nach seiner Freilassung eine militärische Karriere einschlug und als Heerführer große Gebiete Indiens erobern konnte.

Auch dieser Stadtgründung war – wie sollte es anders sein – keine allzu lange Zeit beschieden. Danach wurde Siri gegründet und ein weiteres Mal sehr bald verlassen. Die heute noch existierenden Überreste liegen in einem dschungelartigen Waldstück und sind nur sehr schwer zugänglich. Sie sind Teil einer richtig unheimlichen Geisterstadt: Lassen sie doch mysteriöse Verglasungen erkennen, welche an die in anderen Landesteilen verstreuten Ruinen erinnern, über denen ganz offenbar in ältester Vorzeit ein atomares Höllenfeuer loderte. Noch schneller war das »Verfallsdatum« der Nachfolgerin Siris erreicht. Trotz modernen städtebaulichen Zuschnitts war es Tughlaqabâd nicht bestimmt, länger als zehn Jahre zu existieren. Aus heute nicht mehr nachvollziehbaren Gründen wurde auch diese Stadt von ihren Bewohnern, gewissermaßen über Nacht, für immer verlassen. Wie Siri, gilt auch Tughlaqabâd heute als ein verfluchter Ort. In den »einschlägigen«

Reiseführern sucht man den Namen vergebens, und auch die Einwohner Neu-Delhis weigern sich beharrlich, den Fuß in diese verwunschenen Ruinenstätten zu setzen.

Stadt Nummer sieben – Jahanpana – wurde sogar zweimal aufgegeben und ist heute größtenteils von der modernen Hauptstadt überbaut. Als Nächstes wurde 1351 Firozabâd gegründet, welches nach dem Sultan Shah Firoz benannt wurde. Der stellte auf der obersten Terrasse seines Palastes zwei Gedenksäulen des legendären nordindischen Kaisers Aschoka (ca. 273–232 v. Chr.) auf. Hierauf sind 14 Artikel der liberalen Verfassung des als weise und friedliebend geltenden Kaisers eingemeißelt. Sie erinnern in ihrer ganzen Fortschrittlichkeit an die Deklaration der Menschenrechte, die damals noch für den Rest der Welt als Utopien in ferner Zukunft lagen.

Dinpanah folgte als Nächstes. Sie baute auf den Fundamenten der ersten Stadt Indraprastha auf, wurde 1540 fertiggestellt. Nach wie vor existiert deren Festung Purana Qila. Stadt Nummer zehn trug den für Europäer schwer aussprechbaren Namen Shahjahanabâd und ist als Alt-Delhi noch heute lebendig. Von den anderen Gründungen auf Delhis Boden blieben nur ein paar Ruinen, der Rest ist zu Staub zerfallen.[17]

Ich hoffe, ich habe nichts übersehen oder ausgelassen, denn jetzt landen wir endlich im Hier und Jetzt. Schließlich gründeten die Briten, die Indien bis zu dessen Unabhängigkeit am 15. August 1947 als Kolonie regierten, im Jahr 1911 Neu-Delhi. Die Stadt, deren Name sich schätzungsweise aus der Bezeichnung für die ganze Region, in der sie liegt (»Dili«), ableitet, ist bis zum heutigen Tag Hauptstadt und Verwaltungszentrum des neuzeitlichen indischen Staatswesens.

Und sie beherbergt ein faszinierendes Relikt, welches technisch zwar sensationell ist, aber, wie ich noch beweisen werde, beileibe nicht das einzige Objekt dieser Art auf dem indischen Subkontinent darstellt.

Die geheimnisvolle Eisensäule

Ohne zu übertreiben, kann man sie als eins der rätselhaftesten Artefakte unserer Welt betrachten. Jene nichtrostende Eisensäule von Delhi, die bereits in Erich von Dänikens Erstling »Erinnerungen an die Zukunft« ihre Erwähnung fand.[18] Später revidierte der Schweizer Bestsellerautor und Querdenker zwar die von ihm gegebene Einschätzung,[19] aber so viel Selbstkritik hätte es nicht bedurft. Wissen wir doch heute dank weitergehender Untersuchungen mehr über dies ungewöhnliche Objekt, um berechtigterweise sagen zu können, dass seine Existenz nicht mit unserem »gesicherten Schulwissen« über die Technik des Altertums zu vereinbaren ist. Denn die Säule soll mindestens 1500 Jahre alt sein, wenn nicht sogar 2000 Jahre.

Für jene Leser, die noch nichts davon gehört haben, ist das Corpus Delicti rasch beschrieben. Im Innenhof der Moschee Quwwat-ul-Islam (»Macht des Islam«), auf dem Boden des ehemaligen Qut'b, steht eine rund sieben Meter hohe Säule aus offensichtlich geschmiedetem Eisen, welches trotz des feuchtheißen Klimas nicht korrodiert ist, also keinen Rost angesetzt hat. Zwar sind die Monate zwischen Oktober und April in Delhi selbst für Mitteleuropäer leidlich gut zu verkraften. Aber in der übrigen Zeit, während des Sommermonsuns, gießt es buchstäblich wie aus Kannen. Teile der Altstadt verwandeln sich dann in regelrechte Schlammbäder. Wenn dann die Sonne durch die Wolken kommt, wird die Stadt zur Sauna. Mit einer Luftfeuchtigkeit, in der alles Eisen rasch zu rosten beginnt. Eigentlich müsste auch die Säule längst durchgerostet sein. Wenn man vergleicht, wie unbarmherzig die Zeit sogar mit den dicksten Kanonenrohren aus den zwei Weltkriegen – der hoffentlich letzte endete vor vergleichsweise popeligen 63 Jahren – umgegangen ist, dürften von der Säule in Delhi überhaupt keine Spuren mehr existieren.

Für die Menschen in Delhi besitzt die Säule zweifellos wunderbare Kräfte. Nicht einmal zu schätzen sind die vom Schweiß nassen Hände, die sie im Lauf der vergangenen Jahrhunderte berührt haben. Dabei müsste alleine schon das ausgeschwitzte Salz eine derart zerstörerische Wirkung gezeigt haben, dass der Rost an diesen Stellen blüht wie ein oberbayrischer Blumenbalkon im Frühling. Aber nichts dergleichen. Besonders an den am meisten abgegriffenen Teilen wirkt das Metall wie poliert.[20]

Die Rätsel um das Objekt werden nur noch größer, wenn es an die chemische Analyse geht. Eine Untersuchung, vorgenommen vom britischen Wissenschaftler Sir Robert Hedfield, hatte ergeben, dass die Säule zu weit über 99 Prozent aus chemisch reinem, geschmiedeten Eisen besteht. Im Einzelnen stellt sich die Zusammensetzung wie folgt dar:

Eisen	99,720 Prozent	Silizium	0,046 Prozent
Phosphor	0,114 Prozent	Schwefel	0,006 Prozent
Kohlenstoff	0,080 Prozent		

sowie verschiedene andere Spurenelemente, deren gesamte Anteile zusammen 0,034 Prozent ausmachen.[17]

Ein derart reines Eisen herzustellen, bereitet uns sogar im angehenden 21. Jahrhundert noch enorme Schwierigkeiten. Wie um alles in der Welt soll es den unbekannten Säulenschmieden dann vor 1500 oder 2000 Jahren gelungen sein? Einige Forscher haben den Gedanken geäußert, dass diese Reinheit durch die Verwendung von reichlich Holzkohle für den Schmelzvorgang erreicht worden sei. Nun bin ich kein Metallurg, doch ich vermute, dass der Anteil an Kohlenstoff in diesem Fall ungleich höher gewesen sein müsste. Und nicht nur die verschwindend geringen 0,080 Prozent, wie sie die Analyse ergeben hat.

Woher nehmen?

Ganz ähnlich verhält es sich mit einem anderen Element, das bei der Analyse in ungewöhnlich geringer Konzentration festgestellt wurde. Professor Ramamurthy Balasubramaniam, ein in den USA lebender Gelehrter indischer Herkunft, erklärte erst 2002, dass sich ein gewissermaßen »selbstheilender Schutzfilm« gebildet habe, der durch einen hohen Phosphorgehalt erklärt werden könne. Da erhebt sich nur die Frage, woher die Säule denn diesen hohen Gehalt an Phosphor nehmen soll, denn die Analyse ergab gerade einmal magere 0,114 Prozent.

Laut Professor Balasubramaniam solle auch das trockene Klima in Delhi ergänzend für die fehlende Rostbildung verantwortlich sein.[21]

Wie bitte? Ich frage mich hier, ob dieser Gelehrte entweder an irreparabler Vergesslichkeit leidet oder seine Heimat noch nie zur Monsunzeit gesehen hat. Zur Realität des Wetters nicht nur in Delhi zählen auch die nassen Monate zwischen Ende April und Anfang Oktober, wenn es in allen Gassen dampft wie aus ungezählten Treibhäusern.

Eine Art Eisen, die es mit der Reinheit der Säule von Delhi aufnehmen könnte, kommt buchstäblich nicht von dieser Welt. Es stammt von Meteoriten, die zwar jeden Tag in jeder Region dieses Planeten vom Himmel fallen, aber nie solche Mengen ergeben würden, um zum Bau der Säule zu reichen. Die ist, wie erwähnt, sieben Meter hoch, den im Boden steckenden Teil gar nicht mitgerechnet. Ihr Gewicht liegt bei mindestens sechs Tonnen, doch zur Erde herabgefallene Meteoriten wiegen zumeist nur ein paar Gramm, im seltensten Fall kommen mehrere Kilogramm vom Himmel. Dahinter steckt der banale Grund, dass der größte Teil während des Eintritts in die

Erdatmosphäre einfach verglüht. Also noch einmal: Woher nehmen und nicht stehlen?

Dass hinter der Säule ein beträchtliches technisches Know-how stecken dürfte, erkannte man bereits vor mehr als 150 Jahren. Um die Mitte des 19. Jahrhunderts durchstreifte der britische Wissenschaftler Sir Arthur Cunningham im Auftrag des *Archeological Survey of India* das Land, um bedeutende historische Bauten und Objekte zu dokumentieren. Die nicht-rostende Säule fiel ihm besonders auf, und er bezeichnete sie als eines der sonderbarsten Monumente Indiens.

Großen Eindruck musste auf ihn die Erkenntnis gemacht haben, dass sie aus einem einzigen Stück gefertigt worden war, was das Rätsel um ihre Herkunft noch undurchsichtiger macht. Cunningham gab seiner Verwunderung Ausdruck:

»Wir kennen eine Menge bedeutender Metallarbeiten, die zum Teil in der Antike angefertigt worden sind – nehmen wir einmal als Beispiel den berühmten Koloss von Rhodos (eines der sieben antiken Weltwunder; HH). All diese Monumente wurden jedoch aus Einzelteilen zusammengeschweißt, während wir es bei der Säule von Delhi mit einer soliden Metall-welle zu tun haben.«[22]

Für die Indologen ist die Säule aber nicht nur aufgrund der besonderen chemischen Zusammensetzung und ihrer bis zum heutigen Tag ungeklärten Herstellung faszinierend. Schon länger interessiert man sich auch für die historisch wichtigen Inschriften darauf. In meinen vorangegangenen Ausführungen zu den zehn Vorgängerinnen des modernen Delhi habe ich auch die Stadt Lalkot erwähnt. Ihre Gründung im Jahre 1052 unserer Zeitrechnung, nach dieser unerklär-lichen »Auszeit« von mehr als 2000 Jahren, wurde auf der Säule eingraviert.

Neben jenen Angaben aus dem Jahr 1052 finden sich noch weitere Inschriften auf der rostfreien Säule. Die älteste enthält überhaupt keine konkreten Daten. Sie berichtet, dass jene Säule von einem Herrscher mit Namen Candra in tiefer Hingabe an Gott Vishnu – wir werden diesem Hauptgott des Hinduismus später, im Zusammenhang mit vorgeschichtlichen Weltraumflügen, begegnen – auf einem Hügel mit dem Namen *Vishnupâd* errichtet worden sei. Der Indienforscher und Sanskritexperte Franz Bätz vermutet darin ein Wortspiel – denn das Sanskritwort *pâda* bedeutet sowohl »Fuß« als auch »Strahl«. Die Namensgebung des Hügels interpretiert er in dem Sinne, dass »auf dem Fuße Vishnus der himmelgerichtete Strahl errichtet« wurde.[22]

Der in der Inschrift erwähnte Herrscher ist mit sehr großer Wahrscheinlichkeit Kaiser Candra Gupta II. (375–413 n. Chr.). Dafür sprechen sowohl mehrere Eroberungen, die aufgeführt werden, wie auch die Schriftart selbst, welche sich vom Charakter her einwandfrei in die Epoche der Gupta-Dynastie datieren lässt. Aufgrund der Inschrift ist jedoch nicht gesichert, dass Kaiser Candra Gupta II. es war, der die Herstellung der Säule in Auftrag gegeben hatte. Ebenso denkbar wäre, dass er sie vielleicht als Kriegsbeute herbeischaffen und dann auf dem erwähnten Hügel Vishnupâd aufrichten ließ. Die Säule könnte dann natürlich auch bedeutend älter sein.

Weltraumflüge mit Garuda

Einige indische Gelehrte haben auch die Vermutung geäußert, die Säule könne einst im alten Indraprastha – der nach äußerst vorsichtigen Datierungen um 1000 v. Chr. erbauten, allerersten Vorläuferin Delhis – gestanden haben. Für diese Annahme fanden sich aber bislang keine Hinweise. Und auch die Frage, wo jener ominöse Hügel Vishnupâd sich befinden mag, wo ursprünglich die Säule errichtet worden war, bleibt eines der weiteren undurchdringlichen Geheimnisse des Monuments.

In einigen indischen Texten wird kolportiert, dass die Säule an ihrer Spitze einst mit einer Figur des legendären Göttervogels Garuda gekrönt gewesen sei. Das ist nicht ausgeschlossen. Denn ganz oben auf dem Kapitell befindet sich tatsächlich eine kleine Plattform mit einer Bohrung, wo eine – heute verschwundene – Statuette des Garuda-Vogels den krönenden Abschluss der Säule gebildet haben könnte.[18]

Mit diesem Garuda selbst hat es auch eine höchst mysteriöse Bewandtnis. In der indischen Mythologie ist er der Fürst aller Vögel, obschon sein Äußeres durchaus Anlass zu anderslautenden Spekulationen gibt. Von alters her wird er mit den Flügeln und mit dem Schnabel eines Adlers, jedoch mit dem Körper eines Menschen dargestellt. Dem Gott Vishnu, Erhalter und Schützer der Welt, diente er als Fortbewegungsmittel.

Dass er wohl kein Vogel im landläufigen Sinne war, geht auch aus reichlich ungewöhnlichen Fähigkeiten hervor, die ihm zugeschrieben wurden. Er war hochintelligent und handelte stets in eigener Verantwortung. Er führte Kriege und war offenbar dazu fähig, seine Feinde aus der Luft zu bombardieren. Sein Gesicht war weiß, der Körper rot und seine Flügel erstrahlten in Gold. Aber, wie bereits angedeutet, in der Gesellschaft normaler Vögel wäre er mit Sicherheit genauso unauffällig aufgetreten wie eine Dänische Dogge bei einer Schönheitskonkurrenz halbwüchsiger Zwergrehpinscher. Denn wenn der mächtige Garuda seine Flügel erhob, begann die Erde zu erzittern. Dann unternahm er seine Reisen in den Weltraum.

Zudem hatte er eine tief sitzende Abneigung gegen Schlangen. Was nicht von ungefähr kam, da seine Mutter Vinata von solchen Reptilien gefangen gehalten wurde, nachdem sie eine Wette verloren hatte. Die Schlangen versprachen, Vinata im

Austausch gegen eine Schale des Unsterblichkeit verleihenden Göttertrankes Ambrosia wieder freizulassen.

Garuda ließ daraufhin nichts unversucht, die Freilassungsbedingungen zu erfüllen – obgleich der geforderte Götternektar einzig auf einem hohen Berg zu bekommen war, der auch noch von einem Flammenmeer umlodert war. Jedoch auch diese aussichtslos scheinende Situation vermochte Garuda nicht zu entmutigen. Wie die Überlieferung berichtet, tankte er aus den Flüssen so viel Wasser in seinen Körper, dass es ihm gelang, damit eine Schneise in die Wand aus Flammen zu löschen. Als er aber zur Landung ansetzen wollte, versperrten feuerspeiende Schlangen den Weg. Auch hier kam ihm sein spontaner Einfallsreichtum zu Hilfe: Er wirbelte so viel Staub auf, dass ihn die Schlangen nicht länger sehen konnten.

Als Nächstes warf er – fast wie es sich für einen Vogel gehören würde – »göttliche Eier« aus der Luft ab, welche die ihn noch immer heftigst attackierenden Schlangen in tausend Stücke rissen. »Luftangriff in grauer Vorzeit« würden all jene sagen, die mythologisch ausgeschmückte Erzählungen gerne in technisch fundierte, moderne Worte fassen.

Nachdem der toughe Garuda seine Mutter Vinata glücklich aus den Fängen der feindseligen Schlangen befreit hatte, startete er sogleich zu einem Flug auf den Mond. Der aber war im Besitz fremder Götter, die ihm gleichfalls nicht besonders wohlgesonnen waren. Sie bekämpften ihn auf das Heftigste, mussten aber bald einsehen, dass ihre Waffen ihm nichts anhaben konnten. Da boten sie ihm schließlich einen Kompromiss an. Garuda sollte Unsterblichkeit erlangen und fürderhin dem Gott Vishnu als Reittier dienen. Seit jener Zeit flog Vishnu, »der Durchdringende«, auf Garuda durch den Himmel und die Mythen.[23, 24]

Aufbruch ins Ungewisse

An diesen legendären Garuda erinnert heute die gleichnamige indonesische Fluggesellschaft, die sich durch die glorreichen Taten des »Göttervogels« in ein vorteilhaftes Licht zu rücken versucht. Aber kehren wir von diesem Exkurs in wahrhaft sagenhafte Zeiten zurück ins heutige Indien. Da existieren nämlich außer der bekannten in Delhi noch weitere nicht rostende Eisensäulen, die nicht nur mythische Zeiten, sondern auch sehr widrige Klimaverhältnisse erfolgreich zu überdauern wussten.

Den Indienexperten Franz Bätz – ich habe ihn bereits an anderer Stelle ganz kurz erwähnt – darf ich seit einigen Jahren zu meinen Freunden zählen. Ihm verdanken wir nun das Wissen um weitere Eisensäulen aus Indiens großer Vergangenheit, auch mit denselben unerklärlichen Eigenschaften. Darunter ein Exemplar, welches die Säule von Delhi an Größe und Gewicht noch deutlich überbietet. Sollte sich nicht noch ein größeres Objekt finden, dann handelt es sich hier um das größte geschmiedete Stück Eisen auf der ganzen Welt.

Frühjahr 2005. Wieder einmal war Franz Bätz in Indien unterwegs. Wer ihn kennt, der weiß, dass er stets auf der Suche nach noch unentdeckten Orten und Artefakten ist – und dafür ohne zu zögern lieber eins der bekannten Highlights links liegen lässt. Aus zwei uralten Publikationen aus der Zeit der Wende vom 19. zum 20. Jahrhundert[25, 26] sowie Hinweisen eines Gewährsmannes aus Indien erfuhr er, dass sich in einer kleinen Stadt mit dem Namen Dhâr eine weitere dieser Eisensäulen befinden soll, die trotz feuchtheißer Witterung noch immer keinen Rost angesetzt hat. Als er dann noch auf die Arbeit eines jahrelang in Indien lebenden Landsmannes stieß,[27] der sich 1995 als Spezialist für Stahl und Schweißtechnik mit der hier noch unbekannten Säule beschäftigte, war für Franz klar, dass er nach Dhâr musste. Aber die vordringlichste Frage war: Wo liegt der Ort, und wie kommt man dorthin?

Vor den Erfolg hatten die Götter offenbar Schweiß, Mühe und unerwartete Hindernisse gesetzt. Denn Dhâr ist gerade mal wenigen Insidern bekannt; auch die offizielle Touristeninformation des indischen Bundesstaates Madhya Pradesh erwähnt die kleine Stadt mit keinem Wort. Zu allem Ungemach hat sie sich in jüngster Zeit zu einem regelrechten Unruheherd entwickelt. Denn es kommt regelmäßig zu gewalttätigen Zusammenstößen zwischen Hindus und Moslems. Fanatiker beider Seiten bekämpfen sich erbittert. Und wenn die Spannung zwischen den beiden Religionsgruppen wieder am Eskalieren ist, besetzen Polizei und Militär die Stadt und riegeln sie kurzerhand hermetisch ab. No-Go-Area, besonders für Ausländer.

So auch im Frühjahr 2005. Keine allzu günstigen Voraussetzungen, um vor Ort nach geheimnisträchtigen Artefakten zu fahnden. In Mandu, runde 35 Kilometer von Dhâr entfernt, weigerten sich die Taxifahrer standhaft, Gäste in die unruheerschütterte Stadt zu fahren. Auch der regelmäßige Busverkehr war unmittelbar vorher eingestellt worden, weil die Sicherheitskräfte befürchten mussten, dass zu den erwarteten Ausschreitungen weitere Unruhestifter herangekarrt würden. Nach langwierigem Hin und Her fand Franz Bätz dann doch einen Taxifahrer, der ihn in die zum Hexenkessel gewordene Stadt chauffierte, weil er bei dieser Gelegenheit ein paar Verwandte dort besuchen konnte. Das war ein Aufbruch ins Ungewisse. Doch als sie nach zahlreichen Kontrollen und Umwegen schließlich in Dhâr ankamen, mussten sie sich nur noch zu dem alten Hindu-Heiligtum durchfragen, bei dem sich die Säule befindet.

Beinahe ein Wunder

Im Gegensatz zu der Säule von Delhi, welche sich im Inneren eines heute als Moschee genutzten Tempels befindet, erhob sich die Eisensäule von Dhâr deutlich außerhalb des alten Hindutempels. Sie steckte in einem kompakten Steinfundament, das kegelstumpfförmig gearbeitet war. Ursprünglich dürfte die Säule annähernd 15 Meter hoch gewesen sein und damit mehr als doppelt so hoch wie jene im vormaligen Qut'b, die eine Höhe von sieben Metern aufweist. Hingegen ist die Säule von Dhâr schlanker gearbeitet, mit einem errechneten Gewicht von acht Tonnen jedoch immer noch weitaus schwerer als die Säule von Delhi, die »nur« sechseinhalb Tonnen auf die Waage bringt.

Zudem steht die Säule von Dhâr schon seit einem Jahrtausend nicht mehr aufrecht und ist in mehrere Einzelteile zerbrochen, von denen noch drei erhalten sind. Möglicherweise wurde sie im Verlauf von Plünderungen gefällt, die der afghanische Söldnerführer Mahmud Gazni um 1050 n. Chr. angeführt hatte. Jener fiel im 11. Jahrhundert insgesamt 17 Mal in Indien ein, wobei er unzählige Heiligtümer übel zurichtete. Und in der zweiten Hälfte des 16. Jahrhunderts wurde der Tempel von Dhâr unter der Herrschaft der Moguln in eine moslemische Gebetsstätte umfunktioniert. Bei solchermaßen unruhigen Zeiten grenzt es doch an ein kleines Wunder, dass zahlreiche Relikte relativ unbeschadet bis heute überdauert haben.

Noch weitere Details unterscheiden die Eisensäulen von Dhâr und Delhi. Während letztere mit an Sicherheit grenzender Wahrscheinlichkeit eine Statue des sagenhaften Göttervogels Garuda trug, endete die Säule von Dhâr in einem kunstvoll geschmiedeten kronenartigen Aufsatz. Selbiger hat ebenfalls die Jahrhunderte überstanden und wird heute in der Festung der Stadt aufbewahrt. Der Querschnitt ist beinahe quadratisch, geht aber im oberen Segment in eine achteckige Form über. Ganz im Gegensatz zur Säule von Delhi, die rund ist und von einem prächtigen Kapitell in Lotosstengelform mit daraufgesetzter Plattform ihren Abschluss nach oben findet.

Hingegen sind die Unterschiede bei der chemischen Zusammensetzung äußerst minimal. Beide bestehen aus annähernd hundertprozentig reinem Eisen, was in keinem Fall mit den Möglichkeiten damaliger Zeiten in Einklang zu bringen ist. Erst im Jahre 1938 konnte erstmals unter Laborbedingungen Eisen mit entsprechendem Reinheitsgehalt hergestellt werden. Unter Bedingungen, wie wir sie uns für das alte Indien vorstellen – unter Verwendung von Holzkohlen sowie unter freiem Himmel –, wäre man damals allerdings nicht im Entferntesten an die knapp 100 Prozent herangekommen. Oder machen wir uns falsche Vorstellungen?

Bei der Säule von Dhâr beträgt der Kohlenstoffanteil gerade einmal ein Viertel dessen der Delhi-Säule (0,02 gegenüber 0,08 Prozent), während der Phosphoranteil mit 0,28 Prozent mehr als doppelt so hoch ist (0,114 Prozent in Delhi). Für die Ausbildung einer »selbstheilenden Schutzschicht«, wie dies Professor Balasubramaniam postulierte, reicht dies aber in beiden Fällen bei Weitem nicht aus.

Beinahe überflüssig zu erwähnen ist auch, dass in Dhâr ebenfalls die Witterungsbedingungen nicht gerade zur Konservierung von Eisen förderlich sind. Trotzdem findet sich auch hier keine Spur von Rost.

Das längste der drei noch erhaltenen Fragmente der auseinandergebrochenen Säule ist 7,37 Meter lang, das nächste 3,56 Meter. Das obere Ende des ersten und das untere Ende des zweiten Teiles weisen Spuren eines Sprödbruches auf, was vermuten lässt, dass diese Segmente ursprünglich miteinander verschweißt waren. Das dritte, 2,29 Meter lange Stück war einstmals mit dem zweiten mithilfe eines – heute nicht mehr vorhandenen – geschmiedeten Stahlringes verbunden. Dieses Teil endet gleichfalls in einer Bruchfläche, was die Vermutung stützt, dass daran ein weiteres Segment anschloss. Vielleicht kam die gesamte Säule zusammen mit dem Kronenaufsatz auf eine geschätzte Gesamtlänge von stolzen 15 Metern.[28]

Zudem sind alle Säulenfragmente mit Löchern in unregelmäßiger Anordnung versehen. Sie könnten einerseits beim Schmiedevorgang hilfreich gewesen sein, um den Rohling mit Haken oder langen Stangen in die richtige Position zu rücken. Eine andere Möglichkeit wäre, dass darin Bolzen steckten, an denen wiederum Ketten befestigt waren, welche an eisernen Ankern im Boden ein Gegenlager fanden. Das Ganze macht, wie auch an nebenstehender Rekonstruktionszeichnung unschwer zu erkennen ist, beinahe den Eindruck einer Art Sendemast. Zumindest würde eine zusätzliche Absicherung Sinn ergeben, weil bei einer Gesamthöhe von 15 Metern das beschriebene Steinfundament kaum ausreichend gewesen wäre, die Säule sicher abzustützen.[27]

Dschungelrätsel

Es existieren noch weitere dieser Säulen, die bis heute dem korrosionsfördernden Klima des indischen Subkontinents erfolgreich getrotzt haben. Etwa 35 Kilometer von Dhâr entfernt befindet sich Mandu, ein beliebtes Ausflugsziel für die Bewohner der nahegelegenen Millionenstadt Indore. Auch in Mandu gibt es eine eiserne Säule, die – zum Teil von einem großen Baum verdeckt – auf den ersten Blick wie ein Fahnenmast ausschaut. Sie misst in der Höhe 5,20 Meter, doch ihr größter Durchmesser beträgt an der Basis gerade einmal 98 Millimeter. Eine weitere eiserne Säule steht in Ahobilam. Dieser Ort im

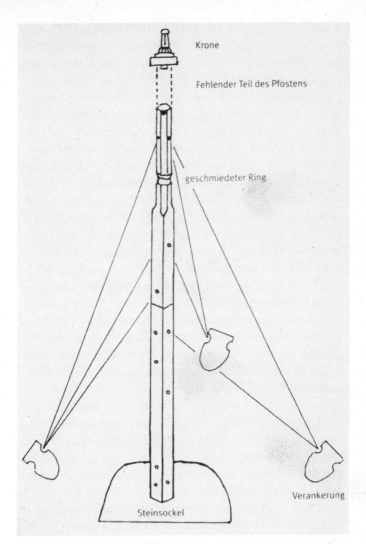

Labels within figure:

Krone

Fehlender Teil des Pfostens

geschmiedeter Ring

Verankerung

Steinsockel

Abb. 1 Zeichnerische Rekonstruktion der Eisensäule von Dhâr, wie sie in komplettem Zustand ausgesehen haben könnte. Die ganze Anordnung erweckt den Eindruck eines Sendemastes.

Bundesstaat Andra Pradesh im Südosten Indiens war ehemals eine bedeutende religiöse Stätte, an welcher die Gottheit Narasimha verehrt wurde. Heute liegt sie im Dschungel verborgen und ist sehr schwer zugänglich. Man weiß, dass es dort gleichfalls eine nicht rostende Säule gibt, allerdings liegen derzeit weder Messungen und Beschreibungen vor noch existieren Fotografien des Artefaktes aus dem Regenwald.

Last but not least will ich eine Säule nicht unerwähnt lassen, welche sich in den Bergen von Kodachadri, auf 1000 Metern über dem Meeresspiegel, befindet. Sie steht in der Peripherie des Tempels der Gottheit Mookambika in Kollur, im südindischen Bundesstaat Karnataka (der bis 1973 Mysore hieß; HH). Die Säule besitzt einen durchgängig rechteckigen Querschnitt von zehn auf dreizehn Zentimeter und ist 9,76 Meter hoch. Ihr Gewicht wurde mit knapp einer Tonne ermittelt. Die Existenz dieses Objektes ist ganz besonders bemerkenswert, befindet es sich doch in einer Region, wo es zwischen sechs und acht Monaten im Jahr regnet. Die jährliche Niederschlagsmenge beträgt satte 500 bis 750 Zentimeter, und zwar je Quadratmeter! Wer in unseren Breiten ein vergleichbares Stück Eisen, auch wenn es korrosionsgeschützt sein sollte, mehrere Jahre im Freien herumliegen lässt, der braucht sich nicht zu wundern, wenn ihm die Reste irgendwann zwischen den Fingern zerbröseln. Jeder Bauunternehmer, der seine Stahlträger nicht in einer geschlossenen Halle lagert, weiß ein klagevolles Lied davon zu singen. Doch auch die zuletzt genannte Säule lässt – wie sollte es auch anders sein – nicht die geringsten Spuren von Rost erkennen.[28]

Jetzt will ich es aber mit den korrosionsfreien Säulen »Made in Ancient India« bewenden lassen, denn ich habe noch etwas Sensationelleres in petto. Immerhin spricht aber vieles dafür, dass in den kommenden Jahren noch weitere Zeugnisse der uns unbegreiflichen Metalltechnik auftauchen werden. Es ist möglich, dass einst jeder bedeutendere Hindutempel über eine jener antikorrosiven Säulen verfügte. Vielleicht als Sinnbild für die alten Götter und deren sagenhafte Errungenschaften. Von denen jedoch viele während der Zeit der moslemischen Eroberung der Vernichtung anheimfielen. Den damaligen Kriegern unter dem Halbmond dürften sie genauso als Symbol des Unglaubens erschienen sein wie zum Beispiel jene Monumentalstatuen im Tal von Bamijan (Afghanistan), die erst vor wenigen Jahren der irrsinnigen Zerstörungswut der Taliban zum Opfer fielen. In cin paar Minuten machten diese wahnsinnigen Verbrecher zu Schutt, was einst für die Ewigkeit gebaut war.

Zum Glück haben etliche dieser rostfreien Eisensäulen überlebt, lassen sich auch von Skeptikern nicht wegdiskutieren und uns eine Frage nicht mehr aus dem Kopf gehen: Aus welcher unbekannten Quelle stammte das Wissen, so unglaublich reines Eisen herzustellen, das seit bald 2000 Jahren auch durch die widrigsten Klimabedingungen nicht zerstört werden kann?

Kîla: Der »unmögliche« Dolch

Von einer seiner Reisen brachte der passionierte Indienforscher Franz Bätz ein ebenfalls rostfreies Artefakt mit, jedoch von vergleichsweise bescheideneren Dimensionen. Wie durch eine plötzliche Eingebung drängte es ihn eines Abends in Neu-Delhi, nochmals das Hotel zu verlassen und durch die Straßen der Metropole zu streifen. Nach einiger Zeit führte ihn sein nächtlicher Spaziergang in das Janpath-Einkaufszentrum, in welchem an zahllosen Ständen auch die eine oder andere echte antike Kostbarkeit feilgeboten wird.

Die wahren Raritäten blühen bekanntlich im Verborgenen, und so blieb Franz Bätz ein Objekt nicht unbemerkt, das sich *unter* dem Verkaufstisch eines Händlers befand. Es war dies ein Kîla, ein ganz besonderer Dolch also, dessen Besitz dem Inder offenbar unbehaglich war, denn er weigerte sich zunächst, das Stück herzuzeigen, geschweige denn, es zu veräußern.

Der Kîla ist ein Ritualdolch mit dreischneidiger Klinge und drei Gesichtern, welche den Knauf des Griffes zieren. Von diesen drei Gesichtern präsentiert sich das erste milde lächelnd, das mittlere zornig und das dritte rasend vor Wut. Noch heute werden diese Dolche bei verschiedenen magischen und schamanistischen Kulthandlungen im Buddhismus wie im Hinduismus benutzt. Im Querschnitt sind die drei Schneiden der Klinge wie ein Mercedesstern angeordnet und treten ihrerseits aus dem Maul eines Makara – eines mythologischen Monsters – hervor. Besagter Kîla steht symbolisch für die Vernichtung von Gier, Verblendung und Hass, gemäß der buddhistischen Lehre die drei Grundübel in der Welt. Er repräsentiert auch die tantrische Gottheit Vajrakîla und ist gleichzeitig deren Attribut.[29]

Verwendung findet der Kîla auch in anderen Ländern, wie der Mongolei oder Tibet. In letzterem ist er allerdings unter dem Namen »Phurba« bekannt. Stets ranken sich seltsame Geschichten um diese Objekte, deren Herstellung eher den Göttern statt den Menschen zugeschrieben wird.[30] So berichtete zum Beispiel Tulku Urgyen Rinpoche, ein großer buddhistischer Lehrer und enger Vertrauter des 1981 verstorbenen 16. Gyalwa Karmapa, in seinen Erinnerungen:

»Mein älterer Bruder Penjik besaß einen kleinen Kîla-Dolch, der, wie gesagt wurde, nicht von menschlichen Händen geschmiedet worden war und als etwas so sehr Besonderes angesehen wurde, dass man ihn im Verlauf der Feierlichkeiten auf den Schrein stellte.«[31]

Doch zurück zu dem Exemplar, um das es hier geht. Nach viel gutem Zureden – denn es ging dem Händler, wie wir gleich sehen werden, keinesfalls um den Preis – konnte Franz Bätz das Stück doch noch käuflich erwerben. Und das für den wirklich bescheidenen Preis von 150 Rupien – was umgerechnet in etwa der Summe von drei Euro oder vier US-Dollar entspricht. Dem Händler aber schien das Ganze eher unangenehm zu sein. Entgegen den üblichen Gepflogenheiten seiner Zunft versuchte er nicht einmal, einen guten Preis für das seltene Stück zu erzielen. Obgleich es doch der – nach Meinung der Einheimischen – »wohlhabende Sahib« war, der den Kîla unbedingt in seinen Besitz zu bringen trachtete. Koste es, was es wolle. Statt dessen murmelte er schwer verständliche Worte von diesem unheimlichen Objekt mit langer, geheimnisvoller Geschichte. Er riet zweifelsohne davon ab, den Kîla zu erstehen. Für einen Händler, der unbestritten ein Vielfaches an Geld aus dem Objekt hätte herausschlagen können, ein zugegeben mehr als ungewöhnliches Gebaren.

Eintausend Jahre oder älter

Wie alt mag dieser Ritualdolch sein, und welche Geheimnisse stecken hinter dem kunstvoll gearbeiteten Artefakt? Bei Objekten aus Metall ist eine exakte Altersbestimmung auf technischem Weg in der Regel nicht möglich. Hier müssen andere Kriterien zu Rate gezogen werden, wie der Fundort und dessen Disposition, oder auch der künstlerische Stil, welcher eine Zuordnung zu einer bestimmten Epoche ermöglicht. So konnte zum Beispiel die sogenannte Himmelsscheibe von Nebra – ein Artefakt aus deutschen Landen, um das sich mittlerweile ein veritabler Kriminalfall rankt – einzig aufgrund des Stils einiger Schwerter datiert werden, die gleichfalls an der betreffenden Fundstelle geborgen werden konnten.

Bei jenem Kîla, um den es hier geht, spricht einiges dafür, dass er mindestens eintausend Jahre alt ist. Denn ungefähr 1000 n. Chr. verschwand in Indien nach den Einfällen der islamischen Eroberer der tantrisch-magische Buddhismus. Gegenstände wie besagter Kîla wurden nicht mehr gebraucht, und eine moderne Fertigung erscheint wenig wahrscheinlich. Aus Tibet kann er nicht stammen, denn der Stil der dortigen Phurbas weicht grundlegend von dem der indischen Kîla ab. So bleibt im Grunde festzuhalten, dass das mysteriöse Objekt mindestens eintausend Jahre alt ist. Es kann aber noch deutlich älter sein.

Endgültig den Boden unseres scheinbar so gesicherten Schulwissens verlassen wir, sobald wir uns mit der chemischen Zusammensetzung des Metalls beschäftigen, aus dem der Ritualdolch besteht. Da sehen wir uns plötzlich mit der unglaublichen Tatsache konfrontiert, dass dieser Dolch eigentlich gar nicht existieren dürfte. Denn die dafür verwendete Legierung ist beinahe eine Unmöglichkeit.

Eine erste Analyse des Kîla wurde im Sommer 2006 am »Institut für Oberflächentechnologie und Dünnschicht« (IfOD) in Wismar durchgeführt. Diese Einrichtung ist der Hochschule der Hansestadt angeschlossen, arbeitet jedoch weitgehend selbstständig. Dr. Carmen Bunescu, die das Objekt untersuchte, setzte hierbei ein Raster-Elektronenmikroskop ein.[32] Mit der Apparatur wird – vereinfacht ausgedrückt – ein Strahl auf das zu analysierende Objekt emittiert, welches hierauf winzigste Teilchen seiner einzelnen Bestandteile aussendet. Die kann man dann mit Hilfe der Spektralanalyse erkennen und auch hinsichtlich ihrer mengenmäßigen Zusammensetzung bestimmen.

Als dies geschah, war die Überraschung perfekt! Selbst eine mehrmalige Wiederholung der Messungen erbrachte keine Änderung der erzielten Resultate. Demnach besteht der Kîla aus den folgenden Elementen in nachstehenden Anteilen:

Eisen	80,0 Prozent	Kalium	0,36 Prozent
Sauerstoff	14,8 Prozent	Schwefel	0,13 Prozent
Kohlenstoff	2,51 Prozent	Chlor	0,20 Prozent
Silizium	2,40 Prozent		

Unter den weiteren Elementen, die nur in Spuren vorkommen, befindet sich auch Aluminium.[29] Obgleich diese erste chemische Analyse nur die Zusammensetzung der Oberfläche darstellt, kann sich jeder halbwegs mit Chemie oder Metallurgie vertraute Laie wie Fachmann vorstellen, dass bei diesem exorbitant hohen Sauerstoffanteil das gute Stück längst dahingerostet sein sollte. Denn unter der Atmosphäre *dieses* Planeten führt die Verbindung von Eisen mit dem Sauerstoff aus Luft und Wasser unweigerlich zur Korrosion. Im Klartext: Das entsprechende Stück würde munter und unaufhaltsam rosten.

Aber genau diesen »Gefallen« tut es uns nicht. Es erscheint im Bereich des Möglichen, dass die ungewöhnliche Legierung eine Art »selbstheilende Schutzschicht« aufbaut, die selbst Kratzer und andere oberflächliche Beschädigungen ausgleicht. Natürlich wäre es höchst aufschlussreich, auch eine Probe aus dem Inneren des Kíla zu entnehmen und zu analysieren. Das lehnt jedoch der Besitzer strikt ab, weil dieser Dolch auch ein sehr wertvolles Kunstobjekt darstellt, welches er in einem möglichst unbeschädigten Zustand erhalten möchte.

Doch ungeachtet dieser Möglichkeit stellt bereits die Oberflächenzusammensetzung ein nicht wegzudiskutierendes Mysterium dar. Das nicht nur mit unserem Wissen um die Technik in längst vergangenen Epochen unvereinbar ist, sondern uns Zeitgenossen des 21. Jahrhunderts vor ernsthafte technische Herausforderungen stellt. Denn mit gängigen Herstellungsverfahren ist Eisen mit so hohem Sauerstoffgehalt nicht darzustellen.

Stammt das – heute verloren gegangene – Know-how am Ende aus einer anderen Welt?

Zu guter Letzt wäre noch zu bemerken, dass sich Zeugnisse so fortschrittlicher Eisenverarbeitung nicht auf den Subkontinent Indien beschränken. So befindet sich im Ägyptischen Museum von Kairo, in der zentralen Vitrine der Hallen für die Grabschätze des legendären Pharaos Tut-Ench-Amun (Regierungszeit etwa 1347–1339 v. Chr.), ein rostfreier Dolch aus Edelstahl. Der ist von einer derart hohen Qualität, wie man sie heute nur unter einem Hochvakuum herstellen könnte.

Der besagte Edelstahldolch liegt in der Vitrine neben einem kunstvoll gearbeiteten Dolch aus Gold, der in einem Spezialkatalog zu den Schätzen des Tut-Ench-Amun gelistet ist. Doch das Objekt aus Stahl ist nirgendwo aufgeführt.[33] Womöglich aus dem Grund, da nach konservativer Archäologenmeinung die Ägypter im 2. vorchristlichen Jahrtausend kaum das Wissen und das technische Know-how hatten, hochwertiges Eisen, geschweige denn Edelstahl zu fabrizieren. Bleibt die Frage, warum man nicht gleich konsequenterweise den Dolch hat verschwinden lassen. Das hätte dem wissenschaftlichen Establishment wenigstens unbequeme Fragen und gewagte Spekulationen von Außenseitern und Querdenkern erspart.

Wie dies bei einem weiteren weltbildstürzenden Artefakt der Fall ist, welches man vor über 100 Jahren vor der Küste einer bis dahin kaum bekannten Insel fand.

3 »Wie ein Düsenjäger im Grab Tut-Ench-Amuns«

Computertechnik aus dem Altertum

> »Es ist die Pflicht der Wissenschaft,
> nicht einfach Fakten beiseite zu
> schieben, weil sie außergewöhnlich
> erscheinen, und weil sie sich nicht
> in der Lage sieht, sie zu erklären.«
>
> ALEXIS CARREL (1873–1944),
> ARZT, BIOLOGE UND NOBELPREISTRÄGER

Stop! No photographs here, Mister! Stop!« Diesem scharfen Befehl folgten noch einige längere Worttiraden auf Griechisch, welche mit Sicherheit nicht gerade den feinsten Wortschatz der Dame wiedergegeben haben. Die etwas untersetzte, schwarzhaarige Museumswärtern war kurz vor dem Platzen. Und ganz bestimmt hatte sie mich nicht in ihr Herz geschlossen für mein regelwidriges Verhalten.

Tatzeitpunkt: Montag, der 16. Oktober 2006. Tatort: das altehrwürdige Nationalmuseum in der griechischen Hauptstadt Athen. Bekannt unter anderem für seinen Mykene-Saal, in dem einzigartige Preziosen wie die Totenmaske des legendären Königs Agamemnon ausgestellt sind. Ausgegraben von dem nicht minder berühmten Altertumsforscher Heinrich Schliemann (1822–1890), der in den Jahren von 1874 bis 1876 die Ausgrabungen in Mykene geleitet hatte.

Doch die Fundstücke aus der bronzezeitlichen Burg und Stadt in Argolis interessierten mich genauso wenig wie die splitternackte Bronzestatue des Poseidon von Artemisios, der ebenfalls eine der großen Attraktionen des Nationalmuseums darstellt. Es war ein ganz anderes Exponat, dessentwegen ich den Weg in diese Gemäuer auf mich genommen hatte – und für das ich mich über sämtliche Fotografierverbote hinwegsetzte. Mir war völlig klar, dass mich die getreulich ihre Pflicht erfüllende Frau am allerliebsten gesteinigt oder gekreuzigt hätte. Denn eines ist wohl in allen Museen dieser Welt gleich: Man reagiert äußerst ungehalten, wenn Außenseiter es wagen sollten, Exponate zu fotografieren, welche mit unserem althergebrachten Bild der Vergangenheit nicht übereinstimmen wollen.

In diesem Fall ist es ein sensationelles Artefakt, das etwa 2000 Jahre in einem Schiffswrack am Boden des Meeres auf seine Entdeckung wartete. Ein Stück Hightech aus einer Zeit, die man nicht unbedingt mit technischen Raffinessen in Verbindung bringen würde – und ich bin mir sicher, dass es nicht wenige Archäologen gibt, die das verwunschene Objekt am liebsten wieder im Meer versenken würden. Für alle Zeiten, wenn möglich.

Sturmfahrt in der Ägäis

Zwischen der heute bei Urlaubern sehr beliebten Insel Kreta und dem südlich der Halbinsel Peloponnes gelegenen Eiland Kythera befindet sich, im Ägäischen Meer gelegen, die aus Kalkfelsen bestehende kleine Insel Antikythera. Auf diesen Flecken in der Brandung hielt zu Ostern des Jahres 1900 Kapitän Demetrios Condos, Eigner eines Schwammtaucherschiffes, mit seiner Mannschaft zu. Die Männer flohen vor einem aufziehenden Orkan und gaben alle ihr Letztes, um sich an den Gestaden Antikytheras in Sicherheit zu bringen.

Voller Verzweiflung kämpfte die Besatzung des Schiffs gegen den aufkommenden Sturm und die von Minute zu Minute höher werdenden Brecher an. Als das Schiff plötzlich Schlagseite bekam, wollte die ganze Besatzung Hals über Kopf in die Rettungsboote umsteigen. Kapitän Demetrios Condos jedoch hielt seine Männer zurück, denn es wäre ein absolutes Selbstmordkommando gewesen, das nach wie vor relativ sichere Schiff gegen eine »Nussschale« von Rettungsboot einzutauschen. Nur mit dem Schiff würden sie eine kleine, aber reelle Chance haben, die rettende Insel Antikythera zu erreichen.

Die Seeleute klammerten sich an die Zuversicht des Kapitäns und arbeiteten wie besessen sowie mit schier übermenschlicher Anstrengung. Antikythera ist seit alters her in Seefahrerkreisen dafür bekannt, dass es die oft verheerenden Sturmwellen der aufgewühlten Ägäis zu brechen vermag. Hat man ihr Ufer endlich erreicht, ist man vor dem Sturm dann ziemlich sicher. Die Mühe wurde belohnt: Sie erreichten tatsächlich – mit letzter Kraft und schwer beschädigtem Schiff – die Insel mit denkbar knapper Not. Recht viel mehr als das nackte Überleben hatte man ohnehin nicht gerettet, als das Schiff wie Treibgut von den Wellen ans Ufer geworfen wurde.

In den ersten beiden Tagen nach ihrer unfreiwilligen Strandung waren der Kapitän und seine Leute erst einmal vollauf damit beschäftigt, jene Schäden am Schiff auszubessern, die die vorgelagerten Klippen dem Rumpf zugefügt hatten. Doch als alle Arbeiten erledigt waren, brach Langeweile aus. Zur Untätigkeit verurteilt, mussten die Seeleute zuschauen, wie der Orkan weiter vor Antikythera wütete und damit ein schnelles Verlassen der Insel sowie ihre Heimkehr auf unbestimmte Zeit vereitelte. Für Kapitän Condos und seine Tauchmannschaft bedeutete dies in erster Linie einen herben Verdienstausfall, weil ihre Gründe, in denen sie sonst die Schwämme ernteten, für sie unerreichbar geworden waren.

Die Situation schlug den Männern, denen Müßiggang fern-
lag, dermaßen stark aufs Gemüt, dass sie trotz des hefti-
gen Sturmes auf vorzeitiges Auslaufen drängten. Der Kapitän
erkannte wohl, dass dies den Schiffbruch und die endgültige
Havarie bedeutete. Bevor er jedoch eine Meuterei riskierte,
ließ er seine Männer lieber tauchen, um ihnen quälendes und
nutzloses Faulenzen und Herumsitzen nach Möglichkeit zu
ersparen.

Pandämonium am Meeresgrund

Elias Stadiatis war der Name jenes erfahrenen Schwammtau-
chers, der als Erster in die unbekannten Tiefen hinuntergleit-
ten sollte. Ob dort auch Schwämme waren, ob sich dieser
Tauchgang überhaupt lohnen sollte, dies wusste keiner zu
sagen. Denn noch nie zuvor hatte es einer von ihnen bei dieser Insel versucht. Also schlüpfte Stadiatis in seinen Tau-
cheranzug und befestigte die Bleigewichte rund um seinen
Gürtel, um dem Auftrieb unter Wasser entgegenzuwirken. Er
selbst hing an einer Rettungsleine, die sich gemeinsam mit
dem Schlauch zur Luftversorgung abrollte. Nach ungefähr
60 Metern war Elias Stadiatis am Meeresgrund angekommen,
denn die Leine und der Luftschlauch bewegten sich nicht
mehr.
Doch urplötzlich geschah das Unerwartete. Die Rettungsleine
begann wild hin und her zu peitschen, als wäre da unten am
Boden des Meeres Dramatisches im Gange. Kämpfte der Taucher mit einem Hai um sein Leben? Welchen unbekannten
Gefahren blickte der Seemann da unten ins Auge?
Hastig holten die Männer an Bord des Schwammtaucherschiffes die Rettungsleine wieder ein. Sie befürchteten das
Schlimmste, glaubten nicht, ihren Freund noch einmal lebend

aus dem Wasser zu bringen. Doch als der Taucher schließlich an die Meeresoberfläche kam und eiligst an Bord gezerrt wurde, sahen seine Kameraden mit Erleichterung, dass sich ihre Befürchtungen nicht bewahrheitet hatten.

Der Mann schien vollkommen unverletzt, stand aber sichtlich unter einem schweren Schock. Er zitterte am ganzen Leib und redete wirres Zeug durcheinander. Panische Angst funkelte in seinen Augen. Nur ein paar wenige, unzusammenhängende Worte waren für die Umstehenden verständlich: »Geister«, »nackte Frauen« und »Pferde«.

Keiner der Seeleute vermochte sich im ersten Augenblick einen Reim auf das wirre Gestammel von Stadiatis zu machen. Doch zutiefst abergläubisch, wie Seemänner nun einmal sind, war keiner mehr bereit, an diesem Tag einen weiteren Gang in die Tiefe zu wagen. Wahrscheinlich erwartete sie in den trüben Gewässern ein unheimliches Pandämonium aus Furcht erregenden Gespenstern, Meeresungeheuern und weiteren albtraumhaften Gestalten. Deshalb entschloss sich schließlich der Kapitän, selbst nachzuschauen, was da unten am Meeresgrund los war. Demetrios Condos musste hinunter – schon um diesem unglückseligen Spuk ein Ende zu bereiten, der seine Männer langsam um den Verstand zu bringen drohte.

Das Szenario, das den Kapitän am Grund des Meeres vor Antikythera im fahlen Licht von 60 Metern Tiefe erwartete, war in der Tat mehr als gespenstisch. Im Schatten vermochte er nackte Frauen und Pferde zu erkennen. Doch sobald sich seine Augen an die trüben Lichtverhältnisse gewöhnt hatten, erkannte er, dass er keine Welt aus der altgriechischen Mythologie vor sich hatte, sondern etwas viel Konkreteres.

Es war das Wrack eines uralten Schiffes. Und an Deck befanden sich zahlreiche antike Statuen.

Blutzoll und ein mysteriöser Fund

Später sollten Archäologen herausfinden, dass es sich um ein Segelschiff handelte, welches um das Jahr 80 v. Chr. herum Marmorskulpturen nach Rom transportieren sollte, jedoch mit Mann und Maus vor Antikythera gesunken war. In einem jener Orkane, die auch für das unfreiwillige Stranden des Schwammtaucherbootes von Demetrios Condos gesorgt hatten.

Diese Statuen erschienen im trüben Licht der Tiefe tatsächlich sehr gespenstisch und unheimlich. Als der Kapitän, wieder an der Oberfläche angekommen, dies seiner Crew berichtete, da schlug deren Panik in Erleichterung um. Und nicht nur das. Der Geschäftssinn der griechischen Taucher bekam die Oberhand, die gesamte Mannschaft zeigte sich begierig, die sicher sehr wertvolle Ladung des untergegangenen Schiffs nach oben zu bringen. Allerdings fehlte ihnen hierzu die notwendige technische Ausrüstung. Und so verließen sie tags darauf, als sich der heftige Orkan endlich gelegt hatte, die Insel Antikythera mit Kurs auf ihren Heimathafen.

Nach seiner Rückkehr machte sich Kapitän Condos sogleich an die Organisation einer Bergungsexpedition. Allerdings dauerte es ein gutes halbes Jahr, bis er mit seinem Schiff und seiner angestammten Mannschaft im November 1900 an den Fundort dieses namenlosen Wracks zurückkehren konnte. Und obwohl der Seemann die Unterstützung durch die griechische Regierung gewonnen hatte, kamen seine Bergungsarbeiten nur äußerst schleppend voran. Dies lag natürlich an der vor Antikythera häufig recht stürmischen See, aber auch an den seinerzeit noch ziemlich unzulänglichen Taucherausrüstungen. Die Arbeiten unter Wasser gestalteten sich mehr als schwierig. Doch zu allem Unglück kam es zu einer Reihe von Unfällen, die einen hohen Blutzoll forderten. Ein Mann starb, zwei weitere wurden schwer verletzt. Demetrios Condos entschloss sich deshalb zu einem vorzeitigen Abbruch des Bergungsunternehmens, das erst wieder im darauffolgenden Frühjahr fortgesetzt werden konnte.

Was er alles an Schätzen nach oben bringen konnte, wanderte ohne Ausnahme in das Griechische Nationalmuseum in Athen. Nach einer ersten Bestandsaufnahme waren die dortigen Altertumsforscher besonders von den aus Marmor und Bronze bestehenden antiken Statuen angetan.[34]

Jenen mysteriösen Fund aber, der sich in der Folge als der mit Abstand bedeutendste herausstellen sollte, nahmen sie erst einmal überhaupt nicht zur Kenntnis. Es sollte bis zum 17. Mai 1902 dauern, als einem der führenden griechischen Archäologen, Professor Spiridon Stais, ein sonderbar verbackener und rostiger Klumpen auffiel. Der Fachgelehrte war jedenfalls über alle Maßen verwundert, als er, versteckt zwischen den vom Rost zerfressenen und von Sedimenten bedeckten Metallteilen, etwas wie Zahnräder zu erkennen glaubte.

Da er die Existenz von Zahnrädern aus dem ersten vorchristlichen Jahrhundert bis dahin für vollkommen ausgeschlossen gehalten hatte und überzeugt war, sich einfach nur verschaut zu haben, betrachtete er den formlosen Klumpen nun ein wenig genauer. Immerhin nahm er das Artefakt nicht gleich auseinander. Ihm war klar, dass ein voreiliges Zerlegen des Objekts wichtige Details unwiederbringlich zerstören konnte. Mit der Zeit wurde ihm jedoch immer bewusster, dass es sich bei jenem vom Rost zerfressenen Konglomerat ganz offenbar um einen komplexen und komplizierten Mechanismus handeln musste. Und das aus einer Epoche, die absolut nichts Vergleichbares kannte.

»Der Gegenstand ist einzigartig«

Da Professor Spiridon Stais über seinen zahlreichen anderen Aufgaben keine Zeit fand, sich intensiver um dieses sonderbare Fundstück zu kümmern, wanderte das Artefakt wieder, eingepackt in einen schlichten Pappkarton, in das Archiv im Keller des Nationalmuseums. Über die Zeit geriet es vollkommen in Vergessenheit. Es sollten nun genau 56 Jahre vergehen, bis 1958 ein anderer Wissenschaftler über den formlosen Klumpen stolperte und ihn sich genauer vornahm. Es war kein Geringerer als der Brite Derek de Solla Price, Professor für Wissenschaftsgeschichte an der renommierten Yale-Universität in New Haven im US-Bundesstaat Connecticut.

Bereits der rohe Klumpen, aus dem Teile von Zahnrädern hervorstanden, riss den Wissenschaftler zur Euphorie hin. »Dieser Gegenstand ist einzigartig«, stellte er öffentlich fest, »denn es existiert nichts Vergleichbares. Es gibt keinerlei Hinweise darauf in irgendwelchen antiken Texten, weder in sachlich-wissenschaftlichen noch in literarischen. Im Gegenteil: Bei allem, was wir über Wissenschaft und Technologie des hellenistischen Zeitalters wissen, hätte es Derartiges zu jener Zeit überhaupt nicht geben dürfen.«[35]

Und doch hielt er, sozusagen als nicht mehr weg zu leugnenden Gegenbeweis, den uralten Mechanismus in Händen.

Professor de Solla Price ging nun mit feinsten chirurgischen Instrumenten zu Werke und löste mit unendlicher Geduld winzigste Rostpartikel und Verunreinigungen ab. Doch je länger er an dem Objekt arbeitete, umso fantastischer erschien ihm der Fund. Er fand es schlichtweg »unglaublich«, mit welcher Präzision die einzelnen Zahnräder gearbeitet waren. Es ließen sich höchstenfalls Abweichungen von Zehntelmillimetern feststellen. Selbst für unsere modernen technischen Maßstäbe waren all diese Zahnräder ungewöhnlich exakt gefertigt. Doch was stellte das ganze, offensichtlich hoch komplizierte Räderwerk nun eigentlich dar?

Keinesfalls ein Prototyp

Professor de Solla Price wagte es ebenfalls zunächst nicht, den Mechanismus aus dem verbackenen Klumpen zu lösen. Er wollte nicht riskieren, das Objekt vollends zu zerstören. Deswegen verschwand der geheimnisvolle Fund noch einmal in den Archiven des Athener Nationalmuseums. Dieses Mal lag das Artefakt nicht so lange auf Eis – denn bereits 1961 setzte der britische Professor seine Untersuchungen fort.

Er ließ zahlreiche Röntgenaufnahmen anfertigen – einige wenige werden heutzutage gemeinsam mit dem Artefakt selbst sowie einer Rekonstruktion präsentiert –, die zusätzliche Einblicke in das technische Meisterwerk eröffneten. Hierbei stellte sich heraus, dass mindestens 40 Zahnräder zu dem Gerät gehörten. Auf der Grundplatte waren drei Achsen befestigt. Neun verstellbare Skalen und bewegliche Zeiger sowie beschriftete Metallplatten lassen die Schlussfolgerung zu, dass es sich um einen richtigen, wenn auch mechanisch betriebenen Computer zur Berechnung astronomischer Konstellationen gehandelt haben musste. Und das alles zur Zeit des klassischen Altertums, in der es solche Dinge gar nicht geben dürfte![35]

Mehr noch: Diese »Maschine von Antikythera« war so unglaublich komplex aufgebaut, dass es sich nicht um einen Prototypen gehandelt haben konnte – sondern vielmehr um das völlig ausgereifte Produkt einer hoch entwickelten und mit unserer durchaus als konkurrenzfähig zu bezeichnenden Technik.

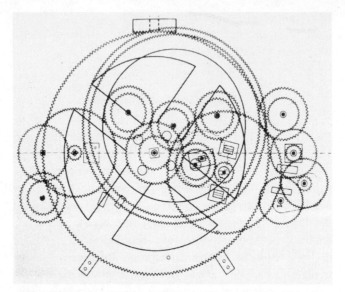

Abb. 2 Professor de Solla Price fand heraus, dass das Gerät ein Klein-Computer war, mit dem sich Planetenbewegungen berechnen ließen, und das auch für Navigationszwecke eingesetzt werden konnte.

Professor Derek de Solla Price interpretierte das Gerät als einen Klein-Computer, mit dessen Hilfe sich die Bewegungen der Sonne, des Mondes und weiterer Planeten und Fixsterne berechnen ließen. In der Ausgabe 6/1959 der Zeitschrift »Scientific American« äußerte er sich wie folgt:

»Es ist ein wenig beängstigend, zu wissen, dass kurz vor dem Zusammenbruch der antiken griechischen Zivilisation die alten Griechen sich unserem Zeitalter so sehr angenähert hatten, und nicht nur in ihrem Denken, sondern auch in ihrer wissenschaftlichen Technologie. Jedenfalls müssen wir nach dieser Entdeckung der ›Maschine von Antikythera‹ unsere Ansichten von der Geschichte der Wissenschaft einer gründlichen Revision unterziehen.«[36]

Erstmals 1828 patentiert

Und anlässlich eines 1969 in Washington abgehaltenen Kongresses brachte er seinen Gedankengang in ungewöhnlich provokanter Weise auf den Punkt: »Etwas Derartiges zu finden, wie diesen altgriechischen ›Sternencomputer‹, das ist genauso, als ob man in der Grabkammer des Pharaos Tut-Ench-Amun einen Düsenjet finden würde.«[37]
Wollte er damit andeuten, dass die Technologie hinter diesem unglaublichen Wunderwerk mit einiger Sicherheit nicht von dieser Welt stammen dürfte?
Es ist nicht uninteressant zu erfahren, dass Inschriften auf dem antiken Computer darauf hinweisen, dass dieses Hightech-Objekt im Jahre 82 v. Chr. hergestellt worden ist. Aber noch um vieles interessanter wäre es herauszufinden, wer das erste Modell des Planetariums im Kleinstformat konstruiert hat. Denn die Prototypenphase hatte das unglaubliche Artefakt allemal hinter sich gelassen. Ein nicht enden wollender Fragenkatalog: Mit welchen diffizilen Werkzeugen konnten die so präzise funktionierenden, äußerst exakt aufeinander abgestimmten Zahnräder hergestellt werden? Und aus welcher Spezialmanufaktur für Metalle stammten die hochwertigen Materialien, die für die Produktion benötigt worden waren? Niemand weiß die Antwort.
Bis auf den heutigen Tag ist Professor de Solla Price gleichermaßen fasziniert wie ratlos: »Der ganze Mechanismus steckt voller Rätsel.« Röntgenaufnahmen, die in den 1990er-Jahren mit Hilfe hochmoderner Geräte angefertigt wurden, lassen spannende Einblicke in ein hochkompliziertes Getriebe zu. Das mit weitem Abstand spektakulärste mechanische Element dürfte nach Ansicht des Wissenschaftlers eine Differenzial-Drehscheibe sein. Diese ist ein neuzeitliches Ausgleichs-

getriebe, das vermittels eines sogenannten Kronenrades die zahlreichen anderen Zahnräder mit verschiedenen genau festgelegten Geschwindigkeiten in Bewegung setzt.

Verblüffend daran ist, dass es eine der kompliziertesten mechanischen Errungenschaften der Technik darstellt und in der Neuzeit erst von O. Pecquer im Jahr 1828 zum Patent angemeldet wurde. 1896 wurde das Ausgleichsgetriebe zum ersten Mal in ein Kraftfahrzeug eingebaut und wirkt noch heute der Drehzahldifferenz entgegen – daher der Name. Es sorgt nebenbei dafür, dass das Fahrzeug bei Kurvenfahrt stabil bleibt und nicht in hohem Bogen aus der Kurve fliegt.[38]

Erst im Sommer des Jahres 2006 wurde der geheimnisumwobene Mechanismus für mehrere Wochen aus dem Museum entfernt, um ein weiteres Mal gründlich untersucht und vermessen zu werden. Dabei kam erstmals auch ein Magnetfeld-Tomograph zur Durchleuchtung der Apparatur zum Einsatz. Zwar bleiben die Rätsel um die Herkunft und Technologie weiterhin ungelöst, doch rückten die untersuchenden Wissenschaftler wenigstens keinen Deut von der damaligen Einschätzung von Professor de Solla Price ab: »Das Gerät wurde als Zeitrechner und Orientierungsgerät für Seefahrer gebaut. Die ganze Geschichte der Mathematik muss umgeschrieben werden.«[39]

Damit sprachen sie eine große Erkenntnis gelassen aus. Denn nach unseren »gesicherten Erkenntnissen« von der Antike hatten die alten Griechen keinerlei Interesse an experimentellen Wissenschaften. Alle intellektuellen Leistungen fanden vorwiegend im »Versuchslabor Kopf« statt. Die großen Philosophen scharten ihre Schüler um sich, wie auch die Koryphäen von Geometrie und Mathematik theoretisierten, was das Zeug hielt.

Doch all diesem sakrosankten Geschichtswissen zum Trotz ist das Gerät harte Realität – und eine ungeheure Provokation unseres geschichtswissenschaftlichen Paradigmenrahmens. Anders gesagt: Der »Sternencomputer von Antikythera« ist unbestreitbar ein Fremdkörper, ein zeitfremdes Objekt im vertrauten Bild der griechischen Antike, wenn nicht überhaupt unserer gesamten Vergangenheit. Ob es uns passt oder nicht.

»... auf anderen Himmelskörpern gelandet«

Professor de Solla Price rechnet den Mechanismus aus diesem Grund auch zu den bedeutendsten innovativen Konstruktionen aller Zeiten, obwohl er noch immer nach Lösungen und Erklärungen zu suchen bemüht ist. Diese werden – so viel steht fest – erst dann überzeugend ausfallen, wenn die »offizielle Wissenschaft« sich endlich dazu durchringt, auch »unorthodoxe« Gedankengänge in ihre Überlegungen mit einzubeziehen. Wie etwa jenen, dass das Know-how, welches diesem technischen Gerät zugrunde liegt, aus einer Richtung kommt, welche über Möglichkeiten verfügte, von denen die alten Völker nicht einmal träumen konnten. Auch wenn es schwerfällt: Es gibt gute Gründe, anzunehmen, dass die hier zum Einsatz gelangte Technologie von Intelligenzen stammt, die sogar uns Zeitgenossen des beginnenden 3. Jahrtausends noch um Längen voraus sind.

Wenn auch nicht so kompromisslos äußert sich auch Arthur C. Clarke, der sich sowohl als nüchterner Wissenschaftler und Ingenieur wie auch als erfolgreicher Science-Fiction-Autor einen Namen gemacht hat. Die persönliche Konfrontation mit jenem »Sternencomputer« bewegte ihn sehr tief:

»Es ist ein höchst aufregendes Erlebnis, dieses ungewöhnliche Relikt zu betrachten. Zwar ist wohl nichts fruchtloser als Mutmaßungen nach dem Muster ›was wäre geschehen, wenn ...‹

anzustellen, aber der Mechanismus von Antikythera fordert diese Überlegung geradezu heraus. Obwohl er über 2000 Jahre alt ist, repräsentiert er ein technisches Niveau, das unsere Menschheit erst im 18. Jahrhundert erreichte. Leider beschrieb diese komplizierte Apparatur nur die scheinbaren Bewegungen der Planeten, ohne zu ihrer Erklärung beizutragen. Dagegen wies Galilei mit wesentlich einfacheren Gerätschaften, wie schiefen Ebenen, schwingenden Pendeln und fallenden Gewichten, den Weg zu diesem Verständnis – und damit zur modernen Welt. Hätten die Griechen ebenso viel Weitblick wie Erfindungsgabe besessen, so hätte die industrielle Revolution bereits 1000 Jahre vor Kolumbus einsetzen können, und statt auf dem Mond umherzustreifen, wären wir bereits auf anderen Himmelskörpern gelandet.«[40]

Dann wagt er aber doch noch so etwas wie einen »außerirdischen Exkurs«, wenn er der Spekulation freien Lauf lässt, welche weiteren Zeugnisse einer fortschrittlichen Technologie auf dem Meeresgrund noch ruhen könnten. Falls eine Aussicht bestünde, sinniert Clarke, irgendwo auf die zerschellten Raumschiffe fremder Intelligenzen und andere außerirdische Artefakte zu stoßen, dann doch wohl in den Meeren dieser Welt, die beinahe drei Viertel der Oberfläche des Planeten bedecken.[40] Dass dies jedoch nicht so ist, belege ich in diesem Buch.

Holografische Illusionen

Im Gegenteil: Es dürfte eine ganze Menge ungewöhnlicher Artefakte nicht im Meer zu liegen gekommen sein. Und wenn es den Gralshütern der Wissenschaft schon Bauchschmerzen bereitet, in noch »harmlosen« Fällen, wie dem mechanischen Computer aus dem Jahr 82 v. Chr., scheinbar fantastische

Erklärungen in Betracht zu ziehen: Wie viel schwerer wird es, wenn offenbar vor bald 50 Jahren eine Vorführung einer Apparatur erfolgte, die sogar für unsere fortschrittliche Zeit so etwas wie »Zukunftstechnologie« darstellt? Kann man die »Lordsiegelbewahrer« der hehren Wissenschaft nicht irgendwie verstehen, ist es nicht zutiefst menschlich, wenn sie an dieser Stelle »dicht machen«, sich schlichtweg verweigern und alle Informationen darüber ohne nähere Prüfung ins Reich der Fabel verbannen?

Der italienische Sachbuchautor Peter Kolosimo (1922–1978), der neben seiner schriftstellerischen Tätigkeit auch als Koordinator bei der Vereinigung für prähistorische Studien der DDR arbeitete,[41] konnte sich stets guter Kontakte zu den Gelehrten des ehemaligen Ostblocks erfreuen. Aus diesen Quellen bezog er seine Informationen über eine Expedition von sowjetischen Forschern, die im Jahr 1959 mehrere tibetische Klöster besuchten. Diese besagte Expedition wartete mit Schwierigkeiten aller Art auf: Zwei der Teilnehmer trugen lebensgefährliche Verletzungen davon, als sie in tiefe Felsspalten fielen. Drei weitere mussten, völlig erschöpft, der Gastfreundschaft von Dorfbewohnern auf dem »Dach der Welt« überlassen werden. Aber schließlich behielt trotz allem die Hartnäckigkeit der verbliebenen Forscher die Oberhand. In einem buddhistischen Kloster, unweit des Heiligtums von Galdhan, trafen die Russen auf einen alten Weisen, welcher über ein profundes Wissen der Astronomie und der Weltraumfahrt verfügte.

Der Lama war fest von der Existenz intelligenten Lebens auf anderen Planeten überzeugt und deutete gegenüber den Reisenden an, unter bestimmten Voraussetzungen mit den Besuchern fremder Welten in Kontakt treten zu können.

Natürlich waren die Russen begierig darauf, dass der heilige Mann ihnen den Beweis für seine Behauptung liefern würde.

Aber der lehnte zunächst ab. Nach längerem Insistieren jedoch wählte er zwei der Wissenschaftler für eine spezielle »Vorführung« aus. Diese wurden in einer Reihe von Konzentrationsübungen unterwiesen und bekamen ein paar Tage lang eine eigens für sie zusammengestellte Diät.

Nach Ablauf dieser Wartezeit bat er die Russen, ihm in seine schmucklose Mönchszelle zu folgen. Er nahm seine beiden Gäste bei der Hand und konzentrierte sich, während eine fremdartige Apparatur in regelmäßigen Intervallen gedämpfte, musikähnliche Klänge skandierte, deren Echo abrupt abbrach. Beinahe gleichzeitig folgte ein Szenario, das man heute am ehesten mit einer holografischen Vorführung erklären kann – jener fast physisch greifbaren Illusion, die uns scheinbar dreidimensional wirkende Bildeindrücke vermittelt.

Das Bild, das sich mitten im Raum aufbaute, war zuerst verschwommen, nahm aber immer klarer Gestalt an. Ein menschenähnliches, fremdartiges Wesen schien die drei Männer anzustarren. Jenes unheimliche Geschöpf stand aufrecht und bewegungslos da, während sich vor ihnen etwas materialisierte, das wie eine Miniaturausgabe unseres Sonnensystems aussah. Merkur, Venus, Erde, Mars und alle weiteren Planeten zogen ihre Bahnen um unser leuchtendes Zentralgestirn.

Der zehnte Planet

Gebannt verfolgten die Russen das bewegte Spiel der kleinen Kugeln, zählten und identifizierten sie. Doch jenseits der Umlaufbahn des Planeten, den sie als Pluto erkannten, lief noch ein weiterer um die Sonne. Die Bemerkung ist wohl überflüssig, dass die absolut nüchtern und materialistisch eingestellten Wissenschaftler nicht die Spur einer rationalen

Erklärung für das unglaubliche Phänomen fanden. Außerdem weigerte sich der alte Weise ganz entschieden, auch nur eine Frage nach der Herkunft dieser mysteriösen Apparatur zu beantworten. Er erklärte nur, dass jenseits des Pluto tatsächlich ein weiterer Planet existiere – wahrscheinlich ein ehemaliger, aus seiner Bahn geratener Neptun-Mond –, der bestimmt innerhalb der kommenden Jahre entdeckt werden würde.[42]

Das ist nun offensichtlich geschehen. Anfang 2006 berichteten die Medien, dass amerikanische Astronomen jenen zehnten Planeten in unserem Sonnensystem entdeckt hätten. Wie die US-Raumfahrtbehörde NASA mitteilte, ist der aus Eis und Gestein bestehende Himmelskörper eineinhalb mal so groß wie Pluto und natürlich noch weiter von der Sonne entfernt als dieser. Noch haben die Astronomen dem Himmelskörper am äußersten Rand des Sonnensystems keinen Namen gegeben. Vorläufig ist er unter der Hilfsbezeichnung »2003 UB 313« registriert.

Die Wissenschaftler haben den Planeten eingehend beobachtet und sind zum Ergebnis gekommen, dass sein Durchmesser etwa 3000 Kilometer beträgt. In seiner Zusammensetzung besteht er zu etwa 70 Prozent aus Gestein und zu 30 Prozent aus tiefgefrorenem Wasser. Zum Vergleich: Unsere Erde besitzt einen Äquatordurchmesser von ungefähr 12700 Kilometern, unser Mond mit etwa 3500 Kilometern etwas mehr als dieser neu entdeckte Planet. Und die Temperaturen auf dem »Neuzugang« sollen bei annähernd 240 Grad unter dem Nullpunkt liegen.[43]

Aber kehren wir an dieser Stelle wieder zurück zu jener mysteriösen Vorführung im Jahre 1959, welche die Entdeckung des zehnten Planeten vorweggenommen hatte.

Später äußerte sich einer der beiden teilnehmenden Forscher wie folgt: »Weder ich noch mein Kollege werden wohl je erfahren, ob diese Gestalt leibhaftig vor uns erschienen ist – oder ob wir sie uns nur eingebildet haben. Wir werden nie erfahren, ob sie tatsächlich durch den Weltraum in die Zelle projiziert oder nur durch die Willenskraft des Mönchs ›gezeichnet‹ wurde. Wir können sie zwar im Allgemeinen beschreiben, müssen jedoch zugeben, dass sie gar nichts Irdisches an sich hatte … es erscheint unmöglich, dass eine menschliche Fantasie etwas dergestalt Artfremdes hervorbringen könnte.«[42]

Jene politischen Streitigkeiten, die bald darauf das sowjetisch-chinesische Verhältnis belasteten, bedeuteten für weitere Recherchen das vorläufige Aus. Daher bleibt uns hier nur zu spekulieren, was der alte tibetische Lama den Russen zu sehen weismachte. War es eine optische Täuschung – oder war es eine Halluzination, erzeugt durch Drogen, welche man den ahnungslosen Gästen in die Mahlzeiten gemischt hatte? Was hatte es dann mit der seltsamen Apparatur auf sich, die in regelmässigen Intervallen diese gedämpften Töne von sich gab? War das eine Art tragbarer Computer, der vermittels der Holografie sichtbar in Szene setzte, was fremde Intelligenzen, die nicht von unserer Erde stammten, vielleicht schon vor unendlich langer Zeit einprogrammiert hatten?

Haben wir es auch hier mit einem Artefakt fremder Technologie zu tun? Im Gegensatz zur »Maschine von Antikythera« musste dieses Gerät aber nicht des Zeitpunkts harren, eines Tages zufällig ausgegraben oder aus den Tiefen des Meeres geborgen zu werden (wie es der erwähnte Arthur C. Clarke postulierte). Es überstand die zeitlichen Abgründe offenbar unbeschadet in den Händen einer Priesterschaft, die schon immer viel mehr gewusst hat, als sie zu sagen bereit war.

4 Mexikaner in Rettungskapseln

Von Astronauten und anderen Helmträgern

> *»Irrtümer schwimmen wie Stroh*
> *auf dem Wasser. Wer nach Perlen sucht,*
> *muss tief tauchen.«*
>
> JOHN DRYDEN (1631–1700),
> ENGLISCHER DRAMATIKER

Viele Jahrtausende lang lebten die Eingeborenen auf Neuguinea, der zweitgrößten Insel der Welt, friedlich und ohne zweifelhafte »Segnungen« durch die westliche Zivilisation, beinahe wie unsere Vorfahren in der Steinzeit. Dies alles änderte sich schlagartig, als während des Zweiten Weltkriegs die Amerikaner und ihre Alliierten in die bis dato unberührte Welt eindrangen. Mitten im Regenwald legten sie provisorische Flughäfen an, auf denen ohne Pause Militärmaschinen landeten, die Kriegsmaterial und Nahrungsmittel für die Materialschlachten des Pazifikkrieges gegen Japan brachten.

Durch die Konfrontation mit den Fremden wurde die traditionelle Lebensweise der Eingeborenen entscheidend und für immer verändert. Es kam zu einem regelrechten Kulturschock. Zunächst beobachteten die Papuakrieger das seltsame Treiben der Weißen eher verständnislos. Sie besaßen weder eine Ahnung von Weltpolitik und Krieg noch von jenen technischen Errungenschaften, die da vor ihren Nasen vorgeführt wurden.

Mit der gönnerhaften Großzügigkeit bewaffneter Eindringlinge verteilten die GIs zuweilen kleine Präsente wie Schokolade, Kaugummi, ausrangiertes Werkzeug oder abgetragene

Militärstiefel. All diese nie zuvor gesehenen Dinge hießen bei den Papuas »Cargo« – von der englischen Bezeichnung für »Ware«. Das lockte immer mehr von ihnen aus dem Dschungel zu den Landepisten, wo sie große »Silbervögel« aus den Wolken herniederkommen sahen. Silberne Vögel der »Götter«, aus deren Bäuchen unerschöpfliches »Cargo« quoll.

Der Mensch ist und bleibt ein Materialist, ob er nun in den Betonwüsten großer Wirtschaftsmetropolen oder in den Regenwäldern dieses Planeten lebt. Und nachdem sich die Urwaldbewohner beim Palaver in ihren Hütten ausgiebig beraten hatten, verfielen sie auf eine famose Idee: Sie müssten sich nur genauso verhalten wie jene geheimnisvollen Fremden, dann würden die »Himmelsvögel« ihre segensreichen und wertvollen Güter auch zu ihnen bringen.

Gesagt, getan. Auf Lichtungen im Regenwald stampfte man mit nackten Füßen Landebahnen aus dem lehmigen Boden. Haushohe Bambusstangen sollten Antennen imitieren, und Medizinmänner sprachen pausenlos Beschwörungen in halbierte Kokosnüsse, die wohl Mikrofone zum Vorbild hatten. Auf der Insel Wewak entstand ein regelrechter »Flughafen« mit »Flugzeugen«, welche man aus Holz und Stroh gebaut hatte. Und bald exerzierten die Eingeborenen mit geschulterten Holzrohren als Gewehre und »Stahlhelmen« aus den Panzern von Schildkröten auf dem Kopf.[44, 45, 46]

Missverstandene Technologie. Von alters her ahmte der Mensch nur allzu gerne alles nach, was er sah – und eingedenk der immer mehr um sich greifenden Industriespionage dürfte sich diese Angewohnheit auch im Jahre 2008 und darüber hinaus kaum erledigt haben. Von den »Cargo-Kulten« der Ureinwohner von Neuguinea blieben uns erstaunliche Berichte und Filmaufnahmen der Ethnologen aus den 1940er-Jahren. Von vergleichbaren Konfrontationen und Kulturschocks in längst vergangenen Zeiten künden uns ungezählte künstlerische Arbeiten, sei es als Einzelobjekte oder auf den Fassaden vieler Tempel. Der gemeinsame Nenner war die Verehrung der jeweiligen Götter.

Die Annalen der Cakchiquel

Noch ein Beispiel, das uns auch dem Zielgebiet dieses Kapitels näher bringt. Die Cakchiquel-Indianer sind eine Untergruppe der Mayas im Hochland von Guatemala. Im Jahre 1954 hat die Universität von Oklahoma die aus dem 16. Jahrhundert stammenden Aufzeichnungen dieses Volkes veröffentlicht. Hierin waren fantastische Berichte über das Auftauchen legendärer, von weither gekommener Wesen verzeichnet; märchenhaft erscheinende Erzählungen über Wesen und Sitten dieser »Götter«.

Doch als man diese Annalen etwas genauer betrachtete, bemerkte man, dass die Cakchiquel-Mayas keineswegs wirre Geschichten erzählt hatten. Sie berichteten nur auf ihre Weise über ihren ersten Kontakt mit den Konquistadoren, den spanischen Eroberern. Selbige hatten in den Augen der Cakchiquel den gleichen Status wie die geheimnisumwobenen Wesen aus ferner Vergangenheit, von welchen die ältesten Mythen und Überlieferungen sprachen. So wurde die historische Wirklichkeit nur unter einem – in unseren Augen – märchenhaften Aspekt geschildert. Ergo liegt die Schlussfolgerung nahe, dass viele Texte, aber auch künstlerische Darstellungen, die man bislang einzig »mythologisch« interpretierte, auf absolut realen Tatsachen beruhen. Die falsch gedeutet und mit fantasievollen Elementen vermischt wurden.[47] Eben missverstandene Technologie.

Eine der lohnenswertesten »Fundgruben« für solche Zeugnisse missverstandener Technologie ist der zentralamerikanische Raum, insbesondere Mexiko und Guatemala. Dort tauchte ich tief ein in eine geheimnisvolle Vergangenheit. Und wurde nicht nur fündig, sondern reich belohnt für meinen »Tauchgang« nach Perlen des Geheimnisvoll-Unbekannten.

Götter im Kosmonauten-Outfit

Die alten Bewohner Zentralamerikas müssen sehr genaue Beobachter gewesen sein. Denn von zahllosen Skulpturen, welche sie vor Tausenden Jahren schufen, springen uns technisch anmutende Details förmlich ins Gesicht. Man kann sich ihrer Faszination kaum entziehen. An der Peripherie von Villahermosa, der Hauptstadt des mexikanischen Bundesstaates Tabasco, liegt der archäologische Park »La Venta«. Dort sind eine Reihe interessanter Fundstücke aus der gleichnamigen Ruinenstätte ausgestellt, die noch heute schwer zu erreichen ist, da sie über 150 Kilometer entfernt in einem mückenverseuchten Sumpfgebiet liegt. Zwischen Raubtierhäusern, Vogelvolieren und Krokodilgehegen befinden sich beispielsweise mehr als 20 Tonnen schwere »Olmekenköpfe«, von denen einige sehr eng anliegende Helme tragen. Sie wurden in der näheren Umgebung entdeckt und haben ihren Platz im Park des Freilichtmuseums gefunden, weil sie ganz einfach zu sperrig für den Abtransport in die Hauptstadt sind.

Eines der Objekte im La-Venta-Park ist nur noch als gelungene Kopie zu bestaunen; das Original hat einen Platz im Anthropologischen Museum von Mexiko-City gefunden. Als »Drachenmonolith« ist es in die Literatur eingegangen. Hierauf in feinster Ziselierung gearbeitet, sitzt eine menschliche Gestalt mitsamt einem nicht zu übersehenden Vollschutzhelm inmitten eines Drachens oder einer Schlange, die sie umgibt. Den Rücken gebeugt, liegen die Füße des Mannes höher als dessen Hinterpartie, sein »Arbeitsplatz« scheint etwas eingeengt zu sein. Über dem Kopf dieser Gestalt hängt ein viereckiger Kasten, während die linke Hand einen Stab bedient und die rechte einen Gegenstand hochhält, der entfernt an ein Bügeleisen erinnert.

In dieselbe Kategorie fallen behelmte Köpfe, die im »Museo Popol Vuh« von Guatemala-City zu bestaunen sind. Die illustren Häupter scheinen hinter einem Glasrahmen zu stecken, und unter der Nase hängt ein technisch anmutendes Gerät. Im selben Museum stehen übrigens fein verzierte Vasen, auf denen »himmlische Lehrmeister« dargestellt sind. In den Händen halten sie undefinierbare Gegenstände, und ihre Köpfe stecken in sonderbar verzierten Helmen.[48]

Nach wie vor recht unberührt sind die weitläufigen Urwälder auf der Halbinsel Yucatán, unter deren immergrünem Blätterdach sich noch immer eine Vielzahl unentdeckter Maya-Städte verbergen dürfte. Reichlich Arbeit auch für zukünftige Generationen hoffentlich aufgeschlossenerer Archäologen. Doch auch die bereits ausgegrabenen Stätten bieten uns jede Menge »unbequemer« Artefakte, die schwer mit unserem althergebrachten Geschichtsbild vereinbar sind. Wir müssen nur die Augen offenhalten. Die Anlage von Uxmal, nur eine knappe Autostunde von Mérida aus an einer gut ausgebauten Überlandstraße, ist ein gutes Beispiel. Herausragendstes Bauwerk von Uxmal ist die auf ovaler Grundfläche errichtete »Pyramide des Zauberers« mit ihren beängstigend steilen Stufen. Diese wurden erst vor wenigen Jahren gesperrt, weil wieder einmal ein paar vorwitzige Touristen von oben heruntergestürzt waren und sich so ziemlich alles gebrochen haben, was man sich brechen kann.

Hinter der »Pyramide des Zauberers« befindet sich ein großes, rechteckiges Terrain, das auf einer Seite vom sogenannten Haus der Nonnen begrenzt wird. Wie bei vielen archäologi-

schen Stätten ist auch diese Namensgebung vollkommen willkürlich. Sie erfolgte durch die spanischen Eroberer und sagt
nicht das Geringste über den tatsächlichen Zweck der Baulich-
keit aus. In der Nähe steht ein weiteres Gebäude mit einer völlig sinnlosen Bezeichnung: der »Gouverneurspalast«, der sich
in neuerer Zeit als waschechtes Observatorium entpuppte.
Wer sich aber mit der Außenverkleidung des »Hauses der
Nonnen« befasst, dem werden mehrere Köpfe mit Helm auf-
fallen, welche den modernen Integralhelmen täuschend ähnlich sehen. Diese schützen auch die Kinnpartie vor Verletzungen. Wer trug jedoch schon in grauer Vorzeit einen derart
markanten Kopfschutz, der Jet-Piloten und Raumfahrern
gleichermaßen gut zu Gesicht stehen würde?

Behelmte Statuette mit Schlitzaugen

Das noch heute existierende, aber in zahlreiche Untergruppen
zersplitterte Volk der Mayas lebte früher in einem Gebiet, das
große Teile von Mexiko, Guatemala und Honduras umfasst
hat. Jedes Jahr besuchen ganze Scharen von Touristen aus aller
Herren Länder die bedeutendsten Kulturzentren, allen voran
Tikal, Palenque und Chichen Itza. Weit weniger bekannt ist
allerdings die Tatsache, dass auch Belize, das vormalige Bri-
tisch-Honduras, sehenswerte Maya-Stätten vorzuweisen hat.
Die erreicht man zum Teil nur unter abenteuerlichen Umständen, da sich das Land an der Karibikküste mehr und mehr
zu einem Umschlagplatz für Drogen aus Kolumbien und
anderen südamerikanischen Ländern entwickelt hat. Etwa
135 Kilometer südwestlich von Belize-City liegt die erst teilweise freigelegte Ruinenstätte von Xunantunich. Dort, wo
aus dem immergrünen Urwald ein steiler Bergrücken heraus-
ragt, krönt ein 42 Meter hoher Pyramidensockel, »El Castillo«

genannt, die Landschaft. Auf der Ostseite dieser Pyramide sticht ein imposantes Stuckrelief ins Auge, das mit technisch anmutenden Symbolen die gesamte Fassade einnimmt. Beherrschendes Element darin ist ein Gesicht, das von den Archäologen als *Maske des Sonnengottes* bezeichnet wird. Der optische Vergleich erinnert aber viel eher an einen Astronautenhelm mit einem Gesicht, das vor dem Mund ein mikrofonartiges Objekt erkennen lässt.[49]

Doch nicht nur auf Monolithen und ganzen Fassaden haben uns die vorzeitlichen Künstler Zentralamerikas Köpfe und Gestalten hinterlassen, die mehr an Flieger und Raumfahrer erinnern als an Priester oder Schamanen. Viele einzelne Figuren, Statuetten mit mehr als deutlich erkennbaren, astronautischen Details befinden sich unter dem rätselhaften Vermächtnis einer sagenhaften Vorzeit. So entdeckte man vor einigen Jahren in Mexiko die Sandsteinfigur eines behelmten »Gottes«, der nicht nur wie ein waschechter Kosmonaut aussieht, sondern auch noch unverkennbar chinesische Gesichtszüge trägt.

Ein amerikanisches Forscher-Ehepaar, Dr. Milton A. Leof und dessen Frau, fanden in Xochipala im Bundesstaat Guerrero diese Figur, die beständig an unserem Weltbild rütteln könnte – wenn man nicht ständig versuchen würde, Funde wie diesen unter den Teppich zu kehren. Jene 17 Zentimeter hohe Figur, die ungefähr in die Epoche zwischen 1150 und 100 v. Chr. datiert wird, trägt unübersehbar einen eng anliegenden Helm. Im Gesicht sind außerdem die etwas schräg gestellten Schlitzaugen erkennbar. Funktionell gelöst und faszinierend in seiner Schlichtheit ist der Übergang des Helmes durch eine Art »Halskrause« zur Schulterpartie hin. Es hat den Anschein, als müsse dieser Bereich hermetisch abgedichtet werden und als würde der Helm Fortsetzung in einer Art Overall finden. In einer Beschreibung dieser sich in Privatbesitz befindlichen »behelmten Statuette« steht zu lesen:

»Vollkommen natürlich proportioniert, zeigt diese Figur olmekische Züge, welche meisterhaft in den runden Helm hineinmodelliert wurden.«

Doch dann wird Tierisches beschrieben, wo überhaupt nichts Tierisches zu erkennen ist:

»Seine Tierfüße sowie ein ›Schwanz‹, der von seinem Gürtel hängt, lassen darauf schließen, dass er möglicherweise als Jaguar verkleidet ist, um an einem Tanz oder irgendeiner Zeremonie teilzunehmen.«[50]

Was diese viel eher an einen Raumfahrer erinnernde Statuette betrifft, möchte ich anmerken, dass meines Wissens noch niemand eine Raubkatze mit eng anliegendem Helm zu Gesicht bekommen hat. Und wer vollkommen unschlüssig sein sollte, wie diese wehrhaften Großkatzen aussehen, der sollte vielleicht den Weg in den nächsten Zoo nicht scheuen. Aber im Ernst: Gerne lasse ich meine geschätzten Leser selbst entscheiden, ob sie sich einen Reim auf das auffallend moderne Aussehen dieser Sandsteinfigur machen können. Ein Bild sagt im Übrigen mehr als tausend Worte. Aus diesem Grund habe ich auch ein Foto in den Bildteil dieses Buches aufgenommen.

Wie auch das Bild einer im Original nur 40 Millimeter großen Kopfminiatur, gefunden in einer schwer zugänglichen Höhle im südamerikanischen Andenstaat Ecuador. Auch hier umschließt ein absolut modern wirkender Helm das Haupt. Markante Ausbuchtungen auf der rechten Seite des Helmes würde man bei heutigen Produkten als »integriertes Kommunikationssystem« interpretieren, während man in einer Verdickung im Halsbereich einen luftdichten Übergang zu einem Overall vermuten könnte. Archäologen datieren dieses Kunstwerk en miniature in die La-Tolita-Kultur zwischen 600 und 400 v. Chr. und denken, dass es »kultischen Zwecken« gedient habe. Was immer dies bedeuten mag. Augen unseres Raumfahrtzeitalters indes sehen etwas anderes, und hier sollte zumindest die Frage erlaubt sein, was ein nachweislich präkolumbianischer »Astronauten-Look« im Regenwald von Ecuador oder in den Maya-Stätten Zentralamerikas zu suchen hat.[51]

Ein mörderisches Spiel

Wenn also immer wieder solche Helmträger auf uralten Statuetten und Wandreliefs auftauchen, dann müssten doch – wenn hier tatsächlich eine Technologie nicht von der Erde stammender Besucher ihre Spuren hinterlassen hat – noch ganz andere Relikte in den antiken Stätten Zentralamerikas zu finden sein. Technologie hat viele Gesichter – sonst könnte man, obwohl weit hergeholt, einen ominösen »Kult« rund um schützende Kopfbedeckungen aus dem Hut zaubern. Womöglich im Zusammenhang mit dem legendären Ballspiel auch der Azteken, dem Tlachtli, welches mit Hartgummibällen gespielt wurde, die aus dem Saft des Kautschukbaumes gefertigt wurden.

Dass dieses Spiel nichts für zart besaitete Naturen war, wissen wir, seit eine Vorführung desselben im Herbst 1528 am spanischen Hof zu Granada nicht nur für gewaltiges Aufsehen, sondern auch für Ohnmachtsanfälle seitens der weiblichen adeligen Zuschauerschaft gesorgt hatte.

Der Eroberer Mexikos im Auftrag der spanischen Krone, Hernando Cortez (1485–1547), hatte seinem Kaiser Karl V. aus Mexiko neben unermesslichen zusammengeraubten Goldschätzen zur Unterhaltung eine Mannschaft aztekischer Ballspieler mitgebracht, die der adeligen Hofgesellschaft besagtes Tlachtli-Spiel nebst bis dato nie dagewesener sportlicher Fähigkeiten demonstrieren sollten. Gespielt wurde auf einem rechteckigen Hof von 40 mal 15 Metern Fläche, der von einer Mauer umgrenzt war. Oben auf den Rängen saßen die Herrschaften samt ihrem Gefolge. Deren Erwartung war nicht allzu groß, waren sie doch durch verschiedenste Attraktionen, die das Leben am Hof so bot, reichlich verwöhnt. Also ließ man sich eher gelangweilt nieder und frönte nebenbei dem höfischen Small Talk.

Der aber verstummte schlagartig, nachdem die Azteken mit ihrem Spiel begonnen hatten. Was sich da unten auf dem Spielfeld ereignete, war schlichtweg atemberaubend. Etwas Vergleichbares hatte die »Alte Welt« noch nicht erlebt. Eine elektrisierende Spannung lag in der Luft.

Durchtrainierte Indianer spielten mit einer Kugel aus einem merkwürdigen, elastischen Material, das sie Gummi nannten. Sie wog zirka fünf Pfund. Es gab strenge Regeln: Der wuchtige Ball durfte weder mit Händen noch Füßen angerührt werden, nicht auf dem Erdboden aufschlagen und schon gar nicht dort liegen bleiben. Durch reaktionsschnelle Bewegungen aus der Hüfte, mit den Ellenbogen oder Knien, war er pausenlos in der Luft zu halten. Im Hechtsprung warfen sich die Indianer dem Ball entgegen und schlugen ihn mit Hüften, Schultern oder Armen weiter. Die Männer, denen es nicht gelang, den Ball in die gegnerische Hälfte zurückzubefördern, ernteten Strafpunkte. Erstrebenswertes Ziel war es, jene Gummikugel durch einen steinernen Ring zu werfen, der in der Mitte des Spielfeldes in die Mauer eingelassen war. Es war ein mörderisches Spiel. Nasenbeine brachen und Knochen splitterten mit solch grauenhaftem Geräusch, dass einige Damen der feinen Gesellschaft kreidebleich wurden und ohnmächtig in die Arme ihrer Lakaien sanken. Ein paar Spieler wurden tot vom Platz getragen, andere trugen schwere Verletzungen am Kopf und an den Extremitäten davon.[52]

Der Priester auf dem Schleudersitz

Aber Schutzhelme trugen die Tlachtli-Spieler eindeutig nicht, wobei wir erneut bei der Überlegung wären, ob sich noch andere Relikte von eindeutig technischem Zuschnitt finden lassen. Die zudem einen Bezug zur Weltraumfahrt erkennen lassen.

Dies ist tatsächlich der Fall. Hier stellt sich einmal mehr das Anthropologische Museum in Mexiko-Citys touristischer Zone als wahre Fundgrube heraus. Bevor man dieses betritt, bemerkt man auf einem weitläufigen Platz vor dem Eingangsbereich eine bronzene Nachbildung eines von den Archäologen als Zeremonialgefäß bezeichneten Objekts. Mit modernen Augen betrachtet, erinnert es vielmehr an eine Verteilerdüse, wie sie uns von den Antriebsaggregaten der gewaltigen Saturn-V-Raketen noch geläufig sein dürfte. Die dienten unter anderem für das Apollo-Mondlandeprogramm als schubstarke Trägerraketen. Die Bronzeplastik auf dem Vorplatz ist indes nur Fotomotiv und – unfreiwillig – Abfalleimer, während die aus Ton gefertigten Originale sich in der Halle für toltekische Artefakte auf einem pyramidenartigen Sockel befinden. Trotz allem Zierrat, welcher zumindest im Fall rundum abstehender Stäbe als eine Art Kühlrippen interpretiert werden kann, erschließt sich dem unvoreingenommenen Betrachter ein Eindruck, der ohne viel Fantasie auf einen realen technischen Hintergrund hinweist. Ob jenem unbekannten Künstler wohl bewusst war, was er darstellte?

Ein weiteres Objekt, das mir erstmals im Oktober des Jahres 2005 anlässlich einer weiteren Mittelamerikatour ins Auge fiel, ist eine Figur, die auf – oder besser gesagt in – einem reichlich ungewöhnlichen Gefährt sitzt. Dieses könnte man als eine Art »Zwitter zwischen Rettungskapsel und überdachtem

Motorrad« betrachten, dem die Räder abhanden gekommen sind. Statt dessen hat die Figur so etwas wie das Mundstück eines Beatmungsgeräts in ihrem Mund. Für mich wirkt dies alles einmal mehr wie missverstandene Technologie, auch wenn die Archäologen darin einen Priester bei rituellen Handlungen sehen. Eher zutreffen würde die Bezeichnung »Priester im Schleudersitz« – zumal die Figur, welche wie zum Schutz in das einer uns unbegreiflichen Technik entlehnte Objekt integriert ist, auch eine Art Rucksack trägt. Dieser ähnelt in seiner Ausführung ganz verblüffend jenen Tornistern, wie sie die Apollo-Astronauten während ihrer Mondspaziergänge auf dem Rücken herumschleppten. Die Hände der ominösen Gestalt ruhen fest auf Bedienungselementen, die am vorderen Teil des umlaufenden Rahmens angelehnt sind. Mit den Beinen hält das Geschöpf – einem Motorradfahrer ähnlich – engen Knieschluss mit einem gebogenen Verbindungsteil, das sich zwischen Sitz und vorderem Rahmen erstreckt. Keine Frage: All das wirkt technisch wohldurchdacht!

Als mir diese aus Stein gearbeitete Skulptur auffiel, musste ich unwillkürlich an das etwas verunglückte Konzept eines großen bayerischen Auto- und Motorradherstellers denken, der ein überdachtes Motorrad auf die Räder gestellt hat. Das sonderbare Zweirad für Sicherheitsfanatiker mit der Silhouette eines halbierten Autos wurde inzwischen als Flop wieder aus dem Programm gestrichen. Doch für das kleine aber feine Kunstwerk im Anthropologischen Museum in Mexikos quirliger Metropole scheint mir nach wie vor eine viel zeitgenössischere Interpretation der plausiblere Lösungsansatz zu sein. Und zwar unter Berücksichtigung eines konkreten technischen Hintergrundes.

»Headsets« im Urwald

Dies dürfte auch für die im Folgenden beschriebenen präkolumbianischen Funde zutreffen, bei denen es »exotischer« wäre, einen weiteren obskuren »Kult« in Betracht zu ziehen, als eine fortgeschrittene Technologie dahinter zu vermuten. Gleichfalls im Herbst 2005 befand ich mich im Petén, der als »Grüne Hölle« bezeichneten und nur äußerst spärlich besiedelten Nord-Provinz Guatemalas. In dem kleinen mittelamerikanischen Staat beträgt der Anteil der Mayas an der Gesamtbevölkerung etwa 50 Prozent. Dort liegen auch noch viele alte Maya-Städte, welche praktisch unbekannt oder noch kaum erforscht sind. Erreichbar sind diese allenfalls auf dem Wasserwege. Wie zum Beispiel die Anlage von El Ceibal, die vom nächstgelegenen Ort aus nur nach einer längeren Fahrt mit dem Langboot auf dem von Kaimanen bevölkerten Rio de la Pasión angelaufen werden kann.

Bis zum Ufer reicht über weite Strecken das dichte Grün der tropischen Urwaldvegetation, und der Lärm von Brüllaffen übertönt oft die Geräusche des vor sich hintuckernden Außenbordmotors. Von der Anlegestelle aus geht es dann, gesäumt von Ceiba-Baumriesen mit ihren typischen Brettwurzeln, einen recht glitschigen Pfad bergauf. An jenen Stellen, an denen das Licht der Sonne durch Löcher im Blätterdach den Boden erwärmt, ist große Vorsicht angesagt. Denn dort lebt eine hochgiftige Lanzenotter, deren Verhalten sich deutlich von dem ihrer Artgenossen unterscheidet. Anders als die meisten Schlangen ergreift sie nicht beim Nähern durchs Unterholz trampelnder Touristen die Flucht, sondern verteidigt ganz offensiv ihren Platz an der Sonne. Weh dem, der ihr versehentlich zu nahetritt: Ihr Biss führt schon nach wenigen Minuten zum Tod durch Atemlähmung. Wer kein Serum mit sich führt, erreicht nicht einmal mehr die Anlegestelle am Flussufer. Gottlob hatte ich keine Begegnung mit einer solchen Kreatur, die im Fall der Fälle auch nur ganz legitim ihren angestammten Lebensraum verteidigt. Nur von Myriaden von Mücken belästigt, erreichte ich El Ceibal, eine der noch kaum bekannten Maya-Stätten im Urwald Guatemalas.

Es gibt dort, mit Ausnahme eines Pyramidenstumpfes im Zentrum der Anlage, keine bedeutenden Pyramiden wie etwa in Tikal, Palenque oder den anderen großen Maya-Heiligtümern. Dafür aber jede Menge Stelen, auf denen sich – leider zum Teil etwas verwittert – nicht selten technisch zu interpretierende Gravuren befinden. Helme auf den Köpfen sind ja beinahe schon Standard und keiner weiteren Erwähnung mehr wert. Aber vor den Mund gehaltene »Stäbe« rufen deutliche Assoziationen zu modernen Mikrofonen hervor. Und damit nicht genug. In einigen Maya-Stätten scheinen sie den moderneren »Headsets« Platz gemacht zu haben, ohne die man heutzutage kaum noch einen Musiker über die Bühne springen sieht.

In diesem Teil der Halbinsel Yucatán sind – ich deutete es bereits an – Flüsse die Hauptverkehrswege. Eine weitere Flussfahrt führte mich, dieses Mal auf dem Rio Usumacinto, nach Mexiko zurück. Von dem am Fluss gelegenen Grenzdorf Corozal fährt man in westlicher Richtung nach Palenque, der wohl mysteriösesten Maya-Stätte. Nach wenigen Kilometern zweigt von dem kleinen Ort San Javier eine Schotterstraße ab, die in der Station Nacal Há endet. Von da aus führt eine schnurgerade Piste durch den Regenwald, die alleine von altersschwachen Bussen befahren wird, welche von weiß gewandeten Lakandonen-Indianern gesteuert werden. Ziel der abenteuerlichen Fahrt mit diesen zum Teil bis auf den Rahmen und die Sitze »abgespeckten« Bussen ist das Maya-Heiligtum von *Bonampak*.

Am Eingang der Anlage heißt es dann aussteigen, was von den meisten Reisenden deutlich mit Erleichterung aufgenommen wird. Nachdem man eine Lichtung mit einer Naturpiste für die Landung von Kleinflugzeugen überquert hat, gelangt man zum Hauptplatz von Bonampak. Diese Stätte wurde erst 1946 entdeckt und befindet sich seit ein paar Jahren permanent in Restauration. Steht man auf dem gut 300 Meter breiten Hauptplatz, erhebt sich eindrucksvoll die »Akropolis« mit bislang zehn restaurierten Tempeln. Vom Betrachter aus rechts liegt der »Templo de las Pinturas« mit drei Räumen und drei Eingängen. In jedem dieser Räume sind Wände und Decken bemalt – der Name Bonampak heißt in der Sprache der Lakandonen-Mayas nichts anderes als »bemalte Wände«. Leider beginnen die einst leuchtenden Farben seit Öffnung der Räume zu verblassen, sodass Einzelheiten heute viel besser auf alten Fotos zu erkennen sind. Und auf einer sehr gelungenen Kopie des »Templo de las Pinturas«, die man im Außenbereich des Anthropologischen Museums in Mexiko-Stadt ganz naturgetreu errichtet hat.

Von all diesen zehn restaurierten Tempeln auf der Akropolis bietet einer auf der linken Seite noch einmal echt Spannendes. Direkt in der Türdecke – man muss sich dabei den Kopf etwas verrenken – prangt ein etwa 50 mal 80 Zentimeter großer Fries, der erstaunliche technische Details offenbart. Ein behelmter Kopf mit einem Ohrstecker, dessen Ausleger bis fast an den Mund heranreicht und an die schon erwähnten »Headsets« erinnert, ohne die im heutigen Musik-Business ganz offenbar nichts mehr funktioniert. Doch damit nicht genug: Die beiden Hände dieser auf dem Fries verewigten Figur bedienen drehknopfartige Armaturen, welche fraglos eine festgelegte Funktion zu erfüllen haben. Am linken Bildrand bewachen zwei seltsame Kreaturen die Szenerie.

Der Mann mit den »Roboterarmen«

Vergleichbaren Darstellungen, auf denen Gestalten unzweifelhaft technische Apparaturen bedienen, begegnet man in zahlreichen Stätten der Mayas buchstäblich auf Schritt und Tritt. Das mit Abstand prominenteste Beispiel dafür ist nach wie vor die ungewöhnlich kontrovers diskutierte »Grabplatte von Palenque«. Über dieses grandiose bildhauerische Werk wurde bereits so viel geschrieben und spekuliert, dass ich es an dieser Stelle nur so kurz wie möglich abhandeln möchte. Außen vor lassen aber kann und will ich diesen »Zankapfel der Archäologie« nicht, einfach schon der Vollständigkeit halber.

Schon in seinem Erstlingswerk[18] hatte Erich von Däniken darüber geschrieben und seine Meinung geäußert, hier könnte möglicherweise ein Raumfahrer in seinem kleinen Zubringerfahrzeug dargestellt sein. Worauf sich innerhalb der archäologischen Gemeinschaft ein wahrer Sturm der Entrüstung erhob. Alles dürfte auf der Platte eingraviert sein, nur eben kein astronautisches Szenario. Weil nicht sein kann, was nicht sein darf.

Ich selbst hatte glücklicherweise bereits mehrfach Gelegenheit, die Grabplatte tief unten in der »Pyramide der Inschriften« persönlich zu begutachten. Ich mag parteiisch sein, aber das müsste man ja dann jedem Menschen vorhalten, der eine eigene Meinung hat. Nach meinem Dafürhalten besitzt eine technisch begründete Hypothese nach wie vor den höchsten Grad an Plausibilität. Da müssen keine verqueren »Kulte« aus dem Ärmel gezogen werden, Allegorien und religiöse Symbole bemüht werden. Es wurde eine Szene dargestellt, wie sie der Künstler selbst sah oder zumindest vermittelt bekam. Deshalb habe auch ich so meine ganz konkreten Schwierigkeiten, in der dargestellten Person, die deutlich sichtbar an Bedienungshebeln hantiert, beispielsweise den Maisgott *Yum Kox* zu sehen[53] oder einen todgeweihten Maya-Jüngling, der in den Rachen eines mythologischen Monsters fällt.[54] Auch vermag ich viel eher technische Gerätschaften zu erkennen als die »Barthaare des Wettergottes«. [55] Eines möchte ich aber in aller Deutlichkeit anmerken: Unter den Archäologen herrscht keinesfalls die große Einmütigkeit, was auf der Grabplatte dargestellt sein soll. Die Herren sind untereinander heillos zerstritten. Doch üben sie plötzlich überraschende Einigkeit, wenn es gilt, fantastisch klingende Interpretationen von Außenseitern, die keine Scheuklappen tragen, in Bausch und Bogen zu verdammen.

Da ich mich ja nur ganz kurz über die Grabplatte von Palenque auslassen wollte, erinnere ich hier nur noch bescheiden an die Tatsache, dass niemand von uns seinerzeit »live« dabei war. Und solange nicht zweifelsfrei geklärt werden kann, welche der zahllosen Hypothesen letztendlich zutrifft, was sich damals *de facto* im Regenwald von Yucatán zugetragen hat, sollte man alle Überlegungen gleichberechtigt diskutieren dürfen. Das gebietet die Fairness. Tabus und Denkverbote haben bekanntlich noch nie zur Aufklärung eines Rätsels beigetragen.

Aber nun möchte ich noch einen bislang unbekannten, doch umso sensationelleren Fund aus den schier unerschöpflichen Schätzen der Mayas vorstellen. Über Uxmal mit seiner Angst einflößend steilen »Pyramide des Zauberers« sowie die modern behelmten Köpfe habe ich bereits berichtet. Ungefähr 20 Kilometer in südöstlicher Richtung von Uxmal entfernt befindet sich deren »Tochterstadt« Kabah. Die beiden Orte sind über eine schnurgerade Dammstraße miteinander verbunden, die noch heute begehbar ist. Das Ende der Straße markiert ein »Triumphbogen« aus fein säuberlich zusammengefügten Blöcken. Seitdem die Halbinsel Yucatán für Touristen und Verkehr erschlossen ist, zerschneidet die Überlandstrecke von Mérida nach Campeche die gesamte Anlage in zwei Teile.

Das eindrucksvollste Bauwerk von Kabah ist der gut 45 Meter

lange »Templo de Mascaras« – der »Tempel der Masken«, auf dessen Fassade Hunderte von bearbeiteten Steinen prangen, die von den Archäologen als »Masken des Regengottes Chac mit Rüsselnase« bezeichnet werden.

Ein Gesicht vermochte ich darin nun nicht zu erkennen, noch weniger eine rüsselartige Nase. Viel eher jedoch eine Ornamentik, die in ihrer exakten Linienführung an technische Details erinnert. Aber noch weitaus beeindruckender fand ich eine Reihe lebensgroßer Figuren, deren funktionell gestaltete Einzelheiten kaum mehr wegzudiskutieren sind. Unter einem Schutzdach unweit des Eingangsbereiches fotografierte ich eine solche Gestalt mit Helm und Augenschutz, die sehr konzentriert auf eine – offenbar vor ihr liegende – Aufgabe oder Verrichtung blickt. Ihr mit Abstand herausragendstes Merkmal aber sind zwei »Roboterarme« ähnlich jenen, in die heutige Techniker hineinschlüpfen, wenn sie in ihren Labors hinter einer dicken Schutzverglasung mit radioaktiven oder hochtoxischen Substanzen hantieren. Hinter den besagten »Roboterarmen« befinden sich Stulpen. Diese scheinen mir auch ein guter Hinweis darauf zu sein, dass der durch die Statue Dargestellte mit seinen Händen und Unterarmen nur in die funktionelle Schutzvorrichtung geschlüpft ist. Hieraus folgt logischerweise, dass das nicht seine natürlichen Extremitäten sind.[56]

Wer hat eingedenk solch verblüffender Übereinstimmungen mit Szenarien aus heutigen Hochsicherheitslabors die Stirn, wieder nur Priester bei der Verrichtung ritueller Handlungen darin zu sehen? Wie blind muss man sein, um Dinge, die so offensichtlich sind, so permanent zu leugnen? Ein altes Sprichwort behauptet, dass der Einäugige der König unter den Blinden sei. Wie glücklich mögen sich dann jene unter uns schätzen, die es geschafft haben, ihre Scheuklappen abzulegen und die längst überkommene Betriebsblindheit gegen einen frischen und ungleich schärferen Durchblick einzutauschen!

5 Reizthema Gentechnik

»Designerfauna« aus Götterhand?

> »*Tempora mutantur,*
> *nos et mutantur in illis.*«
> »*Die Zeiten ändern sich,*
> *und wir uns mit ihnen.*«

ALTRÖMISCHE SPRUCHWEISHEIT

Es gibt wohl kaum eine Kultur auf dieser Welt, in der nicht vor Tausenden von Jahren ein höchst befremdlicher Kult rund um bizarre Ausgeburten getrieben wurde. Um unheimlich anzusehende Mischwesen, auch als Chimären bezeichnet. Zwitterwesen, welche irgendwo zwischen Mensch und Tier angesiedelt sind. Eindrucksvolle Abbildungen finden sich in jedem Museum auf allen Kontinenten. Und die Welt der Mythen und Legenden weiß von Kriegern mit Pferdeleibern und Skorpionstacheln zu erzählen, ebenso von weiblichen Wesen mit Fischflossen. Schauerlich anzusehende Monsterwesen, denen von den Menschen damaliger Epochen mit einer paranoiden Mischung aus panischer Angst und göttlicher Verehrung begegnet wurde. Und denen – trotz oder wegen ihrer vielfältigen Erscheinungsformen – eine Eigenschaft gemeinsam war: Allesamt wurden sie einer perfiden Schöpferlaune der »Götter« zugeschrieben.

Ganz besonders im historischen Nachlass der Sumerer, Assyrer und Babylonier wimmelt es von solchen Mischkreaturen, doch die Hethiter, Ägypter sowie die Vertreter des kretisch-minoischen Kulturkreises standen ihnen darin nicht nach.[7] Alte Skulpturen auf den östlich von Neuguinea gelegenen Salomon-Inseln präsentieren Geschöpfe mit Vogelköpfen und Menschenleib. Große starre Augen glotzen stumpfsinnig ins Leere. Ähnliche Zwitter aus Vogel und Mensch fotografierte ich, eingemeißelt in Stein, auf den jäh zum Meer hin abfallenden Felsen unweit des erloschenen Vulkankraters Rano Kao auf der legendenumwitterten Osterinsel. Und selbst im Reich der Mitte fand ich einige neue und äußerst eindrucksvolle Beispiele für derartige Chimären, doch hierüber mehr an späterer Stelle.

Die vordergründigste Frage rund um diese ominösen Mischkreaturen ist die, ob es sich dabei nur um die Auswüchse einer zu lebhaften Fantasie der Altvorderen handelt oder ob eine verborgene Wahrheit dahintersteckt. Tatsächlich müssen diese Geschöpfe für die damaligen Menschen eine erschreckende Realität besessen haben, stellten sie doch einen beinahe allgegenwärtigen Albtraum in deren Leben dar.

Nackte Angst

Neben den zahllosen bildlichen Darstellungen und ihrer Verewigung in Sagen und Mythen lassen sich auch namhafte Historiker über die unheimlichen Kreaturen aus. So schrieb beispielsweise Eusebius von Caesarea (263–339 n. Chr.), ein bedeutender Bischof und Kirchenlehrer, in seinem Werk »Chronographie«: »Und es waren daselbst gewisse Untiere, von denen ein Teil selbst erzeugte waren und mit lebenserzeugenden Formen ausgestattet; und sie hätten erzeugt Menschen, doppelt beflügelte, dazu auch andere mit vier Flügeln und zwei Gesichtern und einem Leib und zwei Köpfen, Frauen und Männer, und zwei Naturen, männlichen und weiblichen, weiter noch andere Menschen mit den Schenkeln von

Ziegen und Hörnern am Kopf, noch andere, pferdefüßige, sowie andere von Pferdegestalt an der Vorderseite, die der Hippozentauren Formen haben. Erzeugt hätten sie auch Stiere, menschenköpfige, und Hunde, vierleibige, deren Schweife in der Art der Fischschwänze rückwärtig aus den Hinterteilen hervorliefen; auch Pferde mit Hundeköpfen und Menschen sowie andere Ungeheuer, pferdeköpfige und menschenleibige und nach Art der Fische beschwänzte; dazu weiter auch allerlei drachenförmige Unwesen, und Fische und Reptilien und Schlangen, sowie eine Menge von Wunderwesen, mannigfaltig gearteten und untereinander verschieden geformten, deren Bilder sie im Tempel des Belos eins neben dem anderen dargestellt aufbewahrten.«[57]

Richtig abgefahren, was Bischof Eusebius da berichtet. Doch wenn nicht in künstlerischen Darstellungen rund um den Globus, auf Stelen und Skulpturen unzählige dieser Kreaturen der Nachwelt erhalten geblieben wären, stünden wir wohl noch ratloser vor Schilderungen wie der oben zitierten. Eusebius bekam diese Einzelheiten übrigens von einem ägyptischen Priester mit Namen Manetho. Der erklärte, einst seien die Götter vom Himmel herabgestiegen und hätten die Menschen unterwiesen. Die Götter hätten hierbei Mischwesen aller Art entstehen lassen, welche als »heilige Tiere« bezeichnet wurden.

Die alten Ägypter mumifizierten buchstäblich alles, was ihnen zwischen die Finger kam. Außer ihren Zeitgenossen, welche dadurch hofften, wieder ins Leben zurückzukehren, hinterließen sie der Nachwelt Hunde und Katzen, Fische, Vögel und Krokodile. Auch Stiere sollen die Ägypter konserviert haben, die heiligen Apis-Stiere. Ihnen schufen sie in Sakkara das sogenannte Serapeum – eine weitläufige unterirdische Nekropole mit den gewaltigsten Sarkophagen, welche die Welt je gesehen hat. Diese Kolosse bestehen aus hochwertigem Granit, der in Assuan – immerhin runde 1000 Kilometer von Sakkara entfernt – gebrochen werden musste. Ganz zu schweigen vom Transport des Materials. Ihr Gewicht liegt zwischen 70 und 100 Tonnen, und die Deckel bringen es noch auf respektable 20 bis 30 Tonnen. Weitere Gewölbe mit »Stiersärgen« findet man in Heliopolis, in Baqaria und in Abusir bei Giseh. Dass sie einstmals Stiermumien enthielten, dies erzählen uns die Archäologen und ein Heer von Fremdenführern, denen zu entrinnen im Land am Nil schier aussichtslos ist. Die Realität indes sieht etwas anders aus. Denn die Sarkophage enthielten bei ihrer Öffnung entweder gar nichts oder eine übel riechende Masse aus einer Art klebrigem Bitumen, in welcher Millionen kleiner und kleinster Knochensplitter steckten.

Und hier beginnt ein weiteres Mysterium. So wurden zum Beispiel in den unterirdischen Gewölben von Abusir zwei respektable Stiermumien gefunden. Das glaubte man zumindest, denn alle Bandagen waren noch unversehrt, und oben ragten sogar noch die Hörner heraus. Als man die mächtigen Körper ganz behutsam auszuwickeln begann, war die Überraschung perfekt! Denn im Innern dieser »Stiermumien« lagen kreuz und quer die Knochenfragmente der verschiedensten Kreaturen, die sich teilweise nicht einmal einer bestimmten Tiergattung zuordnen ließen. Was rein äußerlich wie ein perfekt einbalsamierter Stier aussah, war in Wirklichkeit nichts anderes als ein ekliges Durcheinander von Knochensplittern der verschiedensten Lebewesen. Zusammengehalten durch zähen Bitumen und kilometerweise Leinenbandagen, die man darumgewickelt hatte.[58]

Und dafür baute man Sarkophage aus Granit, schwerer und sicherer als die Tresore von Fort Knox oder der Bank of England! Es müssen wohl ganz besondere Hinterlassenschaften darin gewesen sein, für die solch enormer Aufwand getrieben wurde. Zudem mussten die Menschen jener Epoche Angst davor gehabt haben, die nackte Angst. Sonst hätten sie wohl kaum mit solch einer Hingabe das Zerstückeln jener »heiligen Stiere« betrieben, welche sich angeblich in der »Mogelpackung« befinden sollen. Was aber ist tatsächlich darin, deren sterblicher Reste man sich nach ihrem Ableben bemächtigte, sie ganz klein hackte und in einem viele Tonnen schweren Sarkophag versenkte?

Um diese Fragen einer Klärung näher zu bringen, unternehmen wir einen Zeitsprung in das Jahr 2000.

Greenpeace in Rage

Im April des Jahres 1987 gab das »U.S. Patent and Trademark Office« (das Bundespatentamt der Vereinigten Staaten) bekannt, dass es künftig auch »vielzelligen lebenden Organismen« Patentschutz gewähren würde, sofern diese auf einem Programm aufgebaut seien, welches in der Natur nicht vorkommt. Noch im gleichen Monat wurden 15 Patentanträge für Tiere gestellt, wie sie in der Natur nicht existieren. So gelang es beispielsweise Genetikern an der Universität von Kalifornien, eine Mischkreatur aus Schaf und Ziege – hierzulande »Schiege« genannt – auf biotechnischem Weg zu »erzeugen«. Diese Neuzüchtung aus dem Labor besitzt das Vorderteil eines Schafes und das Hinterteil einer Ziege. Kritiker, welche die Zeichen der Zeit erkannten, wurden damals mit dem Hinweis ruhig gestellt, dieses Tier wäre nur der Prototyp einer Serie,[59] deren Erscheinungsform die »Tierdesigner« aber noch verbessern wollten. Vorsorglich sollten wir in diesem Zusammenhang schon mal den Begriff der »Designerfauna« im Hinterkopf behalten.

So richtig dramatisch ging es ein paar Tage vor Weihnachten des Jahres 2000 her. Da demonstrierten nämlich Aktivisten der Umweltorganisation *Greenpeace* vor dem Europäischen

Patentamt (EPA) in München. Was war da vor wenigen Jahren geschehen, das die aufrechten Streiter für eine saubere Umwelt derart in Rage gebracht hatte?

Man muss es zweimal lesen, um die ganze Tragweite zu begreifen. Greenpeace protestierte gegen die Erteilung von Patenten auf *Mischwesen* durch das Europäische Patentamt. Also künstlich mit Hilfe der Gentechnik erschaffene höhere Organismen, welche die genetischen Eigenschaften sowohl von Menschen als auch von Tieren besitzen sollen.

Wochen zuvor, im Oktober 2000, hatte das Europäische Patentamt noch behauptet, dass es aus ethischen Gründen grundsätzlich keine Patente auf Mensch-Tier-Mischwesen erteile. Doch im Lauf seiner Recherchen konnte Greenpeace diese Behauptung als glatte Lüge entlarven: Da entdeckten die Umweltschützer ein Patent auf Embryonen, die sowohl aus tierischen wie auch menschlichen Zellen bestehen.

Und dies war nur die Spitze des Eisberges. Schon 1999 hatte das EPA der australischen Firma AMRAD das Patent EP 380646 erteilt. Es umfasste ein Verfahren zur Isolation und Züchtung embryonaler Zellen von Mensch und Tier, aber auch die Verwendung jener Zellen zur Schaffung von Chimären. Also von Mischkreaturen. In einem von Greenpeace nach dem Oktober 2000 entdeckten Patent geht es darum, dass »die embryonalen Stammzellen von Menschen, Mäusen, Vögeln, Schafen, Schweinen, Rindern, Ziegen und Fischen zur Züchtung chimärer Tiere« verwendet werden sollten. Hieraus würden Mischkreaturen entstehen, bei denen die unterschiedlichsten Körperteile entweder vom Tier oder vom Menschen stammen können. Zwar ist die Durchführung eines solchen Verfahrens in Deutschland noch verboten, nicht aber in allen anderen EU-Staaten, in denen das Patent gleichfalls gilt.[60]

Bewusste Irreführung und Vertuschung

Nach der Einsichtnahme der Originalakten von weit über einhundert Patentanträgen konnte Greenpeace dokumentieren, dass im Jahre 1999 durch eine gesetzlich unzulässige Entscheidung des EPA-Verwaltungsrates sowohl die Patentierung kompletter Tiere, von Teilen des menschlichen Körpers als auch von menschlichen Genen erlaubt wurde. Dies straft – nebenbei erwähnt – auch die bereits zitierte Beteuerung aus dem Oktober 2000 eindeutig Lügen. Und damit sind nun die letzten ethischen Hürden gefallen, obwohl das Europäische Patentübereinkommen (EPÜ) derartige Patente als indiskutabel und rechtswidrig einstuft. Das erwähnte EPÜ verbietet nämlich ganz explizit die Patenterteilung sowohl auf Entdeckungen von Pflanzen und Tieren wie auch auf Erfindungen, welche als »unethisch« angesehen werden müssen. Wie es aussieht, interessiert das die Verantwortlichen im Europäischen Patentamt herzlich wenig.

Und nicht nur das. Offenbar begeht das EPA Rechtsverletzungen dieser Art am laufenden Band. Verheimlicht der Öffentlichkeit absichtlich die patentrechtliche »Absegnung« von monströsen Forschungsprojekten – in des Wortes negativstem Sinne. Das beweisen zwei konkrete Beispiele.

Ebenfalls im Oktober 2000 veröffentlichte Greenpeace einen Patentantrag auf die Herstellung von Mischwesen aus Mensch und Schwein. Das EPA rechtfertigte sich damit, dass der Antrag der Firmen *Stem Cell Sciences* und *Biotransplant* bereits im Februar desselben Jahres »aus ethisch motivierten Gründen« zurückgewiesen worden sei. Doch in den Akten, die der Umweltorganisation vorgelegt wurden, findet sich keinerlei Hinweis auf eine derartige Stellungnahme des Patentamtes gegenüber den Firmen. Diese Akten enthalten überhaupt kein

Schreiben, welches auf den Februar 2000 datiert wäre. Im Gegenteil: Mehrmals forderte das Patentamt die Firmen auf, die fälligen Zulassungsgebühren zu begleichen. Zuletzt im September 2000.

In einem ähnlichen Fall beantragte die Universität von Massachussetts gleichfalls ein Patent auf ein Verfahren zur Kreation von Mischwesen. Nach einer Zahlung von damals 8460 DM begann das EPA 1999 mit der Bearbeitung des Antrages. Die Universität hatte ein Verfahren entwickelt, bei dem Zellkerne aus menschlichen Zellen in Eihüllen von Rindern übertragen werden. Hieraus entstehende Misch-Embryonen wurden sogar im Labor über einen längeren Zeitraum bis zu einem Stadium von etwa 400 Zellen gezüchtet. Eine Ablehnung des Antrages aus ethisch-moralischen Gründen erfolgte jedoch nicht.[61]

Was da unter dem Deckmantel des medizinischen Fortschrittes im wahrsten Sinne des Wortes »ausgebrütet« wird, erinnert ganz frappierend an mythologische Ungeheuer wie den Minotaurus mit seinem Stierkopf auf menschlichem Körper. Minos, der legendäre König von Kreta, war ganz sicher alles andere als erbaut, als seine Gattin durch Gott Poseidon zu widernatürlichen erotischen Spielen mit einem Stier getrieben wurde. Dies hatte Folgen, denn als Ergebnis dieser ausgefallenen Liaison gebar die Königin das Zwitterwesen *Minotaurus.*

Mit diesem war allerdings nicht gut Kirschen essen, denn er entwickelte sich zu einer ständigen Gefahr für seine Umgebung. König Minos beauftragte aus dem Grund seinen Baumeister Daedalos (der dann später mit seinem Sohn Ikarus die Flucht auf dem Luftweg ergriff), unter dem Palast von Knossos das sogenannte Labyrinth zu bauen. Darin wurde das Ungeheuer eingesperrt und durch regelmäßige Menschenopfer ruhig gestellt. Jedes Jahr mussten ihm sieben Jungfrauen und die gleiche Anzahl Jünglinge geopfert werden. Ganz klar, dass hierdurch der jüngere Anteil der Bevölkerung spürbar dezimiert wurde.

Erst der Held Theseus befreite seine arg in Bedrängnis geratenen Mitmenschen von dieser Gefahr, als er in das berüchtigte Labyrinth eindrang und dem wild gewordenen Mischwesen schließlich den Garaus machte. Fast hätte er dabei nicht mehr den Weg heraus gefunden, was Königstochter Ariadne mit ihrem Wollknäuel – dem berühmten Ariadnefaden – jedoch zu verhindern wusste. So weit die griechische Sage.[62]

Doch wer kann nach den Enthüllungen durch die Umweltorganisation Greenpeace jetzt noch guten Gewissens behaupten, solche Ungeheuer hätten einzig in der ausufernden Fantasie der alten Völker existiert? Wie sollen wir in einer Zeit darüber denken, wo die Verwirklichung ähnlicher Monstrositäten auch für uns in greifbare Nähe gerückt ist? Wer die Zukunft meistern will, der muss die Vergangenheit verstehen. Die Frage sollte gestellt werden dürfen, ob nicht schon mal außerirdische Intelligenzen unheimliche Gen-Manipulationen bei Menschen und Tieren dieses Planeten vorgenommen haben könnten. Die Erinnerung an die Experimente, und vor allen Dingen an deren den Schlaf raubende Folgen, leben in den alten Mythen und Überlieferungen bis heute fort.

China: Keine »gentechnikfreie Zone«

Auf assyrischen Kunstwerken sind Darstellungen von Chimären aus Mensch und Tier keine Seltenheit. Begleitende Keilschrifttexte sprechen von »gefangenen Menschentieren«, die von Soldaten gefesselt vor den Großkönig gebracht wurden. Und die alten sumerischen Monarchen machten regelrechte Jagd auf diese Kreaturen, wohl zur puren Belustigung. Der griechische Geschichtsschreiber *Herodot* (490 – ca. 425 v. Chr.), der ausgedehnte Reisen nach Afrika und Asien unternahm, berichtete von sehr mysteriösen »Fischmenschen« mit Schuppenhaut, welche im Mündungsgebiet des persischen Flusses Araxes lebten.[63]

Werden auch wir eines Tages »Fischmenschen« mit Kiemen oder Schuppen »designen«, die optimal an das Leben im feuchten Element angepasst sind? Oder geflügelte Supersoldaten, welche die Fallschirmjäger heutiger Armeen in deren Kampfkraft und Effektivität um Längen übertreffen? Gentechnologie lässt sich zum Guten wie für schlechte Zwecke einsetzen. Und die Kontrolle über die scheinbar grenzenlosen Möglichkeiten entgleitet spätestens in dem Augenblick, wenn Konkurrenzdenken überhandnimmt: »Wenn wir es nicht machen, dann machen es die anderen vor uns.« Die Geschichte der Menschheit lehrt leider, dass bislang alles, was denk- und machbar erschien, letzten Endes auch ohne Skrupel in die Tat umgesetzt wurde. Wie es aussieht, gibt es nichts wirklich Neues unter der Sonne.

Gehen wir ein Stück weiter nach Osten, dann kommen wir nach China, dem nach wie vor geheimnisvollen Reich der Mitte. In einer Vitrine im Provinzmuseum von Xian stieß ich auf eine Figur aus Bronze, deren Begleittext ein Alter von mehr als 3000 Jahren ausweist. Jene von einem unbekannten Künstler – vermutlich zur Zeit der Zhou-Dynastie (ca. 1100–221 v. Chr.) – geschaffene Plastik besitzt einen Hundeleib mitsamt den dazu passenden Extremitäten. Hierauf sitzt ein unbestreitbar menschliches Haupt mit großen Ohren und einem Kinnbart, der an die tellerförmigen Unterlippenscheiben erinnert, welche bei manchen afrikanischen Stämmen noch heute als »Schmuck« in Gebrauch sind. Und auf dem Rücken des seltsamen Geschöpfes steht eine Art Kamm nach oben, der erstaunliche Ähnlichkeiten mit den knöchernen Rückenkämmen einiger Saurier aufweist. Wie etwa dem *Dimetrodon* aus der Zeit des Perm, vor über 250 Millionen Jahren, als die mächtigen Dinosaurier noch am Vorabend ihrer Blüte standen. Wieder nur die ungezügelte Fantasie eines vorzeitlichen Künstlers – oder ein naturgetreues Abbild einst erlebter Realität?

Nach bis heute sieben ausgedehnten Reisen, die mich auch in kaum bekannte Winkel der Volksrepublik China führten, kann ich die Anzahl der Tempel, welche ich dort besuchen durfte, im allerbesten Fall noch schätzen. Ob buddhistisch, taoistisch oder konfuzianisch: Alle sehen sie irgendwie gleich aus. Wenigstens in ihrem von Touristen frequentierten Bereich.

Im Ort Zoucheng, unweit von Qu'fu, der Heimatstadt des großen Philosophen Kung Fu-Tze (auch: Konfuzius, 559–479 v. Chr.), befindet sich der Menzius-Tempel. Er ist dem Meng-Tzu (327–289 v. Chr.) gewidmet, der die ethischen Grundsätze des Konfuzianismus weiterentwickelte. Im Hinterhof der Anlage, wohin sich beinahe keine Besucher verirren, stieß ich 2004 auf Darstellungen zahlreicher Mischwesen. Teilweise in Form von Skulpturen, aber auch auf Stelen verewigt. Sie stehen teils schutzlos der Witterung ausgesetzt im Freien, die Mehrzahl befindet sich glücklicherweise inzwischen unter einer schützenden Dachkonstruktion. So zwei gut einen Meter hohe, fein behauene Stelen. Auf diesen befinden sich Mensch-Tier-Gestalten gleicher Machart mit einem geschuppten Reptilienleib, langem Schwanz sowie einem Gesicht, das gleichermaßen katzenhafte als auch menschliche Züge trägt. Die Extremitäten erinnern an Raubkatzen, und die Hände dieser rätselhaften Geschöpfe halten jeweils eine runde, sonnenähnliche Scheibe über ihren Kopf. Spontan fielen mir beinahe identische Darstellungen aus dem alten Ägypten ein.

Und eine Begegnung der gänzlich unheimlichen Art hatte ich am 10. Oktober 2007 im neu erbauten »Museum für die Geschichte der Stadt Peking«. Wie die Orgelpfeifen aufgereiht stehen dort vier menschlich anmutende Figuren, die allesamt von tierischen Häuptern gekrönt sind. So trägt die eine der Figuren einen Vogelkopf, eine weitere den eines Schafes. Am schaurigsten anzusehen aber war eine mit einem Schlangenkopf versehene Statuette. Ich fühlte mich auf der Stelle an den Film »Conan der Barbar« erinnert, in dem der Held – verkörpert durch den zur Zeit jener Produktion noch viel jüngeren Arnold Schwarzenegger – in ein Massaker gerät, dem seine Eltern sowie sämtliche erwachsenen Dorfbewohner zum Opfer fallen. Er wird versklavt und überlebt jahrelange Fronarbeit, bis er sich auf die Suche nach den Mördern begeben kann, die einem geheimnisvollen Schlangenkult huldigen. Schließlich gelangt er in ein heruntergekommenes Kloster, wo er Zeuge einer gespenstischen Szene wird: Im Verlauf der Zeremonie mutiert das Gesicht des Hohepriesters immer mehr zu einer schlangenartigen Fratze, bis aus der aufrecht stehenden, leeren Kluft ein riesiges Reptil kriecht.

Die kleine Statue im Museum zu Peking glich haargenau jenem albtraumhaften Szenario – hat aber laut ihrem Begleittext mindestens 2500 Jahre auf dem Buckel!

Es wimmelt von Mischwesen auch im alten Reich der Mitte, und man ist beinahe versucht zu sagen, dies war keine »gentechnikfreie Zone«. Hatten auch die »gelben Götter« Chinas ihre helle Freude an genetischen Manipulationen und deren schaurigen Ausgeburten, an denen sie ihren Forscherdrang ungebremst austoben konnten? Mit großer Wahrscheinlichkeit passieren vergleichbare Dinge auch im modernen China. So meldeten vor ein paar Jahren Gentechniker aus der Volksrepublik, sie hätten Stammzellen von Kaninchen und Menschen fusioniert und einige Generationen lang wachsen lassen. Ein weiterer Schritt hin zu jenen Chimären, die wir aus der Mythologie kennen? Professor Beda M. Stadler, Direktor des Institutes für Immunologie an der Universität Bern, warnte eindringlich: »Dies war nur der Anfang. Schon relativ bald wird jemand zu unserem Entsetzen versuchen, eine Sphinx oder einen Kentauren zu schaffen. Und es wird früher oder später klappen.«[64]

Artfremde Gene melden sich zurück

Ein Gegenargument zu dem ganzen Themenkomplex rund um diese Mischwesen und Chimären sollte nicht unkommentiert bleiben, da es mit Sicherheit von Skeptikern in die Diskussion eingebracht werden wird. Sind noch Überreste dieser Kreaturen erhalten geblieben? Man müsste doch noch verwertbare Knochen oder komplette Skelette für Untersuchungen der DNS, der Trägersubstanz der Erbinformationen, finden können.

Leider dürfte es sich sehr schwierig gestalten, aus Tausende Jahre zurückliegenden Epochen überhaupt unversehrte Überreste von Tieren und Menschen zu finden, sofern diese kein »ordentliches« Begräbnis erfahren haben. Was aber, wenn die Menschen jener Tage nichts unversucht gelassen haben, sich dieser albtraumhaften Kreaturen zu entledigen? Wenn ich an die bewusst gründliche »Behandlung« der vermeintlichen Stiermumien aus den Hochsicherheits-Sarkophagen des alten Ägypten denke, hatte man damals alles Menschenmögliche getan, um die sterblichen Reste solcher Kreaturen für alle Zeit loszuwerden.

Immerhin soll man im Grab des Pharaos Udimus eine Halskette aus Gold und daran das Skelett eines völlig unbekannten Tieres gefunden haben.[18] Solche Zufallsfunde wären aber echte Glücksfälle – und so werden wir uns verständlicherweise recht schwer damit tun, den medizinischen Nachweis für Genmanipulationen in unserer Vergangenheit zu führen. Eine Laboruntersuchung der im Bitumen der »Stiermumien« steckenden

Knochenfragmente wäre ein gangbarer Weg. Aber möglicherweise tut sich noch eine ganz andere heiße Spur auf, Manipulationen in längst vergangenen Zeiten nachzuweisen. Starke Indizien dafür tragen wir in unseren eigenen Erbinformationen. Trotz der rasanten Entwicklung unserer Gentechnologie haben wir noch relativ geringe Chancen, die vor Urzeiten beeinflussten Gene selbst zu identifizieren. Nicht zuletzt aus dem Grund ist es schwierig, Antworten zu finden, weil wir noch nicht die richtigen Fragen zu stellen gelernt haben. Doch die Auswirkungen beeinflusster Gene, oder besser gesagt, deren unerwünschte Nebenwirkungen, können uns auf den richtigen Weg bringen. Denn dass artfremde Gene sehr unangenehme Nebenwirkungen zu erzeugen vermögen, wissen wir, seit es Lebewesen gibt, denen man menschliche Gene eingepflanzt hat. Es kann zu einer allergischen Reaktion gegen diese artfremden Gene kommen. Aber erst einmal alles der Reihe nach.

Im Biologieunterricht haben wir gelernt, dass die Zellen eines Organismus entsprechend ihrer Erbinformationen Proteine – also Eiweiße – erzeugen. Gegen Eiweiß aber kann man allergisch reagieren. Ärzte wurden mit dieser Problematik erstmals im Zuge kosmetischer Operationen an der Nase konfrontiert, als sie Problemzonen mit Rinderknorpeln ausgleichen wollten. Das heißt also, mit nicht menschlichem, mit artfremdem Gewebe. Unglücklicherweise hielt der Erfolg solcher Operationen kaum länger als zwei bis drei Wochen an. Danach hatte der Organismus das ganze fremde Gewebe wieder abgebaut.[7]

Noch schwerwiegendere Folgen drohen bei der Transplantation von Organen, Haut und Geweben. Denn auch innerhalb der Spezies Mensch kommt es, aufgrund von Gewebeunverträglichkeiten, zu Abstoßungsreaktionen auf die verpflanzten Organe. Deshalb überlebten die ersten Empfänger eines Spenderherzens in der Geschichte der modernen Medizin die damals sensationellen Eingriffe selten länger als um ein paar

Tage. Bald erkannten die Chirurgen, dass nach Organtransplantationen zwingend das körpereigene Immunsystem des Patienten mit Hilfe starker Medikamente unterdrückt werden muss. Was wiederum mit unkalkulierbaren Nebenwirkungen verbunden ist.

In jüngster Zeit hat uns die moderne Gentechnologie die Möglichkeit an die Hand gegeben, Gene zu isolieren, zu verändern und sie dann in fremde Organismen einzusetzen. Da aber fremde Gene den Aufbau veränderter Eiweiße bewirken, sind, sobald man solche artfremden Gene in einen anderen Organismus einpflanzt, Allergien geradezu vorprogrammiert.

Zu den riesigen Nebenwirkungen …

Die Wiener Ärztin und Humanbiologin Dr. Martina Steinhardt, wissenschaftliche Mitarbeiterin des Ludwig-Boltzmann-Instituts in der österreichischen Bundeshauptstadt, stieß auf diese Spur in Zusammenhang mit dem Einsatz der Gentherapie im Kampf gegen den Krebs. Da kam es nämlich tatsächlich zu allergischen Reaktionen auf manipulierte Gene. Davon ausgehend, befasste sich Dr. Steinhardt mit der Frage, inwieweit man ein artfremdes Gen nur aufgrund einer solchen allergischen Reaktion erkennen kann. So stieß sie auf den klinisch noch sehr wenig erforschten Komplex der Autoimmunkrankheiten.

Hierbei handelt es sich um zumeist entzündliche Krankheitsprozesse, die dadurch hervorgerufen werden, dass der Organismus plötzlich und ohne erkennbaren Grund allergisch auf das eigene Gewebe reagiert.

Warum geschieht so etwas? Weshalb erkennt der Körper seine eigenen Proteine nicht mehr? Welche Gründe stecken hinter dieser offensichtlichen Fehlsteuerung?

Manche Menschen scheinen geradezu prädestiniert zu sein für Autoimmunkrankheiten, während andere davon nicht befallen werden. Genauso, wie der eine im Frühling unter lästigem und quälenden Heuschnupfen leidet, ein anderer jedoch nicht. Die Ursachen sind in jedem Fall eindeutig: Beim Heuschnupfen sind es die Blütenpollen, bei einer Katzenallergie die umherfliegenden Haare des schnurrenden Stubentigers. Immer häufiger verursachen auch Zusatzstoffe in der Nahrung Allergien. Nach Organverpflanzungen ist es das Eiweiß des Spenderorgans, das Immunreaktionen nach sich zieht. Seit Kurzem wissen wir, dass auch artfremde Gene Allergien auslösen können.

Um nicht in grauer Theorie zu versanden, möchte ich an dieser Stelle ein paar Beispiele für Autoimmunkrankheiten auflisten, die sich, wie bereits erwähnt, meist als Entzündungen manifestieren:

– Entzündungen der Muskeln, des Herzmuskels nach einem Herzinfarkt, sowie bestimmte Augenentzündungen;
– Gehirnhautentzündung nach einer Impfung;
– Magenschleimhautentzündung, die letztlich zum vollständigen Verschwinden der Magenschleimhaut führen kann;
– Nierenentzündung mit Vergiftung der Nierenzellen;
– Schilddrüsenentzündung, auch Basedowsche Krankheit genannt;
– eine Reihe von Nervenentzündungen, hierunter ganz besonders die Multiple Sklerose (MS);
– chronische Dickdarmentzündung (Morbus Crohn), einhergehend mit einer Schrumpfung des Darmgewebes.

Doch wie kommen diese Autoimmunkrankheiten zustande? Völlig richtig geraten: Wir wissen es noch nicht! Bis heute haben wir keine plausible Erklärung dafür, warum der

1 Die Uranmine von Oklo: Im Vordergrund der durch Tagebau entstandene Canyon, im Hintergrund der Förderturm der Anlage. 1998 wurde die Mine geflutet. Nur der Reaktor im 30 Kilometer entfernten Bangombé ist noch zugänglich.

3 Ein weiterer Reaktor wurde durch eine Ummantelung aus Beton geschützt.

2 Der Stab deutet auf einen der beinahe zwei Milliarden Jahre alten Reaktorkerne, die sich als dunkler Einschluss im Gestein offenbaren.

4 Die weltberühmte Eisensäule von Qut'b in Delhi. Sie rostet noch immer nicht, ist jedoch, wie die allerneuesten Forschungen zeigen, nicht die einzige ihrer Art in Indien.

5 Dieses Objekt dürfte eigentlich nicht existieren! Untersuchungen am IfOD in Wismar haben einen unglaublich hohen Sauerstoffanteil von fast 15 Prozent ergeben! Wo wurde diese Legierung hergestellt?

6 Im Nationalmuseum zu Athen steht die »Maschine von Antikythera«. Erst 2006 wurde bestätigt, dass es sich um einen mehr als 2000 Jahre alten Computer handelt.

7 Das spektakulärste technische Detail des »Sternencomputers« ist eine Differenzial-Drehscheibe – eine Erfindung, die bei uns erst im Jahre 1828 patentiert wurde.

8 Diese partielle Rekonstruktion zeigt eine Reihe der wichtigsten Zahnräder und Übersetzungen des nach wie vor geheimnisumwobenen Gerätes.

9 »Cargo-Kult«: Die primitiven Bewohner Neuguineas imitierten Technik, welche sie nicht verstanden. Und wenn nun unsere Vorfahren in ferner Vergangenheit Begegnungen mit fremden Intelligenzen genauso missverstanden hätten?

10 Diese behelmte Figur aus Mexiko trägt eindeutig astronautische Merkmale. Sehr funktionell gelöst ist auch der Übergang des Helmes zur Schulterpartie hin.

11 Gerade einmal 40 Millimeter in natura misst diese Kopfminiatur mit markanten Ausbuchtungen, die an ein integriertes Kommunikationssystem denken lassen. Das Objekt ist jedoch über 2500 Jahre alt!

12 Auch an dieser Fassade am »Haus der Nonnen« in Uxmal »kleben« in Stein verewigte Darstellungen behelmter Köpfe, die keinen Vergleich mit hochwirksamen Helmen unserer Tage zu scheuen brauchen.

13 Das sind die Originale des beliebten Fotomotives vor dem Anthropologischen Museum in Mexikos Hauptstadt. Modernen Antriebsaggregaten von Saturn-V-Raketen ähnlich, bezeichnen sie die Archäologen als »Zeremonialgefäße der Tolteken«.

14 Wieder nur ein Priester bei »rituellen Handlungen« – oder vielmehr missverstandene, hochmoderne Rettungstechnik?

15 Was hatten die alten Mayas mit modernen »Headsets« zu tun? »Mayaland sucht den Superstar«? Die Ähnlichkeit mit moderner Bühnentechnik ist unübersehbar.

14

15

16 Der »Templo de Mascaras« von Kabah in Mexiko. Das Gesicht des Regengottes Chac mit Rüsselnase vermochte ich darin aber nicht zu erkennen.

18 Mehr als 3000 Jahre alt ist dieses Mischwesen aus der Zhou-Dynastie, das ich im Provinzmuseum von Xian (VR China) fotografierte.

17 Wie Roboterarme, in die heutige Techniker von Hochsicherheitslabors schlüpfen, muten die Extremitäten dieser Gestalt an. Wer hat die Stirn, wieder nur einen »Priester bei rituellen Handlungen« zu sehen?

19 Zum besseren Erkennen mit Wasser benetzt: Im Hinterhof des Menzius-Tempels in Zoucheng steht diese knapp zwei Meter hohe Stele, die eine Chimäre mit geschupptem Reptilienleib zeigt. Das Wesen hält – Ägypten lässt grüßen! – eine Sonnenscheibe über dem Kopf. Das alte Reich der Mitte war ganz sicher keine »gentechnikfreie Zone«.

19

20 Menschliche Gestalt mit dem Kopf einer Schlange (links). Diese etwa 2500 Jahre alte Darstellung eines Mischwesens im »Museum für die Geschichte der Stadt Peking« erinnerte mich spontan an die schaurige Figur eines »Schlangenpriesters« in dem Kinofilm »Conan der Barbar«. Ausgeburten einer weit fortgeschrittenen Gentechnik außerirdischer Intelligenzen?

20

21 Chasmaporthetes, eine fossile Hyänenart, gilt als der Urahn der Geparden. Versteinerte Knochen fotografierte ich im Museum der Stadt Nuoro auf Sardinien.

22 Und in Ciutadella auf Menorca stieß ich auf den Myotragus balearicus, ein seltsames Zwitterwesen zwischen Hund und Ziege.

23

23 In diesem aufgeschnittenen Stein fanden drei »Schatzsucher« aus Kalifornien das sogenannte Coso-Artefakt, das im Aufbau einer Zündkerze nicht unähnlich ist.

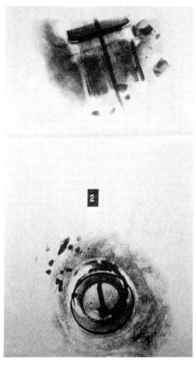

24

24 Auch die angefertigten Röntgenaufnahmen deuten unzweifelhaft auf eine Art elektrische Apparatur hin. Das Alter dieses mysteriösen Objekts wurde mit 500 000 Jahren ermittelt!

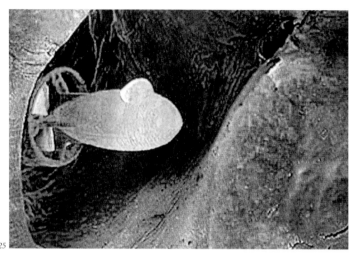

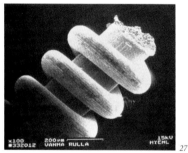

25 Ein Blick in unsere nächste Zukunft:
Schon bald werden Mini-U-Boote
medizinische Eingriffe vornehmen,
wo das Skalpell nicht hinkommt.
Nanotechnik unserer Tage …

26 … und aus grauer Vorzeit. Seit 1991
findet man im Osten des russischen Ural
Hunderttausende rätselhafter Artefakte aus
Wolfram und Molybdän. Ihr mittleres Alter
wird auf über 100 000 Jahre datiert!

27 Wissenschaftliche Analysen der Objekte
kommen zu dem Ergebnis, dass diese wahrscheinlich auf einen »außerirdischen, technogenen Einfluss« zurückzuführen sind.

28

29

28 Das »Tor zur Welt der Götter«: Hayu Marca unweit des Titicaca-Sees. Nach uralten Indio-Überlieferungen haben sich hier ähnliche Vorgänge abgespielt wie in der Science-Fiction-Serie »Stargate«.

29 Durch dieses Portal verschwanden die alten »Götter« in einem blauen, grell leuchtenden Licht. Doch sie versprachen, eines Tages durch das Sternentor wieder zurückzukehren. In historischer Zeit flüchtete der Inka-Priester Aramu Maru vor den goldgierigen Konquistadoren durch das geheimnisumwitterte »Sternentor«.

30

30 Nackte Aymara-Indianer sollen solche Wunderwerke mit groben Steinfäustlingen, weichen Kupfersägen und nassen Holzkeilen geschaffen haben. Das mag glauben, wer will. Doch die Realität sieht hier in Puma Punku, fast 4000 Meter in den Hochanden von Bolivien gelegen, viel fantastischer aus!

31, 32 Von einer Nische zur nächsten verdoppelt sich in diesem Dioritblock die Kompassabweichung. Es klingt vollkommen verrückt, ist jedoch in einem beliebig wiederholbaren Versuch jederzeit nachprüfbar.

31

32

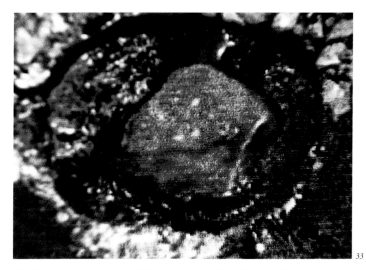

33

33 *Eine jener geheimnisvollen Röhren am Baigong in der Provinz Qinghai. Offizielle Stellen in China sprechen hier wörtlich von außerirdischen Relikten und UFO-Landeplätzen in grauer Vorzeit.*

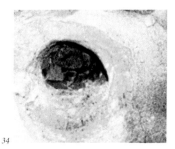

34

34 *Eine weitere jener mysteriösen Röhren vom Baigong. Sie müssen so unglaublich alt sein, dass das Metall eine Verbindung mit dem umgebenden Gestein eingegangen ist. Eine natürliche Entstehung ist mehr als unwahrscheinlich.*

35 *Mittlerweile wurden auch bereits erste chemische Analysen durchgeführt. Da ungefähr acht Prozent der Materialproben nicht zu identifizieren sind, steht man vor einem der größten Rätsel unserer Tage.*

35

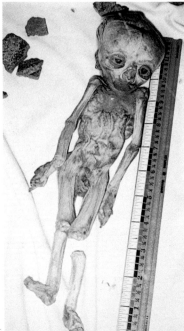

36 Kleine Wesen mit großen Köpfen: Nach mehr als 30 Jahren gibt es endlich Neues zum Jahrtausendrätsel »Chinesisches Roswell«. Möglicherweise sind nun auch die letzten Nachfahren damaliger Überlebender aufgetaucht.

37 Hinter diesen beiden Steinscheiben verbirgt sich eine weitere hochspannende Affäre: Um das spurlose Verschwinden einer Museumsleiterin, die womöglich zu viel wusste …

38 Eine Provokation für
unser traditionelles Ge-
schichtsbild: Ägyptische
Hieroglyphen auf Felswän-
den im »Brisbane Water
National Park« nördlich von
Sydney in Australien.

39 Anubis, den hundeköpfi-
gen Totengott der alten
Ägypter, würde man wohl zu
allerletzt im australischen
Outback vermuten!

40 Nicht nur diese Hierogly-phen, sondern zahllose weitere Relikte sprechen eindeutig für eine vorgeschichtliche Präsenz der Ägypter auf dem »Fünften Kontinent«. Nicht nur eine Expedition erreichte demnach Australien – die Kontakte müssen von lang anhaltender Dauer gewesen sein.

41 Der Autor vor Ort an einer der beiden Felswände im Busch-land von New South Wales. Wie schafften es die alten Ägypter, die halbe Welt zu umrunden? Bekamen sie von ihren »Göt-tern« technische Navigationsge-räte, vielleicht einen Sternen-computer von der Art der »Maschine von Antikythera«?

Körper sein eigenes Gewebe, sprich: sein eigenes Eiweiß, als fremdartig betrachtet und mit Hilfe des Immunsystems bekämpft. Was ist also fremd am eigenen Gewebe? Häufig treten Autoimmunkrankheiten im Gefolge von »normalen« Erkrankungen auf, so wie auch andere Allergien nach einer Sensibilisierung durch Krankheit oder durch Kontakt mit der allergieauslösenden Substanz auftreten. Und das in der Regel urplötzlich und ohne jede Warnung.

Solche Ungereimtheiten sind es, welche die eingangs erwähnte Wiener Ärztin zu einer kühnen Spekulation bewegten. So fragt Dr. Steinhardt: »Könnte es sein, dass Autoimmunkrankheiten dadurch entstehen, dass wir gegen ehemals fremde Gene sensibilisiert werden, die auch nach Jahrtausenden noch fremd sind, da sie immer fremd bleiben?«[65]

Eine Theorie, die ganz sicher nicht unwidersprochen bleibt. Ich bin aber der festen Überzeugung, dass sich mit jedem Stück Fortschritt in unserer Gentechnologie auch jene Nebel lichten, die ähnliche Eingriffe in unserer Vergangenheit verdecken. Wir sind im Moment dabei, es dem Zauberlehrling aus Goethes »Faust« gleichzutun und dabei in die Fußstapfen derer zu treten, welche schon vor Jahrtausenden Geister riefen, die man schwer wieder los wird. Auch für uns dürfte der Tag in nicht mehr allzu großer Ferne liegen, an dem es gelingt, sämtliche Bausequenzen der menschlichen DNS nachzubauen. Werden die Lebensformen auf diesem Planeten dann nach der neuesten Mode »designt«?

Designerfauna I: Des Menschen treueste Freunde

Wir müssen nicht solch exotische Kreationen wie die formenreichen Chimären des Altertums oder künftiger Experimente herbeizitieren, um mögliche genetischen Manipulationen durch außerirdische Intelligenzen auf die Spur zu kommen. Denn auch in unserem unmittelbaren Lebensumfeld sind viele Ungereimtheiten auszumachen. Wie etwa bei der noch immer ungelösten Frage rund um die Domestizierung unserer Haustiere.

In der Altsteinzeit – dies war die älteste und auch längste Epoche unserer Vorgeschichte, die vor etwa zwei Millionen Jahren in Afrika begann und bis etwa 10 000 v. Chr. andauerte – erschienen die ersten Begleiter des Menschen. Man ist sich heute sicher, dass das erste dieser domestizierten Lebewesen der Hund war. Die Zeit, als dieser gezähmt und an den Menschen gewöhnt wurde, liegt im Dunkel der Vergangenheit und entzieht sich unserer Kenntnis. Wahrscheinlich war der Vorgang bis zur mittleren Steinzeit, also vor 10 000 bis 6000 Jahren, abgeschlossen. In den Pfahlbauten der mitteleuropäischen Jungsteinzeit fanden die Forscher Knochen eines nicht allzu großen Haushundes, des sogenannten Torfspitzes.

Ungeachtet dessen sollten wir nicht vergessen, dass der Vorfahre des Haushundes nicht definitiv bekannt ist. In der Regel vermuten die Biologen, dass unser Hund ein Hybride aus Wolf und Schakal ist, der von den urzeitlichen Jägern gefangen und nach und nach an den Menschen gewöhnt wurde. Falls dies jedoch zutreffen sollte, wäre des Menschen treuester Begleiter unweigerlich ein sogenannter *Zwischenarthybride*. Und hier liegt buchstäblich der Hund begraben. Es ist so gut wie unmöglich, einen widerstandsfähigen und zur Fortpflanzung fähigen Zwischenarthybriden mit herkömmlichen Mitteln, sprich: durch die natürliche Art der Fortpflanzung, zu schaffen. Das beste Beispiel hierfür ist das Maultier – der unfruchtbare Nachkomme eines männlichen Esels und eines weiblichen Pferdes.

Kreuzt man heutzutage Hunde mit Wölfen, so präsentiert sich das Ergebnis keinesfalls als stabil. Allerspätestens nach fünf bis sechs Generationen spalten sich die Nachkommen wieder auf, und zwar in Hunde und Wölfe. Das Aussehen alleine macht jedoch noch lang nicht den Unterschied zwischen Hund und Wolf respektive zwischen dem Hund und dem Schakal aus. Eine ganze Anzahl von Instinkten des Hundes sind mehr oder weniger deutlich unterdrückt. Stattdessen besitzt er andere, für Wildtiere komplett atypische Verhaltensmuster. Beispielsweise die unbedingte Treue und tiefe Zuneigung zum Menschen, oder die Fähigkeit zur Aufnahme einer unglaublichen Bandbreite komplexer Lerninhalte, welche ihn dazu befähigen, als Jagdgehilfe, als Polizei- oder Lawinenrettungshund tätig zu sein, um nur ein paar wenige Beispiele zu nennen.

Das Problem hierbei ist, dass diese Verhaltensmuster vererbbar sein müssen, also in den genetischen Code des Hundes beziehungsweise anderer domestizierter Tiere sozusagen »eingetragen« sind. Zur Veränderung der im Erbgut programmierten Angaben bedarf es zweifellos sehr ausgefeilter Methoden. Ich glaube, dass spätestens hier klar werden dürfte, dass einfache Sammler oder Jäger niemals imstande waren, im Genpool wild lebender Tiere so grundlegende Umprogrammierungen vorzunehmen.[66] Aber wer war es dann, der einst wilde Kreaturen zu Haustieren machte?

Designerfauna II: Der mysteriöse Steppensprinter

Noch um ein ganzes Stück geheimnisvoller gestaltet sich die Abstammung eines Tieres, welches die Steppen Afrikas sowie einige Gebiete der Arabischen Halbinsel und Vorderindiens durchstreift: der Gepard. Bereits im Altertum zur Jagd eingesetzt, sieht man Darstellungen des Tieres gelegentlich auf altägyptischen Wandfresken. Auch die Maharadschas Indiens und die persischen Könige wussten diese phänomenal schnellen Steppensprinter sehr zu schätzen.

Die britische Biologin Joy Adamson stellte fest, dass Geparden vergleichsweise viel leichter zu zähmen sind als jede andere Raubkatze. Noch nie wurde berichtet, dass ein Gepard einen Menschen angefallen hätte. Ein zumeist tragisch endendes Missgeschick, das jeder Dompteur im Zirkus oder Tierpfleger im Zoo bei der Arbeit mit Löwen, Tigern und Leoparden fürchtet. Der aus Deutschland stammende Performance-Künstler »Roy« – aus dem berühmten Duo »Siegfried und Roy« – musste vor ein paar Jahren mit seinem weißen Tiger eine für ihn beinahe tödlich verlaufene Erfahrung machen. Mit knapper Not überlebte er die Attacken des Tieres, doch an den schwerwiegenden gesundheitlichen Folgen hat er bis heute zu leiden.

Die erwähnte Biologin Joy Adamson stellt sich allen Ernstes die Frage, ob der Gepard nicht gezielt »für einen Schnell-Lauf geschaffen« worden sein kann. Unter sämtlichen Landtieren ist er der absolute Sprinter-Champion. Auf kurzen Distanzen ist er fähig, eine Geschwindigkeit von mehr als 100 Kilometern in der Stunde zu erreichen. Seine »technischen Daten« könnten von einem Bio-Ingenieur nicht besser ersonnen sein. Der Kopf mit dem kurzen Kinn ist nicht allzu groß, sein Skelett weist einen optimal leichten Bau auf. Die Beine sind lang und schlank, genau wie die eines Windhundes. Herz, Lunge, Blutgefäße und Nebennieren sind deutlich vergrößert. Während seines gewaltigen Spurts beschleunigt die Atemfrequenz auf mehr als das Doppelte – nämlich von 60 auf 150 pro Minute. Selbst die schnellsten Antilopen und andere Beutetiere vermögen ihm in Steppen und Halbwüsten nicht zu entfliehen.[67]

Auf eine schier unglaubliche Art vereinigt der Gepard viele Merkmale zweier völlig verschiedener Tierfamilien in sich, und zwar jene von Hunden und Katzen. Obwohl ihn selbst Lehrbücher wie »Schmeils Tierkunde« – ein Klassiker auf dem

Schulbuchsektor – als »Windhund mit Katzenkopf« charakterisieren, gliedert ihn die Zoologie eindeutig den Feliden zu, also den katzenartigen Raubtieren. Tatsächlich ähnelt er in seinem Aussehen frappierend einem langbeinigen Hund. Seine Krallen ziehen sich wie bei diesem nicht ein, und selbst die Sitzhaltung des Geparden ist ohne jeden Zweifel hundetypisch.

Gleich den Katzen benutzt er die erste Kralle seiner Vorderpfote, wenn er auf Bäume klettert. Sein goldgelber Pelz ähnelt dem Fell von glatthaarigen Hunden, doch gleichzeitig sind die schwarzen Flecken darauf flaumig wie Katzenhaare. Geparden vereinigen in sich also viele Eigenschaften von Hunden und Katzen. Das führt so weit, dass sie sogar an den Krankheiten beider Familien leiden. So zum Beispiel an Hundebabesiosum, einer durch Zeckenbiss übertragenen Seuche, welche zur Zerstörung der roten Blutkörperchen führt. Oder an Katzenenteritis, einer entzündlichen Erkrankung des Verdauungssystems.

Der langen Rede kurzer Sinn: Der Gepard ist eigentlich ein »unmögliches« Kreuzungsprodukt zwischen zwei unterschiedlichen Tierfamilien der Säugetiere. Wir könnten ihn praktisch in dieselbe Kategorie stellen wie jene eingangs beschriebenen Mischwesen oder Chimären, die wir von antiken Reliefs nicht nur aus dem mesopotamischen Siedlungsraum kennen.

Legen wir die jüngsten Erkenntnisse der Genforschung zugrunde, so kann der Gepard eigentlich nur mit Hilfe von Genmanipulationen geschaffen worden sein. Tatsächlich legen die Resultate einer genetischen Untersuchung der DNS von Geparden exakt diese Schlussfolgerung nahe. Blutproben, die von 50 verschiedenen Geparden aus weit voneinander entfernt liegenden Regionen entnommen wurden, haben ergeben, dass all diese Tiere genetisch identisch sind. Und dies ist eine veritable Sensation, denn es bedeutet nicht mehr und nicht weniger, als dass man jedem x-beliebigen Geparden die Organe und Gewebe eines anderen x-beliebigen Geparden transplantieren könnte, ohne auch nur die geringste Abstoßungsreaktion befürchten zu müssen.[68] Man stelle sich das einmal auf den Menschen übertragen vor!

Ein solch hohes Niveau an genetischer Identität ist, soweit bekannt, bei keiner anderen, wild lebenden Spezies zu beobachten. Unsere Wissenschaftler jedoch, die in ihren modernen Gen-Laboratorien experimentieren, beobachten diesen Effekt einzig und allein an »zielgerichtet herangezüchteten Tieren«. Hiermit sind nichts anderes als Laborratten gemeint.

Wie wurden aus Hyänen Geparden?

Mitte Mai 2006 bereiste ich die zu Italien gehörende Mittelmeerinsel Sardinien. In Nuoro, dem Hauptort der gleichnamigen mittelsardischen Provinz, besuchte ich das *Museo Speleo-Archeologico*. Dies ist ein kleines Museum, das viele in den Höhlen der Umgebung gefundene Fossilien zeigt. Eine der zahlreichen in die Wände eingelassenen Vitrinen beinhaltet den versteinerten Schädel und die Knochen eines Tieres, das von einigen Biologen heute als der Urahn des Geparden angesehen wird: *Chasmaporthetes*, eine fossile Hyänenart aus der Tertiärzeit, die zu Beginn der Eiszeit ausgestorben ist.

Eine zeichnerische Rekonstruktion zeigt besagten Chasmaporthetes als außerordentlich rennbegabte Hyäne. Im Gegensatz dazu zeichnen sich die heute existierenden vier Unterarten durch die Tatsache aus, dass ihre Vorderbeine deutlich länger als die Hinterläufe sind, was sie in ihrer Fortbewegung regelrecht behindert. Und zu Aasfressern macht, die bestenfalls hier und da ein krankes oder geschwächtes Beutetier er-

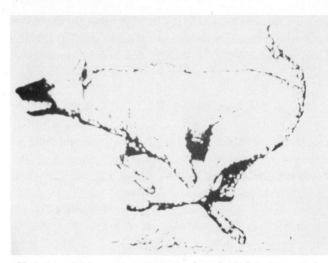

Abb. 3 Diese Zeichnung eines Chasmaporthetes fand ich im Museo Speleo-Archeologico in Nuoro. In dieser völlig atypischen »Renn-Hyäne« finden sich bereits viele Details, die heute den Geparden auszeichnen.

wischen. Ganz anders der geradezu »sportliche« Chasmaporthetes, in dessen Körperbau sich zahlreiche artspezifische Eigenheiten heutiger Geparden wiederfinden.

Wie es die natürliche Evolution allerdings in entwicklungsgeschichtlich kurzer Zeit geschafft haben soll, aus der tertiären Raubhyäne einen eleganten Steppensprinter zu machen, dies bleibt eine offene Frage. Hier eine mögliche Beeinflussung mit Hilfe künstlicher Genmanipulationen wenigstens ganz vorsichtig in Erwägung zu ziehen, sollte nicht voreilig abgelehnt werden. Weil einmal mehr nicht sein kann, was nicht sein darf. Ganz besonders Inseln würden sich nämlich dazu eignen, eine gentechnisch veränderte Spezies in einem leicht überschaubaren Terrain zu studieren. Der Biologe kennt den Begriff des Endemismus. Gemeint ist damit die Beschränkung auf ein bestimmtes, örtlich sehr begrenztes Verbreitungsgebiet, in dem die Spezies ausschließlich ihren Lebensraum besitzt. Wer kann schon guten Gewissens sagen, dass es sich nicht um Freiluftlabors gehandelt haben kann? *Jurassic Park* lässt grüßen ...

Mischwesen aus Hund und Ziege?

Gedanken wie dieser spukten mir bereits im Mai 2005 im Kopf herum, als ich im Stadtmuseum von Ciutadella auf der Baleareninsel Menorca auf ein fossiles Tier stieß, das mir gleichfalls wie künstlich designt erschien.

Der nur auf der Insel Menorca – und etwa zur selben Zeit wie Chasmaporthetes auf Sardinien – vorkommende *Myotragus balearicus* war ein hundegroßes Tier, das wie ein Mischwesen aus Hund und Ziege ausgesehen haben muss. Es trug Hörner am Kopf, die Hinterläufe und der Schwanz waren jedoch typisch für einen waschechten Caniden, wie Hunde und deren Verwandte in ihrer zoologischen Bezeichnung heißen.[68]

Nach allem, was wir über Zwischenarthybriden und Mischwesen gehört haben, kann ich mir recht gut vorstellen, dass auch hier mit den Genen zweier völlig verschiedener Tierfamilien experimentiert wurde. Mit letzter Sicherheit ausschließen könnte die Möglichkeit sowieso nur, wer damals »live« dabei war. Doch das kann niemand für sich beanspruchen – weder ich noch die eifrigen Verfechter konventioneller Erklärungen.

Solange die klassische Evolutionstheorie derart viele Ungereimtheiten bei der Entstehung und Weiterentwicklung der Arten sowie bei der Domestizierung von Haustieren nicht befriedigend erklären kann, sollte sich niemand anmaßen, exotisch klingende Überlegungen ungeprüft ins Reich der Fabel zu verweisen. Unsere ganze Geschichte der angeblich »exakten« Wissenschaften ist nicht zuletzt auch eine peinliche

Sammlung von teilweise haarsträubenden Irrtümern. Die Tage liegen noch gar nicht so lange zurück, da eine Rakete, mit der man Menschen zum Mond schießen wollte, für pure Utopie gehalten wurde.

Doch sind Irrtümer nicht da, um wieder revidiert zu werden? Werden Fehler nicht gemacht, um aus diesen zu lernen? Noch vor ein paar Jahren klangen die vielen Beschreibungen von Chimären und monströsen Mischwesen wie Märchen aus 1001 Nacht. Bildliche Darstellungen solcher Geschöpfe wurden einzig der künstlerischen Freiheit des Darstellenden zugeschrieben. Heute wissen wir, dass die Gentechnik sehr wohl Monster aus Tier und Mensch zu erschaffen vermag. Ein weiteres Mal ist die Büchse der Pandora geöffnet, und ich möchte mir lieber nicht vorstellen, was in streng gehüteten Forschungseinrichtungen – mithin unter der Aufsicht der Militärs – alles ablaufen mag.

Doch haben diese Dinge, wie erschreckend sie sich uns immer auch präsentieren, eine tröstliche Seite. Mit jeder bisher für unmöglich gehaltenen Erfindung, Entdeckung oder Errungenschaft gewinnen vergleichbare Dinge, die uns aus sagenhaft erscheinenden Zeiten überliefert wurden, plötzlich eine greifbare Dimension. Sie rücken in unser Bewusstsein. Und was gestern noch für undenkbar galt, das stellt sich morgen womöglich schon als altbekannt heraus.

Weil es vor langer Zeit schon einmal ganz konkrete Realität gewesen ist.

Nachtrag

Im Juli 2007 geriet das Europäische Patentamt erneut in die Schlagzeilen. Dieses Mal zwar nicht im Zusammenhang mit Versuchen zur Schaffung von Mischwesen – nun läuft es viel eher auf eine Produktpiraterie unerhörten Ausmaßes hinaus. Die Umweltorganisation Greenpeace hat Einspruch gegen Patente eingelegt, die ganz normale, nicht gentechnisch beeinflusste Pflanzen betreffen. Wie etwa die Sonnenblume. Zugleich warnten die Naturschützer vor den Folgen einer Patentierbarkeit dieser Gewächse vor allem für Bauern und Verbraucher.

»Wenn ganz normale Pflanzen wie die Sonnenblume oder Brokkoli zu einer Erfindung erklärt werden, dann kann in Zukunft jedes Tier oder jede Pflanze patentiert werden«, sagte Christoph Then, der Patentexperte der Organisation. Auch das Öl aus diesen Sonnenblumen sei dann mit einem Patent belegt. Multinationale Agro-Konzerne würden sich dann mit Hilfe ihrer Patentanwälte die vollkommene Kontrolle über alle Stufen der Nahrungsmittelerzeugung verschaffen.

Im Oktober 2006 hatte der US-Konzern Pioneer ein Patent auf gentechnisch nicht veränderte Sonnenblumen erhalten, die gegen Schädlinge aufgrund natürlicher Erbanlagen resistent sind. Das Patentamt wird demnächst anhand einer Brokkolisorte eine Grundsatzentscheidung treffen, ob Verfahren zur Züchtung von Tieren und Pflanzen auch dann patentiert werden können, wenn Gentechnik nicht im Spiel ist. Eine Firma hatte sich bereits 2002 die konventionell gezüchteten Brokkoli patentieren lassen, wogegen andere Firmen Einspruch einlegten.

»Das Patentamt hat bisher fast alle Grenzen der Patentierbarkeit systematisch ausgehebelt«, führte Christoph Then aus. »Es ist alarmierend, dass ein Amt, das sich einzig aus Geldern der Industrie finanziert, hier in eigener Sache Grundsatzfragen entscheidet.«[69]

Offenbar ist vor der »Patentierwut« des EPA nichts mehr sicher. Schöne neue Welt, kann man da nur sagen ...

6 Prähistorische Zündkerzen und eiszeitlicher Weltraumschrott

Filigrane Hochtechnologie aus der Altsteinzeit

> »Überhaupt gibt es nichts Märchenhaftes
> auf der Welt. Alles, was wundersam zu
> sein scheint, hat in Wirklichkeit eine
> ganz bestimmte, reale Grundlage.«
>
> MAXIM GORKI (1868–1936),
> RUSSISCHER DICHTER UND SCHRIFTSTELLER

Am 13. Februar 1961 brachen die Freunde Mike Mikesell, Wallace Lane und Virginia Maxey zu den Coso Mountains auf. Diese Bergkette erstreckt sich nordöstlich von Olancha im US-Bundesstaat Kalifornien, westlich des berüchtigten Death Valley. Die drei suchten nach *Geoden* – dies sind Steine mit Hohlräumen, in welchen sich Kristalle befinden –, um sie in dem von ihnen gemeinsam betriebenen »LM&V Rockhound Gem and Gift Shop« als Andenken zu verkaufen. Was sie aber an diesem Tag fanden, sollte ein weiteres Mal alle unsere Vorstellungen über die Geschichte der Technik über den Haufen werfen.

Im ersten Augenblick sah jeder den unscheinbaren Stein, den sie zusammen mit unzähligen anderen am Gipfel eines 1300 Meter hohen Berges aufgelesen hatten, der 100 Meter vom ausgetrockneten Lake Owens liegt, als Geode an. Das Einzige, was ihn von den anderen Steinen unterschied, war eine Verkrustung ringsum. Mit versteinerten Molluskenschalen, welche auf ein hohes Alter hindeuteten. Zurück in ihrem Andenkengeschäft, folgte alsbald eine wirkliche Überraschung. Bei dem Versuch, jene vorgebliche Geode in zwei Teile zu zersägen, ruinierte Mike Mikesell seine teuerste Diamantsäge.

Es war sicher nicht der Stein selbst, der dem Qualitätswerkzeug den Garaus gemacht hatte. Vielmehr enthielt dieser keinen Hohlraum, sondern einen perfekt runden Zylinder aus einer Art Hartkeramik, in dem ein zwei Millimeter dicker, glänzender und deshalb nicht korrodierter Metallstab eingebettet lag. Dieser Keramikzylinder war, wie die drei Schatzsucher bei näherem Hinsehen feststellen konnten, von einem Kupferring eingeschlossen, der gleichfalls nicht korrodiert war.

Jetzt war die Neugier der drei Freunde und Geschäftspartner erst recht geweckt. Die weiteren Untersuchungen brachten zwei nicht magnetische, metallene Objekte zum Vorschein, welche an einen Stift mit Unterlegscheibe erinnerten. Das innere Drittel der sedimentierten Umhüllung schien aus einer Substanz ähnlich versteinertem Holz zu bestehen, es war jedoch viel weicher als beispielsweise Achat oder Jaspis. Das sind zwei Halbedelsteine, die oftmals das Endprodukt der Versteinerung von Holz darstellen. Die beschriebene Umhüllung war von sechseckiger Form und schloss den äußerst harten Keramikkern ein.

Wie vom Donner gerührt

Mike Mikesell, Wally Lane und Virginia Maxey schickten diesen rätselhaften Fund an die »Charles Fort Society«. Diese auf den legendären Querdenker Charles H. Fort (1874–1932) zurückgehende Organisation betreibt die Untersuchung von Fakten und Phänomenen, die in krassem Widerspruch zu dem traditionellen wissenschaftlichen Weltbild stehen.

Dort machte sich der Forscher Ron Calais an die Arbeit. Vom mittlerweile als »Coso-Artefakt« bezeichneten Objekt wurden in der Folge Röntgenaufnahmen gemacht und weitere Spezialisten zu Rate gezogen. Seine Resultate und Schlussfolgerungen veröffentlichte Calais schließlich in der Ausgabe Nr. 4 der Zeitschrift »INFO Journal«. Dessen Herausgeber, Paul J. Willis und sein Bruder Ron, stellten mit größter Verwunderung fest, dass dieses Artefakt in seiner gesamten Ausführung noch am ehesten mit einer Zündkerze zu vergleichen war!

»Ich war wie vom Donner gerührt«, schrieb Ron Willis, »denn nur so schienen die Teile des Puzzles zusammenzupassen. Das in zwei Teile auseinandergeschnittene Objekt zeigte einen hexagonalen (sechseckigen) Querschnitt, einen aus Keramik oder Porzellan bestehenden Isolator und dazu einen Stift in der Mitte: die wichtigsten Komponenten einer jeden Zündkerze.«

Hierauf machten sich die Brüder Willis daran, eine handelsübliche Zündkerze an deren sechseckiger Sektion auseinanderzuschneiden. Das Porzellan des Isolators erwies sich hierbei als beinahe zu hart für ihre Säge, aber irgendwie schafften sie es dann doch noch, die Zündkerze zu zersägen. »Wir konnten sehen, dass alle Teile (der modernen Zündkerze; HH) ähnlich jenen des ›Coso-Artefaktes‹ waren – allerdings mit ein paar Unterschieden«, fuhr Ron Willis fort. »Der aus Kupfer bestehende Ring um den Keramikzylinder des Coso-Objekts schien einem Kupferring zu entsprechen, der den oberen Teil der stählernen Umhüllung umschließt, den jede Zündkerze besitzt.« Nach Ron und Paul Willis' Meinung besteht der sechseckige Abschnitt aus Rost, der von einer einstigen Stahlumhüllung übrig geblieben ist. Sie bemerkten auch, dass der zentrale Stift im Inneren des Objektes aus Messing besteht.

Der obere Teil schien in einer Art Feder oder »Schnecke« zu enden. Paul und Ron Willis stellten hierfür die Hypothese auf, dass das, was auf den Röntgenaufnahmen zu erkennen ist, nichts anderes als »die Reste eines korrodierten Metallstücks mit einem Gewinde darin« sind. Und obwohl das größere Metallfragment am oberen Ende des Coso-Artefaktes nicht völlig dem Aufbau moderner Zündkerzen entspricht, deutet der Gesamteindruck dieses Fundstückes doch ohne jeden Zweifel auf eine Art elektrischer Apparatur hin.

Wenn auch der ehemalige Verwendungszweck des staunenswerten Fundes reichlich Spielraum für Spekulationen lässt – sein Alter vermochte man hinreichend genau zu bestimmen: annähernd 500 000 Jahre. Da war, jedenfalls nach »gesicherten Erkenntnissen«, in technischer Hinsicht buchstäblich noch »Steinzeit« auf unserem blauen Planeten Erde.[37, 70]

Zukunftsvision Nanotechnik

Abgesehen von der Gentechnik, die in den vergangenen Jahren wahre Quantensprünge in ihrem Fortschritt vollzogen hat, gibt es noch ein weiteres Gebiet, das derzeit eine durchaus rasante Entwicklung erlebt: die Nanotechnologie.

Der Name dieser futuristischen Wissenschaft leitet sich von dem griechischen Wort *nanos* ab, was so viel wie »Zwerg« bedeutet. Jene Experten, deren zukunftsweisende Ideen und Vorstellungen von konservativen Gelehrten nach wie vor kontrovers diskutiert werden, sind davon überzeugt, dass die im Submillimeterbereich angesiedelten Nano-Roboter die zukünftigen technologischen Entwicklungen des Menschen auf diesem Planeten in maßgeblicher Weise bestimmen werden.

Der Begriff Nanotechnologie tauchte zum ersten Male bereits 1959 auf. Damals postulierte der Physiker und Nobelpreisträger Richard Feynman (1918–1988) die Idee, dass, könnte man einzelne Atome manipulieren, man auch in der Lage wäre, alles das künstlich herzustellen, was man sich nur vorstellen kann.[71]

Wenn dies eintrifft, wäre es die tiefgreifendste Revolution in der Geschichte der menschlichen Zivilisation. Not und Armut hätten ein Ende, denn mikro-miniaturisierte Apparaturen würden darauf programmiert werden, Lebensmittel zu synthetisieren. Im selben Maße könnten sie auch dazu beitragen, unsere hochgradig geschundene Umwelt zu sanieren, indem sie Schadstoffe absorbieren und in deren Ausgangsstoffe aufspalten. Selbst die Medizin würde in einer Weise davon profitieren, die bis dato höchstens Science-Fiction-Autoren anzudenken wagten. Denn eine ganze Reihe von Herz- und Gefäßkrankheiten würden ein für alle Mal ihren Schrecken verlieren, wenn Mikrosonden ferngesteuerte Operationen im Inneren der Organe und Blutbahnen durchführten, die auf konventionelle Weise nicht möglich wären. Dies wäre überall da angesagt, wo dem Skalpell des Chirurgen natürliche Grenzen gesetzt sind. Alles nur haltlose Utopien einiger unverbesserlicher Fantasten?

Ohne Zweifel waren Gedanken wie diese astreine Science-Fiction, als wir das Jahr 1966 geschrieben haben. Da wurde – möglicherweise sogar angeregt durch Richard Feynmans oben erwähntes Zitat – der einfallsreiche Kinothriller »Die fantastische Reise« gedreht.

Kurz und bündig dessen Handlung: Ein Überläufer mit wichtigen Informationen für den Geheimdienst war lebensgefährlich an einem Blutgerinnsel im Gehirn erkrankt. Der Blutpfropf saß zudem an einer für das Skalpell nicht zugänglichen Stelle – ein Eingriff konventioneller Art hätte den Mann mit großer Sicherheit getötet, um den Agenten beider Seiten kämpften. Darum entschloss man sich für eine neue, bahnbrechende Operationsmethode. Ein U-Boot wurde samt seiner aus Spezialisten bestehenden Crew auf Mikrobengröße verkleinert und dann in die Blutbahn des Patienten injiziert. Auf ihrer »unglaublichen Reise« durch Herz und Gefäße hatten die Helden jede Menge Gefahren und Abenteuer zu bestehen. Und – wie immer in diesem Genre – gab es einen in das Team eingeschleusten Bösewicht, der die ungewöhnliche Rettungsaktion sabotierte. Dem machten aber zu guter Letzt fressgierige weiße Blutkörperchen den Garaus, welche ihre Aufgabe als ausführende Organe des menschlichen Immunsystems gewissenhaft wahrnahmen. So kam es in Hollywood-üblicher Manier letztendlich doch noch zum Happy End.

Auch im Jahre 1986, als ein Remake des inzwischen zum Klassiker gereiften Thrillers unter dem Titel »Innerspace« mit dem Schauspieler Dennis Quaid in der Hauptrolle in die Kinos kam, mussten Techniken wie diese noch unter der Rubrik »nicht realisierbar« abgelegt werden.

Realität holt Science-Fiction ein

Doch die Zeiten ändern sich. Denn die Wirklichkeit ist derzeit dabei, all unsere Vorstellungen in Sachen Zukunftstechnik über den Haufen zu werfen. Im Oktober 1999 ging ein sensationeller Bericht durch die Medien, der besagte, dass der Thriller von einst bald zur Realität werden wird.

»Notaufnahme in einer Schlaganfall-Klinik. Der Arzt spritzt dem Patienten eine Lösung in den Körperkreislauf, und in dieser Lösung schwimmt ein Mini-U-Boot – für das menschliche Auge so gut wie unsichtbar. Das U-Boot fährt zu einer verstopften Ader im Gehirn und putzt mit winzigen Bürsten die Gefäße frei. Der Patient ist gerettet!

Das Drehbuch zu einem Science-Fiction-Film? Von wegen: Das Mini-U-Boot gibt es bereits. Gebaut hat es Reiner Götzen,

Diplom-Ingenieur und Fachmann für ›ultrakleine Objekte‹, Spezialfirma Micro-Tec in Duisburg.«[72]

Der Boulevardpresse kann man ja noch einen gewissen Hang zu Sensationslust und Übertreibungen nachsagen. Stutzig wurde ich aber, als ich zwei Jahre später auch in der medizinischen Fachpresse darüber las. Zwar existiert das Mini-U-Boot derzeit nur als Demonstrationsmodell, doch gibt sich die Geschäftsführerin von Micro-Tec, Andrea Reinhardt, betont optimistisch: »In etwa zehn Jahren (das wäre dann ungefähr um das Jahr 2010; HH) werden erste Tests mit solchen Minisystemen starten.«[73]

Das winzige Wunderwerk wurde per Computer konstruiert. Alle Informationen werden über einen Laserstrahl, der wie ein haarfeines Messer wirkt, in flüssigen Kunststoff gelenkt. Hieraus wird das Mini-U-Boot, das ganze vier Millimeter lang und einen halben Millimeter dick ist, regelrecht herausgeschält. Der Antrieb erfolgt durch winzigste Magneten in der Schiffsschraube, die durch eine Spule außerhalb des Körpers bewegt werden. Neuerdings experimentieren die Ingenieure auch mit einem »Geißel-Antrieb«, welcher einer schnell schlagenden Schwimmflosse nachempfunden ist.[73]

Wie bereits angemerkt, soll das Mini-U-Boot – wie anno 1966 dessen filmischer »Vorgänger«, aber natürlich nicht mit einer »verkleinerten« Mannschaft an Bord – etwa um das Jahr 2010 für den klinischen Einsatz in die Testphase am lebenden Patienten gehen. Neben mechanischen Fräsarbeiten an Blutgerinnseln könnte man es auch mit Spezialmedikamenten bestücken und über die Blutbahnen auf direktem Weg zu einem Krebsgeschwür lenken. Bei Chemotherapien könnten die aggressiven Krebsmittel gezielt im Tumor wirken, während die belastenden Nebenwirkungen zumindest reduziert, wenn nicht sogar zur Gänze vermieden werden. Denken wir auch an die Therapiemethoden bei Nieren- und Blasensteinen. Hier könnten am U-Boot angebrachte winzige Fräsen die Steine schonender zerlegen, als es die heute übliche Stoß- wellentherapie vermag. Ganz zu schweigen von einigen völlig antiquierten, noch weitaus schauderhafteren Eingriffsmetho- den.

Wir leben schon mitten in der Zukunft!

»Engines of Creation«

Das Miniatur-U-Boot für den medizinischen Einsatz ist natürlich nicht das einzige Produkt der sich immer rasanter entwickelnden Nanotechnologie. So arbeitet eine andere Fir- ma, welche sich ebenfalls auf medizinische Apparaturen spe- zialisiert hat, an einem besonderen Material, in das elf Nano- meter dünne Linien aufgebracht werden können. Zum besse- ren Verständnis: Ein Nanometer entspricht einem Milliardstel Meter oder 0,000001 Millimetern. In das Material sollen ver- letzte Nerven oder Sehnen eingebettet und der Heilungspro- zess durch Neubildung von Gewebe in den feinen Rillen enorm beschleunigt werden.[73]

Ebenso sind Forscher in aller Welt fieberhaft dabei, Miniatur- kolben, -schalter, -hebel und -zahnräder zu entwickeln, die, in Nanoroboter eingesetzt, helfen sollen, eines Tages neuartige Produkte herzustellen. Und auch Arbeiten, die für den Men- schen und konventionelle Technik viel zu filigran sind, aufs Genaueste zu verrichten.

Weltweiter Vorreiter dieser Forschungen zur Entwicklung von extrem kleinen Bau- und Steuerelementen ist seit den Sieb- zigerjahren der amerikanische Physiker Dr. K. Eric Drexler. Die internationale Anerkennung brachte ihm die Veröffent- lichung seines bahnbrechenden Standardwerks »Engines of Creation« ein. In einer Anhörung vor dem Ausschuss des US-

Repräsentantenhauses im Jahre 1992 erläuterte Drexler ungeahnte technische Möglichkeiten, die Nanoroboter – er bezeichnete diese auch als Assembler oder Replikator – Produkte unterschiedlichster Art billig herstellen zu lassen.

Bei so viel visionärem Denken kann es naturgemäß nicht ausbleiben, dass sich auch Kritiker zu Wort melden. Einige konservative Wissenschaftler bezeichneten Drexler zuweilen als Spinner, der die Nanotechnologie zu einem neuen Gott erhebt: »Deus ex machina – der Gott aus der Maschine.« Ein wenig ernster zu nehmen sind da schon Einwände, die sich auf denkbare Gefahren der neuartigen Technologie beziehen. Was würde geschehen, wenn Nano-Replikatoren außer Kontrolle geraten? Wie könnte man verhindern, dass Nanotechnologie zur Entwicklung einer neuen Generation von Massenvernichtungswaffen missbraucht wird? Oder werden sich Terroristen der neuen Technik bemächtigen? Dass solche Befürchtungen durchaus ernst genommen werden, beweist eine Sitzung des US-Senates, in der auf höchster Ebene die Möglichkeit der Zerstörung feindlicher Panzer durch neuartige Nano-Roboter diskutiert wurde.[71]

Es bleibt zu hoffen, dass die Vorteile der Nanotechnik deren eventuelle Nachteile überwiegen werden. So ist die Wahrscheinlichkeit doch bei Weitem größer, dass uns diese Zukunftstechnik in nächster Zeit wohl eher eine Vielzahl an winzigen medizinischen Geräten bescheren wird, die im Kampf gegen die schlimmsten Geißeln der Menschheit zum Einsatz gelangen, als zum Beispiel lenkbare Raketen im Miniformat. Oder denken wir an die vielzitierte IT-Branche. Anfang 2007 meldeten die Branchenriesen Intel und IBM den bis dato größten Durchbruch in der Transistoren-Entwicklung. Während Intel noch 2007 mit neuen 45-Nanometer-Chips auf den Markt kommen wollte, kündigte IBM diese Technologie für 2008 an. Auf jedem Chip von Intel sollen mehr als eine Milliarde Transistoren Platz finden – Nanotechnologie machts möglich.[74]

Und Dr. K. Eric Drexler selbst formulierte die eher beruhigende Äußerung: »Es ist ziemlich unwahrscheinlich, dass ein industrieller Replikator, der etwa für Ölrohstoffe ausgelegt ist, sich zufälligerweise so entwickelt, dass er in freier Wildbahn überlebensfähig wäre. Das wäre genauso, als würde es einem Auto in der Garage eines Tages in den Sinn kommen, dass es Benzin und Getriebeöl nicht mehr mag und zukünftig nurmehr mit Baumharz betrieben werden kann.«[71]

Nanotechnik aus der Eiszeit

Auf jeden Fall aber werden uns die Errungenschaften der allernächsten Zukunft noch einiges Staunen abringen. Ungläubiges Staunen und Kopfschütteln bereiten uns indes schon jetzt Artefakte, die durch eine vergleichbare Hochtechnologie produziert worden sein müssen. Verrückterweise aber aus längst zurückliegenden, prähistorischen Zeiten stammen. »Alles schon da gewesen!« Jenes geflügelte Wort pflegte der Rabbi Ben Akiba, einer der Hauptcharaktere in *Uriel Acosta* von Karl Gutzkow (1811–1878), bei allen möglichen Gelegenheiten zu zitieren. Diesem Ausspruch kann ich mich, was die mikrokleinen Wunderleistungen der Nanotechnologie betrifft, an dieser Stelle guten Gewissens anschließen.

In den Jahren seit 1991 fanden und finden noch immer Erzsucher und Goldschürfer, die im Auftrag größerer Firmenkonsortien nach sogenannten Buntmetallen graben, am östlichen Rand des zu Russland gehörenden Uralgebirges sonderbare, häufig spiralförmige Gegenstände. Die Größe dieser Objekte variiert stark: von maximal drei Zentimetern bis in den Submillimeterbereich zu unglaublichen 0,003 Millimetern! Bis zum heutigen Tage wurden an verschiedenen Fundstellen unweit der Flüsse Kozhim, Narada und Balbanju sowie an zwei Bächen mit Namen Wetwisty und Lapchewozh viele Tausende dieser unerklärlichen Artefakte entdeckt. Das alles in Tiefen, welche zwischen drei und zwölf Meter liegen. Verschiedene Gutachten datieren diese Schichten – und mit ihnen die in so großer Menge enthaltenen Objekte – auf ein Alter, das je nach der Tiefe des entsprechenden Sedimentes zwischen 20 000 und über 300 000 Jahren liegt.[75] Auf eine dieser Analysen werde ich noch detailliert eingehen.

Diese spiralförmigen Gegenstände bestehen aus verschiedenen Metallen: die größeren aus Kupfer, die kleineren und kleinsten von Bruchteilen eines Millimeters hingegen aus den seltenen Metallen *Wolfram* und *Molybdän*. Wolfram hat ein hohes Atomgewicht und eine sehr hohe molekulare Dichte. Sein Schmelzpunkt liegt bei 3410 Grad Celsius. Verwendung findet es vorwiegend als Legierungsmetall für verschleißfeste Werkstoffe. Man verarbeitet es jedoch auch in Reinform: zu Glühlampendrähten, elektrischen Kontakten, für Raketendüsen und auch zur Beschichtung der Hitzeschilde der Spaceshuttles.

Molybdän besitzt gleichfalls eine hohe Dichte, der Schmelzpunkt liegt immer noch bei respektablen 2650 Grad Celsius. Das wie Wolfram zu den seltenen Elementen unserer Erdrinde zählende Metall wird zur Härtung und Veredelung von Stählen benützt. In der Hauptsache zur Herstellung von hoch belastbaren Waffenteilen und Panzerplatten sowie Werkzeugen.

Die aufgefundenen Objekte, deren Anzahl mittlerweile in die Hunderttausende gehen dürfte, bestechen durch ihren hochtechnisierten Eindruck, den sie bei gleichzeitiger Winzigkeit erwecken. Wie bei den vorstehend erwähnten Bauelementen unserer eigenen Nanotechnologie muss auch den Ural-Artefakten ein eigener, ganz spezieller Verwendungszweck bestimmt gewesen sein. Zu was diente beispielsweise eine winzige Wolframspirale (siehe Bildteil), welche sich um einen Kern windet und deren Durchmesser noch nicht einmal einen halben Millimeter beträgt? Das wissenschaftliche Institut in Helsinki, das sich dieses Objektes annahm, vermaß es bis in den Mikrometerbereich, also bis auf Werte in der Größenordnung eines tausendstel Millimeters!

Feldarbeit am Fluss Balbanju

Mit der Untersuchung jener mysteriösen Artefakte haben sich bislang schon mehrere Institute befasst. Direkt am Ort der Ausgrabungen waren folgende Institutionen oder Spezialisten:

– Experten der »Akademie der Wissenschaften« in Syktykwar, der Hauptstadt der vormaligen »Autonomen Sowjetrepublik Komi«.
– Das »Zentrale Wissenschaftliche Forschungsinstitut für Geologie und Erkundung von Bunt- und Edelmetallen« (ZNIGRI) sandte ebenfalls ein Team. Diese Moskauer Forschungseinrichtung ist dem »Komitee der Russischen Föderation für Geologie und Nutzung von Bodenschätzen« unterstellt und besitzt somit einen »quasistaatlichen« Charakter.
– Der unabhängige russische Forscher Dr. Valerij Ouvarov, welchem ich einen großen Teil der hier wiedergegebenen Informationen zu verdanken habe.[75]

Weitere wissenschaftliche Auswertungen erfuhren diese Nano-Artefakte auch an den Moskauer und St. Petersburger Instituten der Russischen Akademie der Wissenschaften sowie einem Institut für Metallurgie in der finnischen Hauptstadt Helsinki. In meinem persönlichen Archiv befindet sich eine Expertise, welche im bereits erwähnten »Zentralen Wissenschaftlichen Forschungsinstitut für Geologie und Erkundung von Bunt- und Edelmetallen« (ZNIGRI) in Moskau erstellt wurde. Die wissenschaftliche Mitarbeiterin der »Abteilung Geologie, Suchmethoden sowie Ökonomie von Edelmetall-Seifenlagerstätten«, Frau Dr. Elena W. Matwejewa, listet hierin alle Ergebnisse ihrer Untersuchungen auf, die sie gemeinsam mit ihren Kollegen W. W. Stoljarenko und N. N. Rindsjunskaja vorgenommen hat.

Unter dem Aktenzeichen 18/485 vom 29. November 1996 werden zunächst einmal die Örtlichkeiten einer der Fundstellen genauestens definiert:

»Im Zeitraum der Feldarbeiten des ZNIGRI im Jahre 1995 wurden im niedrigen Strömungsbereich des Flusses Balbanju bei der Beprobung von alluvialen, goldhaltigen Ablagerungen der schweren Schlichfraktion zwei spiralförmige Proben erhalten. Der Beprobung unterzogen wurde ein Schnitt der alluvialen Ablagerungen der dritten Überschwemmungsterrasse des linken Ufers des Flusses Balbanju mit Orientierung entlang der Bohrlinie Nr. 106 (Bohrungen 110–112). Hier wurden in der Pfeilerwand des Gewinnungstagebaus lockere Ablagerungen, welche sich von unten nach oben darstellen, gefunden.«[76]

Sodann folgt eine Aufzählung der verschiedenen aufgefundenen Schichten und deren Mächtigkeiten, eine eindeutige geologische Zuordnung jener mysteriösen Artefakte sowie deren erdgeschichtlich relevante Datierung:

»Der Schlich, welcher jene spiralförmigen Objekte enthielt, charakterisiert sich als typische Geröll- und Geschiebeablagerungen der 3. Sohle, die unserer Auffassung nach (…) ein Ergebnis der innersedimentären Auswaschung von poligenetischen, akkumulativen Schichten darstellen. Diese Ablagerungen können orientierungsmäßig auf 100 000 Jahre datiert werden und entsprechen den liegenden Teilen der ›Mikulinsker Sohle‹ aus dem oberen Pleistozän.«[76]

Zur Abwechslung mal etwas Klartext: Der Begriff »Pleistozän« bezeichnet in der geologischen Zeitrechnung jenen Teil der Formation Quartär, der vor etwa zwei Millionen Jahren begann und vor rund 100 000 Jahren endete. In dieser Periode wechselten die Eiszeiten sich mit Abschnitten milderer Klimate ab. Auf besagtes Pleistozän folgt das Holozän, in dem wir uns erdgeschichtlich betrachtet heute befinden.

»Außerirdischer, technogener Ursprung«

So unglaublich es klingen mag: Diese Ural-Artefakte stammen aus einem Zeitalter, in dem nach »gesicherter Expertenmeinung« nur wilde, grunzende Neandertaler keulenschwingend ihre steinzeitliche Umgebung unsicher machten. Ein weiteres Mal scheint es angebracht, unser tradiertes Geschichtsbild rundherum anzuzweifeln. Oder man steckt – nach guter »Vogel-Strauß-Manier« – weiterhin den Kopf in den Sand, kehrt Funde wie diese schlicht unter den Teppich, gibt sie der Lächerlichkeit preis, schweigt sie ganz einfach tot. Doch an solchen harten Fakten kommen wir nicht wirklich vorbei, wir müssen uns wohl oder übel damit auseinandersetzen. Es kommt indes noch besser.

Denn in ihrem weiteren Verlauf beschreibt die ZNIGRI-Analyse die am Institut vorgenommenen Beprobungen, welche unter anderem mit Hilfe eines Elektronenmikroskopes vom Typ JSM T-330 der japanischen Firma JEOL Electronics durchgeführt wurden. In diesem Zusammenhang gewonnene Daten mehrerer Spektralanalysen sind gleichfalls in dem erwähnten Untersuchungsbericht 18/485 vom 29. November 1996 tabellarisch aufgeführt.

Gegenstand eingehender Betrachtungen sind nicht zuletzt auch das Kristallisationsverhalten sowie die strukturellen Besonderheiten des Elementes Wolfram. So wird festgehalten, dass dieses Metall »in dieser ungewöhnlichen Form von Spiralen« in der Natur keinesfalls vorkommt. Was den Schluss einer künstlichen Erzeugung der Objekte unstrittig nahelegt.

Ungeteilte Aufmerksamkeit aber sollte die abschließende Bewertung verdienen, zu der das Moskauer Institut kommt – stellt sie doch eine eindeutige Provokation für das wissenschaftliche Establishment dar! So bemerken Frau Dr. Matwejewa und Kollegen explizit, »dass das Alter der Ablagerungen und die Beprobungsbedingungen nur eine geringe Glaubhaftigkeit ergeben, dass der Ursprung der ungewöhnlichen, fadenförmigen Wolframkristalle auf eine technogene Ursache zurückzuführen ist, welche sich durch den Verlauf der Raketenstartroute vom Weltraumbahnhof Plisezk über polare Regionen des Uralgebirges ergeben würde.«[76]

So weit, so unverständlich. Deshalb hier die deutsche Übersetzung: Die geheimnisvollen Objekte können keine metallischen Rückstände sein, wie sie durch Raketenversuche in unserer Zeit verursacht worden wären. Gegen diese Hypothese würde schon die Tiefe jener Schichten sprechen, in denen die Artefakte derart massenhaft gefunden wurden. Andernfalls hätten sie sich an der Oberfläche abgelagert oder wären bestenfalls ein paar Zentimeter tief eingewaschen worden.

Und die Schluss-Sentenz des Untersuchungsberichtes bringt es dann letztlich auf den Punkt:

»Die angeführten Daten erlauben die Frage nach ihrem außerirdischen, technogenen Ursprung.«[76]

Wer immer es war, der uns in grauer Vorzeit das wunderliche

Zeugs hinterlassen hat: Er muss uns in der technologischen Entwicklung eine riesige Nasenlänge voraus gewesen sein. Denn wir sind gerade erst dabei, uns auf dem Gebiet der Nanotechnik die ersten Sporen zu verdienen. Visionäre vom Schlage eines Dr. K. Eric Drexler werden uns eines nicht mehr allzu fernen Tages an jenen Punkt führen, an dem die wahrscheinlich nicht von dieser Welt stammenden Schöpfer der Artefakte von Coso und dem östlichen Rand des Uralgebirges bereits vor ein paar Hunderttausend Jahren gestanden sind.

Das CICAP meldet sich zu Wort

Auch was die Artefakte vom Ostrand des Ural betrifft, möchte ich meinen Lesern die neuesten Entwicklungen in keinem Fall vorenthalten. Mit Schreiben des Physikers Dr. Stefano Bagnasco vom 5. Dezember 2006 meldete sich bei mir das »Comitato Italiano per il Controllo delle Affermazioni sul Paranormale«, kurz CICAP. Hinter diesem Namen verbirgt sich die italienische Sektion des »Committee for Scientific Investigation of Claims of the Paranormal«, abgekürzt CSICOP. Dies ist eine mittlerweile weltweit agierende Organisation, die sich zur Aufgabe gemacht hat, gegen alles vorzugehen, was dem »Mainstream« des wissenschaftlichen Establishments zuwiderläuft. Also alles Paranormale, Außerirdische, Kryptozoologische und was sonst noch den Ruf hat, unser geheiligtes Weltbild kartesianischer Herkunft aus den Angeln zu heben.

Die Mitglieder dieser »neuen Inquisition« tragen zwar keine Kutten mehr, und auch die Scheiterhaufen scheinen gelöscht zu sein, doch bearbeiten sie Medien und andere Institutionen mit »wissenschaftlichen« Briefen und Argumenten, um anderslautenden Meinungen nach Möglichkeit den Boden zu entziehen.

Dr. Bagnasco, der im Nationalen Institut für Nuklearphysik in Turin arbeitet und sich als »Fellow of CICAP« bezeichnete, bat mich in seinem erwähnten Schreiben vom 5. Dezember 2006 um ausführliches Material zu den russischen Nano-Funden. Er hatte wohl die Information erhalten, dass ich zu den wenigen Personen hier im Westen zähle, die über das meiste Material – Fotos und Expertise eingeschlossen – zu den Artefakten verfüge. Die Analyse des Institutes ZNIGRI bezeichnete er als »aufregend« und erbat sich den Schriftsatz im russischen Original und, so vorhanden, in englischer oder italienischer Übersetzung.

Des Weiteren versicherte er mich noch seiner Absicht, diese Funde keinesfalls von vornherein als unwahr oder nicht authentisch abzustempeln, sondern alles Material »mit größtmöglicher Objektivität und unvoreingenommen« zu untersuchen.[77]

Da ich selbst von der Authentizität der Ural-Artefakte überzeugt bin und auch nichts zu verbergen habe, schickte ich das gewünschte Material Anfang 2007 an seine angegebene Institutsadresse. Ich nehme an, dass die Auswertung eine gewisse Zeit in Anspruch nehmen wird, denn bis dato erhielt ich noch keinerlei Statement oder Rückmeldung.

Die mysteriösen Nano-Objekte als Fälschungen oder gar nicht existent abzuqualifizieren, würde gleichzeitig auch die bisher an deren Untersuchung involvierten Institute in groben Misskredit bringen. Wahrscheinlich wird man sich bei CICAP und CSICOP sehr schwertun, diese Funde als Unsinn zu stigmatisieren oder sonst irgendwie »wegzuerklären«.

Wait and see …

7 Im blauen Licht verschwunden

Das Sternentor in den Anden

> »Ich bin davon überzeugt, dass viele alte
> Bauwerke, an denen wir heute staunend
> emporblicken, zum Beispiel auch Tiahuanaco
> in den bolivianischen Anden, keine Wurzeln
> auf der Erde haben.«
>
> PROF. HANS SCHINDLER-BELLAMY (1901–1982),
> PRIVATGELEHRTER UND ALTERTUMSFORSCHER

Die gegen keinerlei wissenschaftliche Grundsätze versto-
ßende, durchwegs plausible Theorie, dass außerirdische
Intelligenzen in grauer Vorzeit aus den Tiefen des Weltraumes
auf unsere Erde kamen, ist sogar an der milliardenschwe-
ren Unterhaltungsindustrie nicht spurlos vorübergegangen.
Eine der sehenswertesten Filmproduktionen der letzten Jahre,
die vom Gedankengut der Paläo-SETI-Forschung beeinflusst
wurde, ist das Meisterwerk »Stargate« des deutschen Regis-
seurs Roland Emmerich. Das Kultepos, in dem die Helden mit
Hilfe eines – von technisch unglaublich weit überlegenen
Aliens – auf unserer Erde zurückgelassenen »Sternentores«
praktisch in Nullzeit durch das Weltall reisen, wurde vom
Publikum begeistert angenommen. Es folgte eine nicht min-
der erfolgreiche TV-Serie mit dem Schauspieler Richard Dean
Anderson im tragenden Part. Der dürfte den Zuschauern
noch aus der Rolle des unverwüstlichen Einzelkämpfers
»McGyver« in lebhafter Erinnerung geblieben sein.
Wird das »Stargate-Kommando« im Film in irgendeine Ecke

des Universums geschickt, treten die Helden durch die bläulich wabernde Oberfläche des aktivierten Sternentores, um kurz darauf aus einer identischen Vorrichtung auf einem etliche Lichtjahre entfernten Himmelskörper wieder ans Licht des Tages zu kommen. »Beamen ist out, Scotty!«

Man könnte fast auf die Idee kommen, dass sich die geistigen Väter des Kinofilms und der mittlerweile in die zehnte Staffel gehenden Fernsehserie gleichen Namens ihre initialen Ideen in der dünnen Luft der Anden, unweit des auf 3800 Meter über dem Meeresspiegel gelegenen Titicaca-Sees, geholt haben. Denn dort befindet sich eine geheimnisumwobene Felsbearbeitung, welcher exakt die gleichen Effekte nachgesagt werden wie ihrem »filmischen Gegenstück«. Sinnigerweise wird sie auch noch als »Sternentor der Anden« bezeichnet.

Jenem reichlich ominösen Ort am anderen Ende der Welt stattete ich im Oktober des Jahres 2002 einen Besuch ab. Am Original-Schauplatz konnte ich mich kundig machen, was die dort ansässigen Indios darüber zu berichten wissen. Wenn es nach den lokalen Überlieferungen geht, trug sich dort Unerhörtes zu.

Nicht von dieser Welt

Der bewusste Ort heißt Hayu Marca und befindet sich ziemlich genau 85 Kilometer von Puno entfernt. Die Stadt liegt an einer Bucht im Nordwesten des Titicaca-Sees und ist das Verwaltungszentrum der gleichnamigen peruanischen Provinz. Von dort karrt man die Touristen in die nahe gelegene Nekropole von Sillustani mit ihren weithin sichtbaren Begräbnistürmen. Wer die Gelegenheit zu einer Besichtigung hat, sollte sich den kaum bekannten Steinkreis von Sillustani nicht entgehen lassen. Puno ist auch der Ausgangspunkt für Bootsfahrten zu den malerischen Schilfinseln, die bis vor ein paar Jahrzehnten noch vom Stamm der Uros bewohnt waren. Um dieses mittlerweile untergegangene Volk ranken sich fantastisch anmutende Geheimnisse, welche uns einmal mehr an außerirdische Einflüsse denken lassen.

Mit anderen Indianern wollten die »Kot'Suns«, wie sie sich selbst nannten, nichts zu tun haben. Sie vermischten sich auch nicht mit Angehörigen benachbarter Stämme, weil sie ihrer Überzeugung nach aus dem Weltall gekommen waren und diese exklusive Herkunft unbedingt unter sich bewahren wollten. Zurückgezogen lebten sie auf ihren treibenden Inseln. Und nur selten sah man einen der ihren festen Boden betreten.

Ursprünglich waren sie an den Ufern des Titicaca-Sees sowie bis hinunter zur Pazifikküste ansässig gewesen. Als jedoch vor über 1400 Jahren die kriegerischen Aymara und im 16. Jahrhundert dann die spanischen Konquistadoren über die Andenhochebene herfielen, bauten sich die Uros Inseln aus Schilf, auf welchen sie fortan lebten.[24]

Es waren aber auch ihre besonderen Fähigkeiten, die sie zu ihrer Arroganz gegenüber den anderen Bewohnern der Region verleiteten. Sie behaupteten, dass sie weder im Wasser untergehen noch eisige Kälte spüren würden. Jene feuchten Nebel, an denen andere Indios erkrankten, machten ihnen nichts aus, und ebenso wenig konnte ihnen das »Feuer des Himmels« – sprich die Blitze während eines Gewitters – etwas anhaben. In ihren Adern zirkulierte regelrecht schwarzes Blut, und miteinander sprachen sie in einer völlig unbekannten Sprache.[78]

»Wir, die anderen, wir, die Seebewohner, die Kot'Suns, sind keine Menschen. Wir waren eher da als die Inkas, und noch bevor Tatiú, der Vater des Himmels, die Menschen erschaffen hat, die Aymara, die Quechua und die Weißen. Wir waren schon da, bevor die Sonne die Erde zu erleuchten begann. (…) Bereits damals, als der Titicaca viel größer war als heute, (…)

haben unsere Väter hier gelebt. Nein, wir sind keine Menschen. Wir sprechen keine menschliche Sprache, auch verstehen die Menschen nicht, was wir sagen. Unser Kopf ist anders als der Kopf der Indianer. Wir sind sehr alt, wir sind die Ältesten. Nein, wir sind keine Menschen.«[79]

Im Jahr 1960 lebten noch acht waschechte Vertreter der Uros auf den schwimmenden Schilfinseln des Titicaca-Sees. Doch 1962 starb der letzte von ihnen.[24] Jene »Freizeit-Uros«, die heutige Touristen vorgeführt bekommen, wenn sie von Puno aus für einen kurzen Besuch auf die sauber hergerichteten Inseln geschippert werden, gehören in Wirklichkeit dem Stamm der Aymaras an. Also genau jenem Indiostamm, mit dem die ausgestorbenen »Nicht-Menschen« nichts zu tun haben wollten.

»Tor zur Welt der Götter«

Aber kehren wir von diesem Exkurs zurück zum Sternentor von Hayu Marca. Erst Ende der 1990er-Jahre stolperte der Trekkingführer José Luis Delgado Mamani buchstäblich über diese leicht als künstlichen Ursprungs erkennbare Struktur. Als Fremdenführer, der oft mit Wandertouristen durch die Berge am westlichen Ufer des Titicaca-Sees streift, war er auf der Suche nach bislang unbetretenen Trekking-Pfaden.[80]

Man erreicht das Sternentor nach ungefähr eineinhalbstündiger Fahrt von Puno über die Hauptstraße, die geradewegs zu der Grenze zum südlichen Nachbarn Bolivien führt. Nach einem ungewöhnlichen, wie eine Schlange geformten Felsen heißt es, anzuhalten. Dann geht es in einem längeren Fußmarsch über holprige Feldwege und Stiege. Schließlich erkennt man schon von Weitem die gleichmäßig strukturierte Formation. Bis auf eine Handvoll unentwegter Trekking-Freaks verirren sich nur höchst selten ein paar Touristen an diesen Ort.

Ein Umstand übrigens, der von den in der Region ansässigen Indianern nicht ungern gesehen wird, denn ihnen ist Hayu Marca schon seit undenklichen Zeiten als »Stadt der Götter« bekannt. Und selbstverständlich heilig. Doch obwohl bis heute keinerlei Ruinen einer richtigen Stadt gefunden wurden, erinnern manche der Felsformationen entfernt an Gebäude oder andere künstliche Strukturen. Unzweideutig künstlich erzeugt aber ist der riesige Einschnitt im Felsen. Vollkommen exakt, wie mit einem überdimensionalen Käsemesser herausgeschnitten, wurde ein vertikales Tor aus der natürlich gewachsenen, etwa sieben Meter hohen Felsformation herausgearbeitet – gewissermaßen »aus dem Vollen geschnitzt«.

Den lokalen Mythen und Überlieferungen der Aymara-Indianer folgend, ist dies das »Tor zur Welt der Götter«, durch welches nicht nur diese selbst, sondern auch ganz normale Menschen aus früheren Zeiten hindurchzugehen vermochten.

Der auffallend wellenartig geformte Berg mit dem Sternentor darin weist keine besondere Dicke auf; die Mächtigkeit beträgt nur ein paar Meter. Es ist illusorisch, hinter dem Tor größere Höhlen oder Kavernen zu vermuten, in welchen man Menschen oder Reichtümer verstecken könnte. Im Zentrum des Tores, am Fuß des Felsens, befindet sich ein weiteres, gerade mannshohes Portal, das ungefähr einen Meter in der Breite sowie etwas mehr als einen halben Meter in der Tiefe misst. Die Überlieferungen wissen von großen Helden, die in ferner Vergangenheit das Tor benutzten, um ihre Götter zu besuchen – und ganz nebenbei auch noch Unsterblichkeit zu erlangen. Von Zeit zu Zeit allerdings seien sie in Begleitung ihrer Götter durch das gleiche Tor zurückgekehrt, um es nach einem zeitlich begrenzten Aufenthalt in dieser Welt wieder in der entgegengesetzten Richtung zu passieren. Wie im Film und in der Serie also.

In blauem Licht erstrahlender Tunnel

Eine deutlich jüngere Überlieferung stammt aus jener unseligen Epoche, als das einstmals blühende Großreich der Inkas von den Spaniern erst unterworfen und dann systematisch ausgeplündert wurde. Dies geschah in den Jahren 1532 bis 1533, und ein spanischer Adeliger mit Namen Francisco de Pizarro (1478–1541) tat sich als besonders blutrünstiger Eroberer des heutigen Peru hervor. Die Legende aus jenen Tagen berichtet von dem Inka-Priester Aramu Maru aus dem »Tempel der sieben Strahlen«, der vor den schier unersättlich goldgierigen spanischen Konquistadoren auf der Flucht war. Mit sich führte er eine aus Gold bestehende, heilige Scheibe, auch genannt »der Schlüssel der Götter der sieben Strahlen«.

Vor den herannahenden Schergen der spanischen Krone verbarg sich der Inka-Priester in den Bergen bei Hayu Marca. Als er zu dem von Schamanen bewachten Sternentor gelangte, wies er ihnen den »Schlüssel der Götter« vor. In einem Ritual, das daraufhin abgehalten wurde, gelang es den Indianern, mit Hilfe der besagten Goldscheibe das Tor zu öffnen. Urplötzlich tat sich ein in grellem blauen Licht erstrahlender Tunnel auf, in welchem Aramu Maru auf Nimmerwiedersehen verschwand. Die ihm nachsetzende spanische Reiterei hatte das Nachsehen, und ein von ihm in Sicherheit gebrachter Goldschatz blieb bis auf den heutigen Tag verschollen.[80]

Genau wie die goldene Scheibe, die der Inka-Priester den am Tor Dienst tuenden Schamanen übergeben hatte, bevor er sich in das blendende Licht des Tunnels begab.

Soweit die Legende von Aramu Maru. Ist sie nur eine fantastische, von Wunschdenken geprägte Heldensage der Andenvölker, oder steckt auch hier am Ende das berühmte »Körnchen Wahrheit« dahinter? Wer weiß etwas über das Ritual zu sagen, welches die Schamanen abgehalten hatten? Ersetzt man dies wenig bis überhaupt keinen Sinn beinhaltende Wort durch den Begriff »technische Handlung«, dann scheint es zumindest denkbar, dass bei der Flucht vor den goldgierigen, mordlüsternen Spaniern eine Technologie zum Einsatz kam, die für uns im Moment noch nach reinster Science-Fiction klingt.

Als ich mich vor Ort am »Stargate« von Hayu Marca etwas genauer umsah, fiel mir auf der rechten Seite des kleineren, gerade mannshohen Portals eine handtellergroße, runde Vertiefung auf, in welche jene Goldscheibe aus der Indio-Legende wirklich hätte eingelegt werden können. Haben wir es vielleicht mit einem – heute ohne den passenden »Schlüssel« wirkungslos gewordenen – Mechanismus zu tun, mit dem man früher das Sternentor zu aktivieren vermochte?

Auf jeden Fall berichten die Indios – und sie schwören hier bei allem, was ihnen heilig ist –, dass dieses Tor auch der Ort sei, durch den ihre alten Götter eines nicht mehr allzu fernen Tages wieder zu ihnen zurückkehren würden. Dann würde das »goldene Zeitalter« wieder erstehen.

Basislager der »Götter«?

Verlässt man nun das Sternentor von Hayu Marca und folgt der erwähnten Hauptstraße in südlicher Richtung, passiert man bald die Grenze zum südlichen Nachbarn Bolivien. Und nach insgesamt etwa 150 Kilometern erreicht man zwei der gleichwohl faszinierendsten wie auch rätselhaftesten Ruinenstätten auf dieser Welt: Tiahuanaco und Puma Punku.

Bereits dreimal weilte ich dort oben auf dem Hochplateau, fast 4000 Meter über dem Meeresspiegel, und staunte über technische Meisterleistungen, die sogar unserer Bautechnik des 21. Jahrhunderts mühelos das Wasser reichen können. Dank der jetzt durchgehenden, sehr gut ausgebauten Teerstraße sind die beiden benachbarten Stätten bequem in gerade einmal 90 Minuten von La Paz aus zu erreichen. Bei meinen ersten beiden Besuchen in den Jahren 1993 und 1996 war man geschlagene vier Stunden von der bolivianischen Hauptstadt auf maroden Buckelpisten mit knietiefen Schlaglöchern unterwegs. Mit der alten, schmalspurigen Andenbahn, welche genau an den Ruinen vorbeiführt, hätte es noch ein ganzes Ende länger gedauert – doch die hat man mittlerweile aus Mangel an Rentabilität stillgelegt.

Aymara-Indianer im Lendenschurz haben dort vor nicht länger als zwei- oder dreitausend Jahren mit Steinwerkzeugen, Kupfersägen sowie nassen Holzkeilen zwei grandiose Tempelanlagen erbaut. Sagen die Archäologen. In weit früherer Zeit haben nicht von dieser Welt stammende Intelligenzen mit Hightech-Werkzeugen, aber unter Verwendung des in den Bergen ringsum vorkommenden stahlharten Andesitgesteins, eine Art Basislager für ihre Zwecke hochgezogen. Das behaupte ich.

Die Gegebenheiten vor Ort zeigen eindeutig, dass es kaum die halbnackten Indios waren, die in der dünnen Luft der zentralen Anden, welche das Atmen nicht gerade leicht macht, Zweckbauten erstellten, die ihresgleichen suchen. Wer schon einmal die Gelegenheit hatte, direkt vor Ort die gewaltigen Ruinen in Augenschein zu nehmen, wird für die archäologischen Einschätzungen nicht mehr als ein müdes Lächeln übrig haben. Mir selbst kamen sogar herzhafte Lachsalven aus, das muss ich hier zugeben.

Wasserleitungen, die nie welche waren

In der Ruinenstätte Tiahuanaco wimmelt es von Geheimnissen. Die Hochebene mutet beinahe wie eine surreale Landschaft eines fremden Planeten an. Kein Mensch – dies geht aus den örtlichen Überlieferungen hervor – habe Tiahuanaco je anders als in Ruinen gesehen. Denn diese Stadt sei »in einer einzigen Nacht von den Göttern erbaut worden.« Über ihren Ruinen, welche ein noch unbekanntes Alter haben, verdichten sich die Nebel der Vergangenheit und des Nichtwissens.[81, 82]

Bis zu einhundert Tonnen schwere, aus einem Stück herausgearbeitete Bauelemente aus harten Tiefengesteinen begrenzen den »Tempel«, der »Kalasasaya« genannt wird. In den letzten Jahren haben die dort tätigen Archäologen kaum wiedergutzumachende »Bausünden« begangen, die uns das Wasser in die Augen treiben. Zwischen mächtigen Monolithen frei gelassene Räume wurden vollkommen willkürlich mit auf dem weitläufigen Areal verstreuten Steinquadern aufgefüllt. Damit sollte eine Mauer rekonstruiert werden, die es in dieser Form ohne Zweifel nie gegeben hatte. Schmerzhaft fällt es selbst dem unbedarftesten Laien ins Auge, wie fehl am Platz das in geradezu kindlicher Weise zusammengestückelte Mauerwerk ist.

Diese Stätte, welche dem blinden Aktionismus wild gewordener Archäologen schutzlos ausgeliefert ist, sollte uns stets daran mahnen, nicht alles, was da von hochgelehrter Seite kommt, unhinterfragt für bare Münze zu nehmen.

Dies betrifft zum Beispiel jene sogenannten Wasserleitungen von Tiahuanaco. Halbröhren, die man im Boden fand und die wie industriell hergestellt anmuten. Einige von ihnen hat man gleichfalls zweckentfremdet in die »rekonstruierte« Mauer eingefügt. Beinahe wie zur Dekoration.

Die halben Röhren besitzen eine absolut moderne, rechteckige Form mit glatten Oberflächen sowie exakt bearbeiteten Kanten. Perfekt aufeinander zugeschnitten, kann man sie nach dem Baukastensystem zusammensetzen. In ihrer Ausführung ähneln sie selbst im Detail einem modernen Betonguss unserer Tage. Einmal mehr ist es nicht nachvollziehbar, dass sie von technisch unbedarften Indianern mit primitivsten Mitteln hergestellt worden sein sollen. Und noch unglaublicher sind einige dieser von den Archäologen als bloße »Wasserleitungen« katalogisierten Funde, welche als Doppelröhren mit tadellos geschliffenen Eckstücken existieren.

Ein kleiner »Schönheitsfehler« bei der Sache ist allerdings die Tatsache, dass man bei sämtlichen Röhren, die der Boden von Tiahuanaco freigab, einzig die Oberteile fand. Verkehrte Welt: Denn im besten Fall könnte man bei echten Wasserleitungen noch auf deren Oberteile verzichten – niemals jedoch auf die Unterteile derselben.[83]

So behaupte ich an dieser Stelle, dass jene wie gegossen anmutenden Röhren zu keiner Zeit als Wasserleitungen gedient haben. Andere handwerklich und technisch in unglaublicher Perfektion bearbeitete Bauelemente – auf diese werde ich noch detailliert eingehen – lassen sowieso vermuten, dass höherstehende Intelligenzen dort oben auf dem Altiplano einen Stützpunkt errichtet hatten. Der nie als Tempel diente und mit irgendwelchen Kulten und Religionen nichts, aber auch gar nichts zu tun hatte. Für dieses Ressort waren später die Indianer zuständig – aber erst, nachdem die ursprünglichen Planer und Erbauer der Anlage das Hochplateau in den Anden längst wieder verlassen hatten.

Diese aus den Tiefen des Alls stammenden Fremden hatten eine hoch entwickelte Technologie zur Verfügung – Laserschneider, Präzisionsfräsen und andere Finessen. Die hatten sie auf ihrem Flug durch den Weltraum mitgenommen. Mit dem am Ort vorhandenen Rohmaterial – Andesit und Diorit, zwei in ihrer Härte dem Granit nahestehenden Tiefengesteinen – erstellten sie eine Reihe funktionaler Zweckbauten. Zwischen jenen verliefen die heutzutage als »Wasserleitungen« fehlinterpretierten Röhren ohne Unterteile. Es waren am Ende nichts anderes als Schutzröhren für Energiekabel zwischen den einzelnen, über das ganze Areal verstreuten Gebäudekomplexen.

Intelligente Wesen, die imstande waren, Röhren wie jene in

Tiahuanaco gefundenen herzustellen, dürften über herausragende technische Kenntnisse verfügt haben. Sie wären nicht so unprofessionell vorgegangen, Wasserleitungen in doppelter Röhrenführung zu fabrizieren und zu verlegen. In einem viel einfacheren Verfahren hätten sie mit denkbar geringerem Arbeitsaufwand nur ein einziges, etwas größeres Loch zu bohren gehabt, durch welches dann die doppelte oder dreifache Wassermenge hätte transportiert werden können. Sie hätten obendrein bei diesen Vorgaben auch keine rechtwinkligen Abschnitte gewählt, weil sie von vorneherein gewusst hätten, dass sich in den Winkeln Wasser und Schmutz stauen würden. Und für den Transport von Wasser hätten diese Spezialisten wohl zuallererst die Unterteile der Röhren hergestellt.

Im Zusammenhang mit dem eingangs behandelten Sternentor von Hayu Marca habe ich die spanischen Eroberer erwähnt, die Peru im ersten Drittel des 16. Jahrhunderts überfielen. Diese waren begierig, etwas über die Erbauer Tiahuanacos zu erfahren, doch die Einheimischen konnten und wollten ihnen keine Auskunft geben. Sie verwiesen stattdessen auf uralte Überlieferungen, denen zufolge Tiahuanaco der Ort wäre, an dem die alten »Götter« den Menschen erschaffen hätten. Wahrscheinlich haben dieselben Wesen auch die Röhren geschaffen und verlegt – mit Sicherheit diese jedoch niemals als Wasserleitungen benutzt.

Die andere Seite des Sonnentores

Das mit Abstand bekannteste und in zahllosen Publikationen dargestellte »Wahrzeichen« von Tiahuanaco ist das »Sonnentor«. Zweifellos ist diese Benennung völlig willkürlich geschehen – kein Mensch weiß, wie das aus einem einzigen Monolithen gefertigte Bauwerk einmal hieß. Auf der Vorderseite des

Tores sind 48 Figuren zu erkennen, die einen fliegenden Gott in ihrer Mitte flankieren. Keinem Archäologen ist es bisher gelungen, auch nur eine annähernd plausible Deutung jener 48 »Idolos« auf dem drei Meter hohen und vier Meter breiten Sonnentor zu geben. Es ist klar, dass auf diesem fruchtbaren Nährboden die Spekulationen besonders üppig gedeihen.

Der im Großen und Ganzen eigentlich recht eloquente französische Forscher und Autor Robert Charroux (1909–1978) glaubte, aus dem Figurenfries auf der Stirnseite des Tores eine fantastische Geschichte herausdeuten zu können. Eine Geschichte, in der von einer Göttin mit Namen »Orejona« erzählt wird, die von unserem Nachbarplaneten Venus gekommen war. Sie soll sich mit einem männlichen Tapir eingelassen haben – und aus dieser mehr als sonderbaren Verbindung sei dann unsere Menschheit hervorgegangen.[84]

Ich kann die Frage nicht beantworten, ob Charroux selbst an diese reichlich obskure Geschichte geglaubt hat. Ich für meinen bescheidenen Teil habe da die allergrößten Probleme. Zudem tue ich mir auch schwer mit dem Verständnis dafür, warum einige Zeitgenossen Zuflucht zu solchen ungerechtfertigten Utopien suchen müssen. Ist doch die Realität, die sich da oben auf dem Altiplano präsentiert, weit fantastischer.

Etwas plausibler klingen da schon die Annahmen des aus Wien stammenden Professors h. c. Hans Schindler-Bellamy (1901 bis 1982), der sich mit der Mythologie und Geschichte Südamerikas befasste. Er glaubte, besagte 48 Gestalten in ihrem technisch anmutenden Design als Kalender entziffern zu können, welcher 22 000 Jahre in die Vergangenheit zurückreicht.[85]

Über die Datierung lässt sich also noch immer streiten, wiewohl heutige Archäologen der ganzen Anlage nicht mehr als 2000 bis 3000 Jahre zugestehen. Doch werde ich persönlich nicht verstehen, warum man das Sonnentor stets nur von dessen vorderer Seite aus abbildet. Denn die Rückseite des aus einem einzigen

Andesitblock gefertigten Tores ist noch weitaus interessanter. Die Bearbeitungen dieses aus härtestem Tiefengestein bestehenden Monuments sind – untertrieben gesagt – faszinierend. Hierfür muss eine Technologie angewandt worden sein, die der unsrigen zumindest ebenbürtig war. Wie mit dem Lineal gezogen – oder noch treffender: mit dem Laser herausgeschnitten – präsentieren sich Rillen, Kanten und Winkel in genauester Präzision. Nicht die Spur einer Abweichung ist zu finden. Alles ist bis auf den Zehntelmillimeter exakt gearbeitet.

Wie konnten die Aymara-Indianer, nach Meinung der offiziellen Archäologie die Schöpfer der fantastischen Anlage, solche dreidimensionalen, höchst komplizierten Arbeiten an dem so gut wie stahlharten Gestein durchführen? Und dies mit bescheidenen Werkzeugen, denn die Altertumsforscher gestehen ihnen nur primitive Steinfäustlinge, nasse Holzkeile und weiche Kupfersägen zu. Wir müssten heutzutage, um Vergleichbares aufs Fundament zu stellen, alle Register unserer modernen Technologie ziehen und würden im Ergebnis trotzdem weit hinter den Originalen auf dem Altiplano zurückbleiben.

Es mag sadistisch klingen: Aber vielleicht sollte man jenen gelehrten Herren einmal Kupfersägen und Steinfäustlinge in die Hände drücken, sie mit sanfter, aber bestimmter Gewalt dazu anhalten, wenigstens eine dieser uralten Steinbearbeitungen originalgetreu nachzufertigen. Im pädagogischen Wert unerreicht – in seiner abschreckenden Wirkung ohne Vergleich!

Die Vermessenheit in der Scherben sammelnden Zunft erinnert mich ein wenig an ein Aha-Erlebnis, das ich vor Jahren auf der Osterinsel hatte. Im dortigen Krater Rano Raraku, wo einstmals Hunderte jener berühmten Kolossalstatuen (»Moais«) aus dem Gestein herausgelöst worden waren, machte sich 1956 der norwegische Forscher Thor Heyerdahl (1914–2001) daran, den Zeitbedarf für die Herstellung solch einer Statue zu ermitteln. Heyerdahl ließ zwei Dutzend Insulaner tagelang wie besessen mit steinernen Faustkeilen auf den Felsen einhämmern. Dann muss den Leuten wohl jegliche Lust an weiteren Plackereien vergangen sein. Das mit Verlaub sehr magere Ergebnis konnte ich vor Ort bewundern: ein Strich von etwa sechs Metern Länge und ein paar Millimeter Breite im harten Vulkangestein des Rano Raraku.

Heyerdahls eindeutig als misslungen zu bewertende Feldversuche kann man wohl eher als Paradebeispiel dafür nehmen, wie es eben nicht gemacht wurde. Und es lässt sich mühelos auf die Gegebenheiten im Andenhochland von Bolivien übertragen. Aber aller Wahrscheinlichkeit nach wurden die unglaublichen Monumente auf 4000 Meter Höhe sowieso von jemand ganz anderem errichtet. Und auch vor weit längerer Zeit, als es die klassische Archäologie den Ruinen zugesteht.

Botschaft im Stein

Kommen wir mit konventionellen Denkmodellen schon in Tiahuanaco ordentlich in die Bredouille, so sollten wir ganz klein und bescheiden werden angesichts der Funde, welche uns in Puma Punku erwarten. Jene Anlage liegt nur etwa 800 Meter Luftlinie entfernt – ihr Name bedeutet übersetzt so viel wie »Löwentor«. Im krassen Gegensatz zu Tiahuanaco vermittelt Puma Punku einen Eindruck gezielter Zerstörung. Wie nach einer gewaltigen Detonation liegen dort unzählige, zum Teil gigantische Bauelemente herum. Man kann sie weder bewegen noch fortbringen, denn fahrbare Kräne, die Gewichte von mehreren Hundert Tonnen vom Platz schaffen könnten, gibt es nicht. Viele dieser Kolosse erwecken den Eindruck von Fertigteilen aus Beton. Doch das sind sie definitiv nicht. Ich wiederhole mich nur ungern, muss aber einmal mehr darauf hinweisen, dass sie aus den sehr harten Ergussgesteinen Andesit und Diorit bestehen.

Dies ist aber erst eine Seite des Rätsels. Eine weitere betrifft die Frage, wie die Blöcke überhaupt an diesen Ort kamen. Der Großteil der in Puma Punku verbauten Andesitblöcke stammt vom Cerro Capira, einem etwa 80 Kilometer entfernten erloschenen Vulkan. Die Nordseite dieses Berges läuft am Ufer des Titicaca-Sees aus. Von den 80 Kilometern Distanz entfallen nicht weniger als 50 auf den Seeweg. Auf dem bolivianischen Altiplano wächst jedoch kein geeignetes Holz, um daraus Flöße zu bauen, die Steinkolosse von hundert Tonnen und mehr zu tragen imstande wären. Zum Floßbau käme nur Balsa-Holz infrage, das in den tiefer gelegenen Wäldern am Fuß der östlichen Andenkordillere wächst. Man weiß, dass die Hochland-Indios bis in jüngste Zeiten hinein Flöße aus Balsa-Holz zusammenbauten, die Gewichte von bis zu zehn Tonnen trugen. Welche Super-Flöße wären jedoch notwendig, um Bauelemente zu transportieren, die gut und gerne das Zehnfache auf die Waage brachten?

Soweit die Theorie, nun die Praxis. Wie bekommt man eigentlich mächtige Monolithen auf ein hypothetisches Floß, das vor der Belastung mindestens vier Meter aus dem Wasser ragen muss und danach mit diesen vier Metern Tiefgang ins Wasser taucht? Auf dem Floß müssten zudem Vorrichtungen zur sicheren Befestigung der Steine vorhanden gewesen sein, und nur an wenigen Abschnitten der Küste wäre die Verladung möglich gewesen. Zu alledem müssten noch Rampen und Hebekräne, Holzrollen und strapazierfähige Seile bereitgestanden haben sowie – last but not least – jede Menge Menschen, die nichts anderes zu tun hätten, als Baumstämme abzuholzen, zum Titicaca-See zu schleppen und dort für den Transport der Andesit- und Dioritblöcke gewaltige Flöße zusammenzubauen. Wir haben nicht nur ernste

Probleme mit der Fertigung, sondern erst recht mit der Logistik![48]

Eine Reihe von Bauteilen, die verdächtig nach Serienproduktion aussehen, steht in der Landschaft – genauso liebevoll wie sinnlos von Archäologen und ihren Helfern wie auf einer Perlenkette aufgereiht. Aus den Hauptflächen dieser Blöcke sind jeweils zwei Nischen herausgefräst; weitere Rillen, Kanten sowie Vertiefungen wurden rückseitig eingebracht. Sie erinnern ganz konkret an Vorrichtungen, in die ein Gegenstück einrastet. Für sein Buch und die gleichnamige Fernseh-Dokuserie »Auf den Spuren der All-Mächtigen« regte Bestsellerautor Erich von Däniken eine Computer-Animation mit diesen vorfabrizierten Werkstücken an. Der Rechner fügte virtuell die einzelnen Objekte zusammen, und es zeigte sich, dass sämtliche Rillen und Schienen fugenlos ineinanderpassten. Wie aus dem Baukasten entstand eine Mauer, die völlig ohne Mörtel hochgezogen werden konnte. Bindemittel waren überflüssig. Die Mauer schloss wasser- und luftdicht ab und war mit an Sicherheit grenzender Wahrscheinlichkeit selbst durch Erdbeben nicht zu zerstören.[46]

Über einen weiteren Dioritblock stolperte ich beinahe, während meine Blicke über die wie nach einer Bombenexplosion aussehende Gesamtanlage schweiften. Er ist 1,10 Meter hoch sowie quadratisch mit Seitenlängen von etwas über 40 Zentimetern bei den anderen Kanten. Es ist schon fast überflüssig zu erwähnen, dass das Nachmessen mit einem Winkeleisen aus Edelstahl zeigte, dass die Ecken auf die Winkelsekunde genau 90 Grad ergeben. Auf einer Seite verläuft der gesamten Länge nach eine buchstäblich haarscharf gefräste, etwa fünf Millimeter breite und senkrecht verlaufende Rille. In dieser wiederum wurden in perfekt regelmäßigen Abständen Löcher von knapp vier Millimeter Durchmesser gebohrt. Wer mir hier noch erzählen möchte, ein Indianer hätte die überwiegende Zeit seines entbehrungsreichen Daseins damit zugebracht, mit unendlicher Geduld unter Zuhilfenahme von Holz und Knochen das Stück zu bearbeiten, vergeudet nur seine Zeit.

Welche technisch ausgereiften Bohrer und Fräsen kamen hier tatsächlich zum Einsatz? Und wer überhaupt an der Existenz dieser fantastischen Steinbearbeitung zweifelt, sei auf den Bildteil dieses Buches verwiesen.

Wenn ich wollte, könnte ich in diesem Zusammenhang über jeden größeren Stein in Puma Punku Außergewöhnliches berichten – und die Seiten aller Kapitel ganz nebenbei mühelos voll bekommen. Aber keine Sorge: Mit der Devise »Stein um Stein« möchte ich meine Leser nicht langweilen. Zu viele Stätten und Objekte gibt es auf dieser Welt, die unsere Aufmerksamkeit verdienen, als dass wir uns bei einem Thema festfahren. Nichtsdestoweniger darf ich ein Objekt nicht unterschlagen – denn diesem verdanke ich die wohl mit Abstand unglaublichste Beobachtung meines Lebens. Die unbekannten Erbauer jener geheimnisumwobenen Stätten auf dem Altiplano ließen eine fantastische Botschaft im Stein zurück. In Form von magnetischen Abweichungen, welche sich innerhalb ein und desselben Objekts in drastischer Weise verändern und dabei sogar ein System erkennen lassen.

Magnetische Verwirrungen auf Millimeterpapier

Sie ermöglichen ein – stets mit identischem Ergebnis! – beliebig oft wiederholbares Experiment, das sogar den allergrößten Skeptiker zum Nachdenken zwingen sollte. Hier lässt sich im Feldversuch ein unerklärliches Phänomen nachweisen.

Ein wenig abseits der wie durch eine gewaltige Explosion im Gelände durcheinandergewirbelten, mehrere Hundert Tonnen wiegenden Steinplatten fristet ein seltsam bearbeiteter Monolith sein Dasein. Er war einst größer, ist aber heute an beiden Enden abgebrochen. Zwischen durchgezogenen Gesimsen verläuft eine Reihe von fünf exakt gleich großen Nischen. Die Kanten sind noch heute so scharf, dass man sich bei sorgloser Berührung nur allzu leicht die Finger aufschneiden kann.

Dank guter Ratschläge hatte ich zuvor bereits bei zahllosen anderen in Tiahuanaco und Puma Punku umherstehenden Monolithen mit einem Kompass ausprobiert, ob die Steine bei dem Instrument eine Abweichung hervorrufen. Dies versuchte ich – vor mehreren Zeugen – auch bei dem bewussten, ungefähr eineinhalb Meter langen und knapp über einen Meter hohen Block. So führte ich also den Kompass, von links beginnend, in die erste der fünf Nischen ein und erhielt tatsächlich eine kleine Abweichung. Sie betrug etwa fünf Winkelgrade.

Eine Nische weiter waren es dann schon zehn Grad. Noch dachte ich mir nichts weiter dabei, und der Kompass wanderte in das dritte Loch. Doch dann begann ich zu staunen: Dieses Mal waren es sogar volle 20 Grad Abweichung.

Was um alles in der Welt ging in diesem vermaledeiten Klotz vor sich? Meine Verwirrung wurde nur noch größer, als ich dann in der vierten Nische punktgenau 40 Grad Abweichung vom Kompass ablesen konnte. Und, um die Verblüffung vollends auf die Spitze zu treiben, exakt 80 Winkelgrade bei der letzten Aussparung am rechten Ende des Dioritblockes.

Im Klartext: Von einer Nische zur nächsten verdoppelt sich jeweils die Deklination der Kompassnadel. Dies ist nach unserem »gesicherten Schulwissen« vollkommen abwegig. Kann aber trotzdem in einem jederzeit beliebig wiederholbaren Experiment dargestellt werden.

Und das ist genau der Punkt, an dem sich in aller Regel die Geister scheiden. Skeptiker und Gegner unkonventioneller Denkmodelle verlangen ja nach solchen wiederholbaren Versuchen als wissenschaftliche Anforderung für empirische Forschungen. Wegdiskutieren bringt nichts: Der Block liegt im Gelände, und wer es partout nicht glaubt, der kann sich notfalls selbst von der Existenz überzeugen. Aber es kommt noch besser.

Herbst 2002. Wieder einmal war ich vor Ort in Bolivien und führte eine Gruppe meiner Leser durch die geheimnisvollen Ruinen. Natürlich habe ich es nicht versäumt, auch auf die mit unserem Schulwissen nicht zu erklärenden Kompassdeklinationen bei dem besagten Steinklotz hinzuweisen. Alle staunten. Dann machte mir ein technisch ausgebildeter Teilnehmer, Diplomingenieur Klaus Deistung aus dem Ostseestädtchen Wismar, den Vorschlag, die Messungen an dem Dioritblock auszuweiten. Und zwar auf die durchlaufende Kante des Gesimses unmittelbar unterhalb der fünf Aussparungen.

Was würde der Kompass nun für Abweichungen zeigen? Würde die Deklination sich entlang der Kante langsam aber stetig in Richtung auf die letzte Nische erhöhen? Oder ließe sich überhaupt nichts ablesen, weil die Magnetabweichungen einzig in den fünf Vertiefungen auftreten? Würde sich dies ganze Phänomen letztlich in Wohlgefallen auflösen, und alles stellt sich als eitle Selbsttäuschung heraus?

Letzteres war nicht der Fall. Denn was nun folgte, stellte sogar die jeweils sich verdoppelnden Kompassabweichungen in den fünf Nischen in den Schatten. Wir lasen also, in regelmäßigen Abständen von fünf Zentimetern, entlang jener Kante die an den Punkten auftretenden Abweichungen der Kompassnadel ab. Die hier gewonnenen Werte übertrugen wir dann auf Millimeterpapier. Was sich darauf abzeichnete, wirft einmal mehr all unsere Vorstellungen über frühgeschichtliches Wissen und technische Möglichkeiten über den Haufen. Es ist schlicht unfassbar!

Es ergab sich nämlich eine Kurve, die einer Exponentialfunktion verblüffend ähnlich sieht. Der Anstieg erfolgt in relativ regelmäßigen Abständen und ist zwischendurch von einem

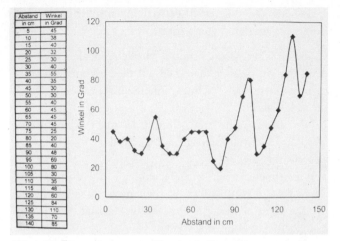

Abstand in cm	Winkel in Grad
5	45
10	38
15	40
20	32
25	30
30	40
35	55
40	35
45	30
50	30
55	40
60	45
65	45
70	45
75	25
80	20
85	40
90	48
95	69
100	80
105	30
110	35
115	48
120	60
125	84
130	110
135	70
140	85

Abb. 4 Die Überraschung war perfekt, als wir die vom Kompass abgelesenen Abweichungen auf das Millimeterpapier abtrugen. Es ergab sich eine regelrechte mathematische Kurve. Hier noch von Zufall zu sprechen, wäre an Ignoranz nicht mehr zu überbieten!

wiederholten, kurzzeitigen Abfallen des Funktionsverlaufes unterbrochen. Die Spitzen der Kurve (siehe auch die obenstehende Tabelle) korrespondieren in ihrer Position ziemlich genau mit jenen bereits hinlänglich beschriebenen fünf Nischen im Stein. Letzten Endes stießen wir also auf eine echte Sensation![86]

Was soll uns diese Botschaft sagen?

Eine unterstützende Messung mit einem gleichfalls mitgenommenen Magnetometer bestätigte voll und ganz die mit dem Kompass gewonnenen Messwerte. Über den technischen Hintergrund derartiger Phänomene, die dazu auch noch jederzeit experimentell darstellbar sind, können wir derzeit nur spekulieren. Die folgenden Feststellungen sollte man jedoch keinesfalls aus den Augen verlieren:

1. »Natürlicher Magnetismus« scheidet mit Sicherheit aus, denn der würde sich keinesfalls auf die beschriebene Weise manifestieren, bliebe vielmehr innerhalb der gesamten Struktur gleich stark.

2. Niemand komme mir bitte mit der nichtssagenden »Erklärung«, hier wäre einzig und alleine der viel strapazierte »Zufall« im Spiel.

3. Wir kennen derzeit keine Technologie, die es uns ermöglichen könnte, eine Struktur wie den mysteriösen Dioritblock in einer Weise zu manipulieren, dass es zu solch »verrückten« Kompassdeklinationen kommt.

4. Wir haben es bei dem Material des Blockes wohlgemerkt nicht mit einem Metall zu tun, sondern mit Tiefengestein. Gesteine besitzen zwar zuweilen eine gewisse Magnetisierung, die jedoch in der Regel nicht mit dem magnetischen Verhalten von Metallen wie Eisen, Kobalt oder Nickel zu vergleichen ist.

Ich hatte bereits einmal in die Richtung spekuliert, dass in jenem Block möglicherweise vor langen Zeiten eine Art elektrisches Equipment eingebettet war. Etwa in Form von fünf hintereinander geschalteten Transformatoren, deren jeder die Stromstärke des vorangehenden glatt verdoppelt hat. Mit den noch in unserer Zeit messbaren Auswirkungen.[7] Und solange es keine bessere *plausible* Erklärung für das Phänomen gibt – »Zufall« oder »natürliche Ursachen« klingen bei dieser Faktenlage geradewegs lächerlich –, halte ich meine diesbezüglich geäußerten Spekulationen mindestens für legitim.

So bleibt fürs Erste die Frage im Raum stehen: Was will uns die unglaubliche Botschaft im Stein sagen? Und wer hat sie für uns hinterlassen?

8 Die »Ruinen der außerirdischen Menschen«

Unerhörtes aus dem offiziellen China

> »Wer etwas allen vorgedacht,
> wird jahrelang erst ausgelacht.
> Begreift man die Entdeckung endlich,
> so nennt sie jeder selbstverständlich.«
>
> WILHELM JENSEN (1837–1911),
> JOURNALIST

Im Sommer des Jahres 2002 ging eine Meldung durch die Medienlandschaft, die alle aufhorchen ließ, die sich für die Frage nach außerirdischem, intelligenten Leben interessieren. Nachrichtenmagazine wie der »Spiegel« berichteten über einen Fund, den man im Qaidam-Becken – dieses liegt in der westchinesischen Provinz Qinghai – gemacht hatte. Nach neuesten Angaben etwa 80 Kilometer südwestlich der Kreisstadt Delingha entdeckte man ein entfernt pyramidenähnliches, an die 70 Meter hohes Bauwerk oder einen Berg – man ist sich bis zum heutigen Tage noch keineswegs sicher, was es wirklich ist. In jener Struktur wiederum befindet sich eine Art Röhrensystem unbekannten Alters und ungeklärter Herkunft.[87] So weit, so geheimnisvoll. Aber es sollte noch viel besser kommen.

Örtliche Überlieferungen in dieser Region behaupten, dass an dieser als »Berg Baigong« bezeichneten Struktur einstmals eine »Startrampe außerirdischer Besucher« gestanden hätte. Ich weiß nicht, ob die Verantwortlichen in der Volksrepublik

China wohl zu viel Däniken oder Hausdorf gelesen haben, aber mittlerweile werden diese Relikte ganz hochoffiziell als »Ruinen der außerirdischen Menschen« bezeichnet. Und nach den bislang aus China zu uns gedrungenen Informationen sollen die Funde Anlass zu den ungeheuerlichsten Schlussfolgerungen geben.

Spielzeug für Riesen?

Gerade mal einen Steinwurf von dieser Baigong-Struktur entfernt befinden sich zwei relativ flache Seen. Es sind dies der Toson-Hu und der Koluke. Während der Koluke-See aus Süßwasser besteht, handelt es sich beim Toson um einen Salzwassersee.

In der Umgebung existieren nämlich ein paar Dutzend salzhaltige Seen, Überreste eines ehemaligen Meeres, das sich bis Ende der Kreidezeit – also nach geologischer Datierung bis vor etwa 60 Millionen Jahren – dort ausbreitete. Auf ein darin gelöstes chemisches Element werde ich an späterer Stelle noch gesondert eingehen, denn jenes besitzt ganz bestimmte Eigenschaften, die es in unseren Tagen für mehrere zukunftsweisende Technologien äußerst interessant machen.

Kommen wir aber nun zu den rätselhaften Artefakten selbst, die so geheimnisvoll sind, dass sie immerhin einige chinesische Wissenschaftler zu ziemlich ungewöhnlichen Schlüssen verleitet haben. Am Fuß dieser ungefähr 70 Meter hohen Erhebung befinden sich drei Höhlen. Sie besitzen jeweils eine dreieckige Öffnung. Die beiden kleineren Höhlen links und rechts sind leider eingestürzt, aber die größere Höhle in der Mitte ist noch begehbar. Tiefe und lichte Höhe dieser Höhle sind mit etwa sechs Metern annähernd gleich. Ihre Wände bestehen aus Fels und hart gewordenen Sandschichten.

Bereits beim ersten Blick fällt dem Betrachter eine nurmehr zur Hälfte bestehende, der Länge nach aufgebrochene Röhre von ungefähr 40 Zentimetern Durchmesser auf, die senkrecht von der Höhlendecke zum Boden verläuft. Sie besitzt eine rostähnliche Farbe, doch so einfach ist die Bestimmung der dazu verwendeten Materialien nicht, wie ich an späterer Stelle noch detaillierter ausführen werde. Man hat fast den Eindruck, als hätte sich eine uns unbekannte Intelligenz einen Spaß daraus gemacht, die Röhren gleichsam wie Spielzeug für Riesen mittenmang durch den Baigong zu stecken. Ein Unterfangen, das uns selbst heute noch sehr schnell die Grenzen der uns zur Verfügung stehenden Technologie aufzeigen würde.

Ein weiteres Rohr mit ungefähr demselben Durchmesser steckt im Boden, und nur das Ende ist noch an der Oberfläche sichtbar. Weitere drei Dutzend Röhren mit unterschiedlichen Durchmessern zwischen zehn und 40 Zentimetern befinden sich etwas oberhalb des Höhleneinganges. Sie laufen in das felsige Massiv hinein und repräsentieren ganz offensichtlich eine uralte und uns unbegreifliche Technologie.

Ziemlich genau 80 Meter südwestlich der Baigong-Relikte befindet sich einer der beiden bereits erwähnten Seen, der salzwasserhaltige Toson. An dessen Ufer hat man gleichfalls Röhren gefunden, die teilweise zerbrochen auf dem felsigen und sandigen Untergrund herumliegen. Einige dieser Röhren verlaufen den Angaben der Chinesen zufolge in exakter Ausrichtung von Westen nach Osten. Und sie weisen nur einen Durchmesser zwischen zwei und viereinhalb Zentimetern auf.[88, 89, 90]

Einen Gedanken zu diesen mehr als ominösen Artefakten sollte ich hier auf keinen Fall unerwähnt lassen. Denn es darf als so sicher wie das Amen in der Kirche erwartet werden, dass sich selbst ernannte Skeptiker in entsprechende Argumente flüchten. Hätte man die Relikte in der Nähe von größeren

Städten und Industriestandorten gefunden, dann könnte man sie bei oberflächlicher Betrachtung vielleicht als Industrieschrott aus unseren Tagen abtun. Aber eben nur, wenn man sich ohne weitere Nachforschungen damit befasst – denn diese Artefakte sind tatsächlich sehr alt.

Dies wird daran offensichtlich, dass sich deren Metallgehalt bereits mit den mineralischen Komponenten des umgebenden Felsgesteins vermischt hat. Und sie befinden sich in einer äußerst unwirtlichen Umgebung. Es gibt ringsum keine größeren Siedlungen, einzig ein paar nomadisierende Hirten. Für sie ist dieser Ort aber offenbar heilig, wie man an den zahlreichen dort aufgetürmten Steinpyramiden unschwer erkennen kann. In den Weiten Ostasiens ist dies ein untrügliches Zeichen, dass ein Ort entweder verehrt oder gefürchtet wird. Oder beides.

Auf abenteuerlichen Pfaden

2002 erfuhren wir im Westen über die Funde am Baigong. Doch wie es ausschaut, setzte man sich vor Ort in China schon Mitte der 90er-Jahre auf die Spur der mysteriösen Hinterlassenschaft einer unbekannten Intelligenz. Denn in einem chinesischen Buch über die Provinz Qinghai, das im Jahr 2003 erschien, berichtet der Verfasser, ein gewisser Ma Pei Hua, unter der Überschrift »Besuch des E.T.-Reliktes«:

»Am 1. Juni 1996 brach eine Gruppe von acht Personen, darunter ich selbst, zur ersten Expedition in jenes erwähnte Gebiet auf. Von der Autostraße kommend, die Qinghai mit Xinjiang verbindet, fuhren wir durch die Wüste und durch Sumpfgebiete südwärts in die Wildnis. Schließlich erblickten wir den Toson-See hinter zwei Sandhügeln. Da unser Wagen im Sand versank, mussten wir ihn von Hand weiterschieben, und so wurde es bereits Mittag, bis wir am Seeufer anlangten. Erschöpft, wie wir waren, entdeckten wir schließlich weit ausgebreitete Röhren, so wie diese von den E.T.s hinterlassen worden waren.«[91]

Dem Amateurforscher Dietmar Schrader aus Hannover, der sich seit ein paar Jahren ebenfalls mit den Artefakten vom Baigong beschäftigt, gelang es, in einer Bibliothek der Provinzhauptstadt Xining ein Exemplar des Buches »Unbekanntes Qinghai« zu erstehen. Er ließ es auf eigene Kosten übersetzen und präsentierte Auszüge daraus in einem Beitrag für die Zeitschrift *Sagenhafte Zeiten* im Dezember 2006.[92] Doch folgen wir hier weiter der Schilderung der 1996er-Expedition, an der der Verfasser Ma Pei Hua teilgenommen hatte:

»Dieser Berg besteht hauptsächlich aus weißem Sandstein mit Anteilen aus lehmiger Erde. Etwa 80 Meter vom Baigong entfernt befindet sich der salzhaltige See (Toson-Hu), dazwischen eine Sandstein-Sandbank, in der die Wellen des Wassers ihre Spuren hinterlassen haben. An der Stirnseite des Berges befinden sich drei dreieckige Höhlen. Zwei liegen etwa fünf Meter hoch, sind aber wegen der Einsturzgefahr nicht zu betreten. Die mittlere und größte aber, die nur zwei Meter über dem Boden liegt, ist sechs Meter lang. Vergleicht man sie mit einer normalen, durch Wasser erodierten Höhle, so erscheint sie eher künstlich. (…) Eine Eisenröhre mit einem Durchmesser von zirka 40 Zentimetern verläuft direkt von oben nach unten. Eine andere Röhre mit demselben Durchmesser geht direkt in die Erde, wovon aber nurmehr die Oberseite sichtbar ist.«[91]

Diese Beschreibung, die von einem Teilnehmer der 1996er-Expedition stammt, entspricht übrigens beinahe in allem den Einzelheiten, wie sie Hobby-Forscher Dietmar Schrader persönlich im September 2004 nachprüfen konnte. Wie mir der Mann aus Hannover selbst mitteilte, gelangte er auf abenteuerlichen Pfaden an die Stätte der rätselhaften Relikte. Noch in Delingha mussten er und seine Frau sich unter die Plane eines Toyota-Pickup ducken, um ungesehen die Stadt verlassen zu können. Ein großer Teil des derzeit verfügbaren Bildmaterials stammt von ihm, wofür nicht nur ich ihm großen Dank schulde.

»… eine Abschussbasis von Außerirdischen«

Doch lassen wir hier nochmals Ma Pei Hua von seinen Entdeckungen des Jahres 1996 berichten, die ihn zu einer Einteilung des Geländes und der Funde in drei Zonen veranlasste:
»Der erste Geländeabschnitt umfasst die Höhlen mit mehr als 30 Röhren mit größerem Durchmesser (zwischen zehn und 40 Zentimetern; HH). Der zweite Bereich erstreckt sich in Richtung auf das Ufer, wo sehr viele kleine Eisenröhrchen zwischen Sand und Steinen verstreut zu finden sind. Die Röhrchen liegen in westöstlicher Richtung und besitzen einen Durchmesser zwischen 2,0 und 4,5 Zentimetern. Sie haben verschiedene merkwürdige Formen, und die dünnsten sind wie Zahnstocher, jedoch im Inneren nicht verstopft, auch nicht nach Jahren, in denen sie im Sand lagen. Schließlich gibt es noch einen dritten Abschnitt: Er erstreckt sich entlang des Toson-Sees, mit den Stücken vieler zerbrochener Röhren in den unterschiedlichsten Längen. Selbige bedecken eine Strecke in der Länge zwischen 800 und 1000 Meter von West nach Ost. Manche der Röhren schauen aus dem Wasser heraus und ›baden‹ in den Wellen, während man andere durch das Wasser hindurch sehen kann. Es besteht kein Zweifel, dass diese Röhren vormals alle im Wasser lagen.«[91]
Beeindruckt stellt Ma Pei Hua fest, dass die ganze Stätte in Anbetracht der bislang entdeckten zahlreichen Röhren in

besagten drei Geländeabschnitten sowie der Ausdehnung über mehr als einen halben Quadratkilometer Fläche in jeder Hinsicht erstaunlich ist. So stehen wir auch hier – ganz ähnlich wie bei jenen bereits in einem der vorangegangenen Kapitel beschriebenen Nano-Objekten aus den kalifornischen Coso Mountains und dem Ostrand des Ural – vor dem Phänomen, dass uns irgendjemand in tiefer Vorzeit konkrete Gegenstände hinterlassen hat. Objekte unleugbar technischer Art, deren Existenz in krassem Widerspruch steht zu den Möglichkeiten der Epochen, aus denen sie stammen. Zumindest, wenn wir uns auf dem Boden der offiziellen Lehrmeinung der Altertumsforschung bewegen.

Aber wie um alles in der Welt kommen Kreise in der Volksrepublik China nun darauf, all dies als außerirdischen Ursprungs zu betrachten? Für den Vertreter der Provinzregierung Qinghai, Herrn Qin Jianwen, scheint die Sache klar. Außerirdische, sagt Qin, hätten sich diese einsame Region für Starts und Landungen ihrer Raumschiffe ausgesucht. In einem Interview mit »Xinhua«, der staatlichen chinesischen Nachrichtenagentur, verkündete er am 16. Juni 2002:

»Es wird angenommen, dass dieser Ort eine Abschussbasis von Außerirdischen war. Die Theorie basiert auf der Tatsache, dass besagter Ort mit 2200 Metern über dem Meeresspiegel recht hoch liegt und die Luft schon recht dünn ist, was sich sehr gut für astronomische Forschungen eignet.«[90]

Er vertritt damit in etwa dieselbe Meinung wie der Astronom Yang Ji, der am 70 Kilometer entfernten Observatorium beschäftigt ist, das die Akademie der Wissenschaften zu Peking in der verlassenen Gegend errichten ließ. Der Astronom sagte wörtlich: »Die Hypothese um die außerirdischen Relikte ist durchaus nachvollziehbar und auch wert, näher betrachtet zu werden. Wissenschaft bedeutet nämlich, dass bewiesen werden muss, was wahr und was falsch ist.«[90]

Wären doch alle Wissenschaftler so ehrlich – ganz besonders bei uns im Westen sollte man nicht immer den Eindruck erwecken wollen, als sei man live dabei gewesen. Sondern auch mal ungewöhnlichere Lösungsvorschläge diskutieren, ausgefallene Erklärungen nicht von vorneherein ablehnen. Aber auch andere Faktoren haben vor Ort in China zu fantastisch anmutenden Schlüssen geführt, die hierzulande nur allzu gerne belächelt und nicht ernst genommen werden.

Acht Prozent der Proben unidentifizierbar

Da wäre zum Ersten einmal der auffällige Unterschied zu den anderen in dieser Region gemachten Funden. Im Qaidam-Becken am Baigong lebten schon vor mehr als 3000 Jahren Menschen. Diese hinterließen vor allem aus Tierknochen gefertigte Gegenstände, Steinwaren und Töpfereien sowie Leder und Wollstoffe. Allesamt Objekte, die von Hand gefertigt worden waren und von einfacher Machart sind. In den Turfan-Gräbern jener Epoche wurden kleine Bronzen gefunden wie auch Pfeile, Bogen und Kleider. Doch kein Stück, das auch nur im Entferntesten nach industrieller Fertigung aussieht. Ebenso wenig Werkzeuge für die Gewinnung von Erzen oder zur Verhüttung von Metallen.[92] Dazu kommt, dass in der Gegend immer nur nomadisierende Hirten lebten. Mehr gab das karge Grasland, das mit trockener Wüste abwechselt, nicht her. Was die rätselhaften Röhren angeht, hätten selbst moderne Industriebetriebe unserer Tage ihre Mühe bei der Herstellung und erst recht bei der Einbringung in die vorgefundenen Positionen. Wie viel schwerer – und hier passt die Einschätzung »unmöglich« – muss es für frühere, technisch nicht gerade fortgeschrittene Kulturen gewesen sein, dies Wunderwerk zu vollbringen!

Das gewichtigste Argument aber, warum wir es hier mit einer Technologie zu tun haben dürften, die nicht von dieser unserer Welt stammt, ergab sich bei der chemischen Analyse der Röhren. Diese bestehen demnach zu rund 30 Prozent aus Eisenoxid, aber mit einem hohen Anteil an Siliziumdioxid. Die zweite Verbindung ist auch als Kieselsäure bekannt, welche den Hauptbestandteil des Minerals Quarz bildet. Der wiederum stellt den Grundstoff für Glas dar. Und auch Kalziumoxid ist in den Proben vorhanden. Uns ist es als gebrannter Kalk geläufig, den wir meist zu Bauzwecken verwenden.

Was jedoch vollkommen mysteriös ist: Etwa acht Prozent der analysierten Proben erwiesen sich als unidentifizierbar. Damit stehen wir vor einem kompletten Rätsel!

Durchgeführt wurden diese Untersuchungen von dem Ingenieur Liu Shaolin von den »Xitieshan Schmelzwerken«, welche über eines der fortschrittlichsten Labors in ganz China verfügen und deren Expertisen bekannt für ihre Zuverlässigkeit sind. Dessen Folgerung sowohl aus den Resultaten als auch der Auffindesituation der Artefakte lautete: »Aufgrund der langen Zeit, welche sie der Erosion von Wind und Wetter ausgesetzt waren, sind der Sand und das Eisen eine Verbindung eingegangen. Das heißt, wir sind sicher, dass Kalziumoxid und Siliziumdioxid nicht die ursprünglichen Bestandteile der Röhren waren. Dies bestätigt das hohe Alter dieser Röhren.«[90, 92]

Keine natürliche Entstehung

Zwischenzeitlich gibt es sogar weitere Analysen von Proben, die am Baigong entnommen wurden. Der bereits erwähnte Forscher Dietmar Schrader aus Hannover, dem es im September 2004 gelang, an den Ort des Geschehens vorzudringen, konnte insgesamt zwölf Proben in der mittleren Höhle und jeweils 100 Meter rechts und links davon entnehmen. Eine 2006 am Institut für Geochemie und Mineralogie der Universität Freiburg durchgeführte analytische Untersuchung ergab bei zwei dieser Proben einen sehr hohen Gehalt an Selen und Vanadium.

Das Element Selen wird in der Industrie als »Nebenprodukt« bei der elektrolytischen Herstellung von Kupfer und Nickel gewonnen. Verwendung findet es vorwiegend in der Halbleitertechnik, in Fotozellen und für Nebelleuchten. Das silbrig glänzende Vanadium ist bekannt für seine hohe Korrosionsbeständigkeit gegenüber Alkalien, Schwefel- und Salzsäuren und wird auch für Titanlegierungen in der Raumfahrt benutzt.[93]

Was sagen Experten zum Alter der immer mysteriöser erscheinenden Artefakte? Die Datierungen klaffen hier gewaltig auseinander: Während der zitierte Ingenieur Liu Shaolin die Relikte auf maximal 5000 Jahre schätzt, kommen von anderer Seite Überlegungen, die von 300 000 Jahren und mehr ausgehen. Der Geologe Professor Zheng Jiandong, der sich ebenfalls mit Kollegen vor Ort umgesehen hat, gibt den Röhren, die an zahlreichen Stellen ins Gestein führen, sogar bis zu sechs Millionen Jahre. Zheng vermutete anfänglich eher natürliche Entstehungsursachen: etwa pflanzliche Versteinerungen oder das Aufsteigen glutflüssiger, sprich: magmatischer Gesteine.[90]

Was die letztere Überlegung betrifft, gibt es in der weiten Umgebung leider keine Vulkane, die dort im Verlauf der letzten Millionen Jahre ausgebrochen sein könnten. Und seine Hypothese mit den pflanzlichen Versteinerungen hat der Geologieprofessor selbst wieder relativiert:

»Ich habe darüber nachgedacht, finde jedoch keine plausible Erklärung, da Fossilien jeglicher Art von Tieren oder Pflanzen nur in ihrer ursprünglichen Form erhalten bleiben können.

Aber sie vermögen keine geordneten und vorsätzlich arrangierten Röhren zu bilden. Dazu kommt, dass keine Bedingung existiert, welche dem Sand in dieser Gegend helfen könnte, fossil zu werden. Wir können auch in den nahegelegenen Bergzügen (…) keine Fossilien finden. Das heißt, es gibt keine natürliche Bedingungen für die Entstehung von Fossilien oder solchen Eisenröhren. Bis jetzt können wir tatsächlich keinen Grund zur Ablehnung unserer Schlussfolgerung finden. Das bedeutet, die Röhren sind kein geologisches Phänomen.«[92]

Leichtmetall für Zukunftstechnologien

Ganz gleich, ob sie nun 5000, 300 000 oder gar sechs Millionen Jahre alt sind: Die Röhren sind eine wirkliche Herausforderung an unser wissenschaftliches Weltbild – denn sie passen schlicht und ergreifend nicht hinein!

A propos Geologie: Das Qaidam-Becken, in dem sich der Baigong mit seinen geheimnisumwitterten Röhren befindet, verbirgt neben Ölfeldern auch reichhaltige Erdgasreserven. Doch ich muss hier in aller Deutlichkeit feststellen, dass diese Uralt-Röhren nichts, aber auch gar nichts mit irgendwelchen Pipeline-Systemen heutiger Bauart zu tun haben.

Im Zuge meiner eigenen Forschungen bin ich jedoch auf einen weiteren Bodenschatz dieser Region gestoßen. Ich habe ja schon erwähnt, dass in der Umgebung Dutzende von Salzwasserseen existieren. Reste eines ehemaligen Meeres aus der Kreidezeit. Die endete vor 60 Millionen Jahren mit dem Aussterben der gewaltigen Dinosaurier.

In vielen dieser mit Salzwasser gefüllten Seen – so auch im Toson-See unweit des Baigong – wurde das Metall *Lithium* in gelöster Form gefunden.

Lithium ist ein chemisches Element aus der Gruppe der Alkali-Metalle. Dieses sehr weiche, silberweiße Leichtmetall kommt in geringen Spuren in vielen Ergussgesteinen vor, gelöst jedoch auch in mineralreichen Gewässern. Die Gewinnung ist technisch recht aufwendig. Aber noch weitaus interessanter sind die Verwendungsmöglichkeiten. Jeder von uns kennt sie: die handlichen und wieder aufladbaren Lithium-Akkus unserer Mobiltelefone. Um einiges wichtiger noch ist dies Element in der Nukleartechnik, für die Herstellung des Wasserstoff-Isotopes Tritium sowie zur Kühlung und Abschirmung von Atomreaktoren.

Doch auch die Verbindungen des Alkali-Metalls finden große Verbreitung in zukunftsträchtigen Technologien. Lithium-Hydrid (chemische Formel: LiH) gibt den gebundenen Wasserstoff leicht ab und wirkt als sehr starkes Reduktionsmittel. Heute wird es in *Raketentreibstoffen* verwendet. Eine weitere Verbindung, das Lithium-Perchlorat (chemische Formel: $LiC10_4$), dient ebenfalls in Raketentreibstoffen, und zwar zur Übertragung des wichtigen Sauerstoffs bei der Verbrennung. Liegt in dem Vorkommen des Leichtmetalls Lithium, das heute in der Nuklear- und Raketentechnik Verwendung findet, möglicherweise der Schlüssel zum Verständnis jener ominösen Artefakte vom Baigong? Unsere Raketentreibstoffe enthalten Lithiumverbindungen – die heute sogar offiziell als »außerirdische Ruinen« bezeichneten Strukturen sollen ehedem als Startrampe für Raumschiffe fremder Intelligenzen gedient haben. Oder sollten jene Röhren eine Gewinnungsanlage für das begehrte Leichtmetall gewesen sein? Wer gewann es vor unbekannten Zeiten, mit welchen Methoden und zu welchem Zweck?[90]

Als wäre das Ganze nicht mehr zu toppen, weist der erwähnte Autor Ma Pei Hua in seinem Werk »Unbekanntes Qinghai« auch auf radioaktive Spuren bei einigen der Röhren hin. So sei jene Metallröhre von 40 Zentimeter Durchmesser, welche von oben durch die begehbare Höhle gesteckt ist, stark radioaktiv und selbst die ganze Umgebung verstrahlt. Die Stärke der Gamma-Strahlung sei bei diesen Felsen zwanzigmal höher als bei vergleichbaren anderen. In den Bereichen aber, in denen sich keine Röhren befinden, konnten auch keine erhöhten Strahlenwerte festgestellt werden.[91]

Soweit Ma Pei Hua und seine Ausführungen. Für ihn, wie auch für viele andere Forscher in der Volksrepublik China, die sich intensiv mit den rätselhaften Funden beschäftigen, steht fest, dass die Röhren vom Baigong keinesfalls von früheren Bewohnern gefertigt worden sind. Eher von technisch weit fortgeschrittenen Besuchern, die von einem fernen Planeten kamen und einstmals auf unserer Erde weilten.

Wie dem auch sei: Die Stätte hütet ein märchenhaftes Mysterium, dessen Rätsel und Geheimnisse es zu erforschen gilt. Genauso wie eine Hochgebirgsregion in derselben westchinesischen Provinz. Sie umweht der Mythos eines Vorfalles, welcher ebenso in grauer Vorzeit stattgefunden haben soll. Und bei dem es um nicht mehr und nicht weniger als die unfreiwillige Havarie eines nichtirdischen Flugobjektes geht. Um ein chinesisches Roswell, wenn man den Vergleich so zieht.

Dass es sich nicht nur um einen bloßen Mythos handelt, möchte ich im folgenden Kapitel darlegen.

9 Die Spur wieder aufgenommen

Neues vom Jahrtausendrätsel
»Chinesisches Roswell«

> *»Ereignisse, die sich nach den geltenden*
> *Theorien nicht ereignen dürften, sind*
> *die Tatsachen, die den Weg zu neuen*
> *Entdeckungen weisen.«*
>
> SIR JOHN HERSCHEL (1792–1871),
> BRITISCHER ASTRONOM

Winter 1937/38. In den unwegsamen Höhen eines Ne-
bengebirges der Kun-Lun-Kette im westlichen China
kämpfte sich eine kleine Expedition mühsam durch dichtes
Schneegestöber und den eisigen Wind. Die verschworene
Gruppe um Professor Chi Pu-Tei, Archäologe an der Pekinger
Akademie der Wissenschaften, war mit den Kräften am Ende.
Kurz vor dem Zusammenbruch standen auch ihre Reit- und
Tragtiere. Deshalb hielten die Männer verzweifelt nach einem
Felsvorsprung oder einer Höhle Ausschau, welche zumindest
einen bescheidenen Schutz vor dem unbarmherzigen Wetter
bieten könnten. Man wollte nicht unbedingt in dieser Wild-
nis, fern jeder Zivilisation, zugrunde gehen.

Und tatsächlich erspähten die durchgefrorenen Wissenschaft-
ler einen Höhleneingang. Erleichtert atmeten sie auf, denn die
Nacht dämmerte bereits, und hier konnte man Wind und
Wetter wenigstens für ein paar Stunden entgehen.

Die Expeditionsteilnehmer entzündeten Fackeln und machten sich daran, sich ein wenig wohnlich in der Höhle einzu-
richten. Da fielen ihre Blicke im flackernden Licht auf schon

halb verblasste Einkerbungen und Ritzzeichnungen an den Höhlenwänden. Diese stellten Wesen mit runden Helmen auf dem Kopf dar. Sogar die Gestirne – Sonne, Mond und die Planeten unseres Sonnensystems – waren in die Felsen eingeritzt. Und was die ganze Angelegenheit noch undurchsichtiger machte: Sie waren durch Bündel erbsengroßer Punkte miteinander verbunden.

Im gleichen Augenblick war alle Erschöpfung von den Männern abgefallen – selbst die schneidende Kälte war kein Thema mehr. Man war wohl auf Relikte aus der Vergangenheit gestoßen, deren bislang noch niemand ansichtig geworden war. Wie ungemein heftig diese mit dem Weltbild traditioneller Prägung kollidieren sollten, für welch kontroverse Diskussionen sie in den folgenden 70 Jahren sorgen würden, das ahnte in diesem Moment keiner der chinesischen Archäologen.

Kleine Wesen mit großen Köpfen

So machte man sich daran, die Höhle etwas genauer zu inspizieren. Die Überraschung blieb nicht aus: Offensichtlich hatte man eine uralte Begräbnisstätte entdeckt. Denn im hinteren Abschnitt der Höhle befanden sich etliche Reihengräber, in denen die Skelette zahlreicher Wesen bestattet lagen. Doch was waren das nur für unheimliche Geschöpfe? Mit nicht ganz 1,20 Metern lag ihre Körpergröße deutlich unter der der meisten Völker und Rassen dieses Planeten. Nicht einmal die Pygmäen in den Regenwäldern Zentralafrikas waren so klein. Einzig eine fossile Menschenart, der fast 70 Jahre später entdeckte »Homo florensis«, die noch ein Stück kleinwüchsiger war, kann heute größenmäßig zu einem Vergleich herangezogen werden.

Auf der indonesischen Insel Flores hatten Paläontologen eines australisch-indonesischen Forscherteams im Jahr 2004 Überreste einer nur 90 bis 100 Zentimeter messenden Menschenrasse ausgegraben, die dort in der Zeitspanne von vor 95 000 bis vor 12 000 Jahren existierte. Obwohl diese sogenannten Flores-Menschen nur mit einer sehr geringen Gehirnkapazität ausgestattet waren – ihr Kopf besaß die Größe einer Grapefruit –, verfügten sie doch über ausgeprägte kulturelle Fähigkeiten. Unter Experten ist nun allerdings eine Diskussion entbrannt, ob man diese extrem zwergwüchsigen Wesen denn überhaupt zur Gattung Mensch zählen sollte.[94, 95]

Doch kehren wir an dieser Stelle wieder zu den überraschenden Entdeckungen des Pekinger Archäologen Professor Chi Pu-Tei zurück.

Was an jenen in der Höhle gefundenen sterblichen Überresten wohl noch deutlicher ins Auge stach, waren die überdimensional voluminösen Köpfe, die gar nicht zu dem übrigen, ausgesprochen feingliedrigen Körperbau passen wollten. Durch deren monströse Größe ließen sie die Wesen missgestaltet und fremdartig aussehen – geradezu, als würden sie aus einer fremden Welt stammen! Dass dieser Eindruck womöglich nicht so weit hergeholt ist, wie er auf den ersten Blick anmuten mag, wird sich noch im Folgenden herauskristallisieren.

An dieser Stelle möchte ich die Örtlichkeit näher charakterisieren, in der sich das eingangs geschilderte Szenario ungefähr abgespielt haben mag. Es ist eine der abgelegensten Bergregionen in ganz China, und wir kennen mehrere Bezeichnungen dafür: Bajankalashan, Payenk-Ara-Ulaa, Bayan Har Shan oder Baian Kara Ula. Letztere ist zwar nicht ganz korrekt, jedoch unter dieser Schreibweise in die einschlägige Literatur eingegangen – daher verwende auch ich sie in meinen weiteren Ausführungen. Die Region liegt auch nicht im Grenzgebiet zwischen China und Tibet, wie man in einigen älteren Publikationen lesen konnte. Wie bekannt, ist ja Tibet bereits seit 1959 als »Autonome Region Xizang« im Staatsverband der Volksrepublik China. Die Berge von Baian Kara Ula befinden sich vielmehr – wie der im vorangegangenen Kapitel ausführlich behandelte *Baigong* mit seinen mysteriösen Röhren – in der Provinz Qinghai. Nur etwa 500 Kilometer südlich davon. Im Osten läuft das Gebirge an der Grenze zu der Nachbarprovinz Sichuan aus.

Die Hochgebirgskette erstreckt sich von 96 bis 99 Grad östlicher Länge sowie von 33 bis 35 Grad nördlicher Breite. Zwar nimmt sie in ihrer flächenmäßigen Ausdehnung beinahe die Größe der ehemaligen DDR ein, durch das ganze Gebiet führt jedoch nur eine einzige größere Straße. An dieser Unzugänglichkeit hat sich in den letzten Jahrzehnten mit Sicherheit nicht allzu viel geändert.

Die seltsamste Schrift, die man je fand

In diesem Gebiet entspringen die Flüsse Ya-Lung und der gewaltige Yang-Tze, ebenso der Mekong, der danach südliche Richtung einschlägt und zur Lebensader Vietnams wird. Die Berge im Baian Kara Ula steigen bis über 5000 Meter an, aber in den Tälern, die auch noch bis zu 2000 Meter hoch gelegen sind, wird es im Sommer angenehm warm. Wissenschaftler vermuten, dass hier vor etwa 20 000 Jahren ein weitaus wärmeres Klima herrschte. In jedem Fall weisen Spuren von menschlicher Besiedlung sehr weit zurück bis in prähistorische Zeiten.[14]

Uralte Sagen und Legenden aus diesem Teil Asiens wissen von kleinwüchsigen und rachitischen gelben Wesen zu erzählen, welche aus den Wolken zur Erde herniederkamen und aufgrund ihrer auffallenden Hässlichkeit und absoluten Andersartigkeit von den Angehörigen der umliegenden Volksstämme ohne Gnade angegriffen und massakriert wurden.[83] Auch in neuerer Zeit steht die Bergregion bei der abergläubischen Bevölkerung unter einer Art Tabu. Dies mag wohl der hauptsächliche Grund dafür sein, weshalb die Artefakte bis zu deren Entdeckung durch die Expedition Chi Pu-Tei ungestört blieben und auch von Grabräubern nicht angerührt wurden. Die unglaubliche Abgeschiedenheit trug das ihre zu der Auffindesituation bei.

Der Archäologe aus Peking fand jedoch nicht nur die kleinen Skelette in der Höhle. Als eigentliche Sensation sollten sich 716 steinerne Scheiben erweisen, die den dort bestatteten Verstorbenen ins Grab gelegt wurden. Unseren Schallplatten nicht unähnlich, waren diese etwa einen Zentimeter dicken, im Durchmesser bis zu 30 Zentimeter messenden Steinteller in der Mitte mit einem runden, fingerdicken Loch versehen. Sogar Rillen waren vorhanden. Im Gegensatz zu unseren Tonträgern, die gerade ihr Comeback feiern, führten jene Rillen auf den Steintellern, vom Mittelloch beginnend, doppelt spiralförmig bis an den Rand der Scheibe. Zwischen diesen Doppelrillen eingravierte Zeichen stellen die seltsamste Schrift dar, die jemals ans Licht des Tages gekommen war.

Diese Artefakte mit den anfangs unübersetzbaren Rillen-Hieroglyphen bescherten den Archäologen lange Zeit Kopfschmerzen. Der bereits erwähnte Archäologe Professor Chi Pu-Tei hatte vor allem darin Schwierigkeiten, in den Steinscheiben Grabbeigaben der in den Felsengräbern bestatteten kleinwüchsigen Kreaturen zu sehen. Vielmehr stellte er 1940 die Theorie auf, bei diesen hätte es sich um eine mittlerweile ausgestorbene *Gebirgsaffenart* gehandelt. Seiner Ansicht nach waren die 716 beschrifteten Steinscheiben erst viel später, von den Angehörigen einer jüngeren Kultur, in den Höhlen deponiert worden.[83] Wie wir wissen, bestatten selbst heute noch keine Affen ihre toten Angehörigen in irgendwelchen Gräbern. Wäre es Chi Pu-Tei vergönnt gewesen, bereits Anfang der 40er-Jahre einige Passagen der Hieroglyphen zu übersetzen, dann wäre er schon damals auf vollkommen andere Schlussfolgerungen gekommen. Dies aber musste noch ein paar Jahre warten – denn die Zeit war für Erkenntnisse dieser Art noch nicht reif.

Eine »abgefahrene« Geschichte

Um genau zu sein, mussten mehr als 20 Jahre ins Land gehen. Erst im Jahre 1962 gelang es einem Team von fünf Wissenschaftlern an der Pekinger Akademie für Vorgeschichte unter der Leitung eines gewissen Professors Tsum Um-Nui, einige Inschriften von ein paar wenigen Scheiben zu entziffern.

Die Rillen-Hieroglyphen erzählen von den Abenteuern auf der Erde gestrandeter, außerirdischer Weltraumfahrer, die sich zuzeiten ereignet haben, in denen es vom Standpunkt unserer konventionellen Geschichtsschreibung noch unmöglich eine bemannte Weltraumfahrt gegeben haben kann. Jenen unbekannten Chronisten zufolge, die ihre Mitteilungen für die Nachwelt den steinernen Scheiben anvertraut haben, sei eine Gruppe ihres Volkes damals – vor von heute zurückgerechnet 12 000 Jahren – auf den dritten Planeten dieses Sonnensystems verschlagen worden. Dabei seien ihre Raumschiffe bei der Notlandung in dem unwegsamen Gebirge schwer beschädigt worden. Die Reparatur oder der Bau von neuen Fahrzeugen sei durch den Mangel an Material und der dafür notwendigen Werkzeuge vereitelt worden. In einer für sie vollkommen fremden Welt gestrandet, waren sie gezwungen, sich in den Bergen von Baian Kara Ula anzusiedeln.[83, 96, 97]

Mit anderen Worten: Vor etwa 12 000 Jahren ereignete sich in jener Region ein Vorfall, den man – mit Blick auf ein ähnliches Ereignis in einer uns viel näheren Zeit – als »chinesisches Roswell« bezeichnen könnte. Diese Namensgebung hat sich übrigens im anglo-amerikanischen Sprachraum eingebürgert, was vor allem an meinem dort erschienenen gleichnamigen Buch über ungelöste Rätsel in Ostasien liegt.[98]

Gemäß den Übersetzungen dieser Schriftzeichen ist von einem Volk mit Namen *Dropa* die Rede, womit offenbar jene Fremden aus dem Weltall gemeint sind. Auch ein Volk namens *Kham* ist in die Geschichte involviert – bei letzterem könnte es sich um ein in den Baian-Kara-Ula-Bergen damals ansässiges Volk gehandelt haben. Dessen Konfrontation mit den Fremden mag wohl etwas »problematisch« verlaufen sein, wie die Rillen-Hieroglyphen nach der Übersetzung durch Professor Tsum Um-Nui und dessen vier Kollegen zu berichten wissen:

»Die Dropa kamen mit ihren Luftgleitern aus den Wolken herab. Zehnmal bis zum Aufgang der Sonne versteckten sich Männer, Frauen und Kinder der Kham in den Höhlen. Dann verstanden sie die Zeichen und sahen, dass die Dropa dieses Mal in friedlicher Absicht kamen.«

Aber auch umgekehrt soll es für die Neuankömmlinge nicht so ungefährlich gewesen sein. Wurden sie doch von *Männern mit den schnellen Pferden* – damit waren möglicherweise in einem späteren Berichtszeitraum die Krieger der Mongolen gemeint – erbarmungslos gejagt und getötet.[99]

Eine, zugegeben äußerst abgefahrene Geschichte also, welche im Kontext der beginnenden 1960er-Jahre und in einem Land, das vollkommen einem materialistischen Weltbild marxistischer Prägung verhaftet war, nur als ungeheuerlicher Affront aufgefasst werden konnte. Also sollte es nicht verwundern, wenn Professor Tsum Um-Nui von der Akademie

der Wissenschaften zuerst einmal ganz vehement zurückge-
pfiffen wurde, als er seinen Forschungsbericht zu veröffent-
lichen versuchte. Der trug zu allem Unheil den trotz seiner
Langatmigkeit provokanten Titel »Rillenschriften, Raumschiffe betreffend, die, wie auf den Scheiben aufgezeichnet ist,
vor 12 000 Jahren existierten«.[96]

Spurensuche im Heuhaufen

Aber Tsum Um-Nui schaffte es wohl doch noch, seinen
Bericht zu publizieren. Die Folgen waren hart und ungerecht,
aber sehr vertraut aus den Abläufen eines akademischen Lehr-
betriebes. In der wissenschaftlichen Welt wurde die Geschichte einhellig als Nonsens abgetan und ihr Verfasser als Fantast
belächelt. Er, der die wertvollsten Jahre seines Lebens der Ent-
wirrung eines beispiellosen Jahrtausendrätsels gewidmet hatte, quittierte in der Folgezeit seinen Dienst an der Akademie
der Wissenschaften und kehrte in seine ursprüngliche Heimat
Japan zurück. Verbittert durch die Angriffe auf seine Integrität
starb er dort kurze Zeit später. Aus Japan kamen denn auch im
Sommer des Jahres 1962 die ersten Informationen zu uns
nach Europa.
Der Berliner Historiker Dr. Jörg Dendl begab sich vor einigen
Jahren in Archiven auf die Suche nach diesen frühesten Informationen, um die ganze Geschichte entweder als Zeitungs-
ente zu entlarven – oder aber einer fantastischen Wahrheit auf
die Spur zu kommen. In einer längst vergessenen Monats-
schrift für Vegetarier wurde er schließlich fündig. Die Gazette
»Das vegetarische Universum« präsentierte in ihrer Ausgabe
vom Juli des Jahres 1962 den Beitrag »Ufos in der Vorzeit?«,
dessen Details sich in der Folge in zahlreichen Publikationen
vieler Sprachen wiederfanden. Trotz mehrmaliger Überset-

zungen hielten sich die Abweichungen aus den einzelnen Versionen in überraschend engen Grenzen. Was beweist, dass seinerzeit sehr sorgfältige Übersetzer am Werk gewesen sind.[99,100] Die ursprüngliche japanische oder gar chinesische Quelle zu finden, ist bisher leider noch nicht gelungen. In welchen verstaubten Archiven der damalige Untersuchungsbericht des ominösen Professors sich verbergen mag, oder ob das Dokument inzwischen den Weg alles Irdischen gegangen ist, darüber können wir zum jetzigen Zeitpunkt nur spekulieren. Skeptiker vermuten ohnehin, dass jener fantastisch klingende Bericht nicht wirklich existiert habe. Alles nur reine Erfindung?

Nichtsdestotrotz habe auch ich mich auf Spurensuche begeben – bevorzugt an Originalschauplätzen im Reich der Mitte –, weil auf die Frage »Wahrheit oder Fiktion?« endlich ein paar probate Antworten überfällig wären. Natürlich war mir bewusst, dass sich dies aus mehreren nachvollziehbaren Gründen wie die sprichwörtliche Suche nach der »Nadel im Heuhaufen« gestalten würde. Zum einen klingt die Steinscheiben-Geschichte um ein »chinesisches Roswell« selbst für abgebrühte Zeitgenossen mehr nach Science-Fiction denn wie die reine Wahrheit. Andererseits würden eventuelle Artefakte und andere greifbare Hinweise fast nicht mehr beizubringen sein, weil sie vielleicht der Vernichtung anheimgefallen sind. In den langen Jahrzehnten der Isolierung Chinas vom Rest der Welt war nämlich die »Große proletarische Kulturrevolution« über das Land gefegt. Diese 1966 begonnene und in all ihren Auswirkungen erst nach dem Tode Mao Zedongs beendete Säuberungswelle wurde von radikalen Studenten und Roten Garden getragen. Anfangs von der politischen Führung geduldet und unterstützt, brachten die bürgerkriegsähnlichen Wirren und durch brutale Gewalt erfüllten Ausschreitungen nur Tod und Schrecken über China. Die

Zahl der Toten, die sie forderten, ist nicht annähernd zu bestimmen, und auch ungezählte Kulturschätze fielen der Zerstörungswut zum Opfer. Das Desaster hatte eine verhängnisvolle Eigendynamik entwickelt.

Ein letztes Aufflammen erreichte die unselige Kulturrevolution, als der »Große Steuermann Mao« im September 1976 starb. Seine Witwe Jiang Qing versuchte mithilfe einiger Vertrauter, die Führungsmacht in Staat und Partei an sich zu reißen. Erst der Sturz dieser sogenannten *Viererbande* im Oktober 1976 setzte dem gewalttätigen Spuk ein Ende. Der Putsch war niedergerungen, und langsam begann sich wieder das Leben im roten Riesenreich zu normalisieren.[14]

Doch der Vandalismus des vergangenen Jahrzehntes hatte eine unübersehbare Schneise der Zerstörung an historischen Stätten, in Museen und Forschungseinrichtungen hinterlassen. Und vielen Akademikern war es an den Kragen gegangen, da nurmehr das Proletariat etwas galt. Für die Rätsel um die Funde von Baian Kara Ula bedeutete das den absoluten Informationsstopp aus China. Die Geschichte wurde zwar immer wieder einmal in diversen Werken aufgegriffen. Aber etwas wirklich Neues gab es lange Jahre nicht zu vermelden.

Auch wenn ich jetzt ein wenig von der Spannung vorwegnehme: Es fanden sich tatsächlich einige neue Spuren – zum Teil sogar mit recht dramatischen Aspekten –, welche die Schlussfolgerung unterstützen, dass in der »abgefahrenen« Geschichte etwas mehr als nur ein Körnchen Wahrheit steckt. Und seit ein paar Jahren sieht es gar danach aus, als ob jene kleinwüchsigen Gestalten, deren Skelette in den Felsengräbern des Baian-Kara-Ula-Massivs gefunden worden sein sollen, noch äußerst lebendig, im Gewande möglicher Nachfahren damaliger Überlebender, unter uns weilen. Doch alles erst einmal der Reihe nach.

Unverhoffte Entdeckung

Blenden wir an dieser Stelle noch einmal kurz zurück zu jenen Informationen, wie sie 1962 durch den Bericht in der Zeitschrift »Das vegetarische Universum« zu uns gelangt sind. Dieser Text wartete mit ungewöhnlichen technischen Details zu den »elektrischen Scheiben« auf. Demnach hatte man genaue Analysen durchgeführt und herausgefunden, dass diese Steinscheiben stark kobalthaltig waren.[101] Beim Test eines Exemplars unter Zuhilfenahme eines Oszillographen offenbarte sich ein überraschender Schwingungsrhythmus, als wären die Artefakte einst unter einer hohen elektrischen Spannung gestanden.

Der festgestellte hohe Anteil an Kobalt in den Steintellern beruhte bestimmt nicht auf Zufall. Dieses wie Eisen und Nickel gleichfalls magnetische Metall wird hauptsächlich zu Legierungen mit Chrom und Stahl verarbeitet. Als Begleiter von Nickel in Erzen wird es hauptsächlich in Kanada und Zentralafrika abgebaut. Und seit nicht allzu langer Zeit auch in China – in der Provinz Qinghai, auf deren Gebiet die Bergregion von Baian Kara Ula liegt! Für mich ein weiteres Indiz, dass die ganze Angelegenheit nicht ohne weitere Nachprüfung ins Reich der Fiktion verbannt werden darf.

Kobalt besitzt übrigens ein hochgradig radioaktives Isotop, das durch seine starke Gamma-Strahlung vor allem für medizinische Zwecke Verwendung findet. Sollte sich der Kobaltanteil in den Scheiben nicht durch natürliche Beimengung erklären lassen, könnte er von den fremden Intelligenzen, welche sie geschaffen haben, absichtlich zugesetzt worden sein. Wollte man die Informationsträger widerstandsfähiger machen, damit diese auch noch viele Jahrtausende später ihre unglaubliche Botschaft zu überbringen vermochten?

Einer, der um die mysteriösen Hintergründe der Funde wusste, war der österreichische Ingenieur Ernst Wegerer. Den ver-
schlug es im Jahre 1974 als Teilnehmer einer der ersten Grup-
penreisen, welche gegen Ende der Ära Mao Zedongs zu neu-
en Ufern aufbrachen, in das Reich der Mitte. Damals noch
unter strenger Aufsicht staatlicher Reiseleiter sowie mit genau
festgelegtem Reiseplan, führte der Weg nach Xian, der Hauptstadt der geschichtsträchtigen Provinz Shaanxi.

In Xian besichtigte die Reisegruppe, der auch Ingenieur Wegerer angehörte, das in einem östlichen Vorort gelegene *Banpo-
Museum.* Dort stießen Arbeiter, die mit Aushubarbeiten für
eine geplante Fabrik beschäftigt waren, im Jahre 1953 unver-
hofft auf die Überreste eines jungsteinzeitlichen Dorfes, dessen Alter die Archäologen auf mindestens 6000 Jahre schätzen. Reichhaltige Funde, hauptsächlich aus Ton gebrannt,
wurden dort gemacht. Die Ausgrabungen bekamen Vorrang,
und so errichtete man die Fabrik an einer anderen Stelle. Statt
der Produktionsstätte wurde zum Schutz der jungsteinzeitlichen Fundstücke nun das Banpo-Museum gebaut.

Und genau in dem Museum entdeckte Ernst Wegerer zwei der
in den Jahren 1937/38 im Baian Kara Ula gefundenen Steinscheiben.

Deren fantastisch anmutender Hintergrund war dem Öster-
reicher ja vertraut. Deswegen wandte er sich an die Museums-
direktorin, die – unterstützt vom offiziellen Dolmetscher und
Reiseführer der staatlichen Tourismusbehörde – die Gruppe
durch die Anlage führte. Die Frau gab sich auskunftsfreudig,
ja geradezu redselig. Doch als Wegerer nach Herkunft, Sinn
und Zweck der beiden steinernen Scheiben fragte, muss er die
Direktorin wohl in arge Bedrängnis gebracht haben. Es war
seltsam: Sie, die zuvor über jede einzelne Tonscherbe in den
Vitrinen ganze Litaneien aufzusagen wusste, gab sich von
einem Augenblick zum nächsten absolut einsilbig. Und ver-

schanzte sich hinter der bei Archäologen gleichermaßen beliebten wie nichtssagenden »Erklärung«, hierbei handle es sich nur um »Kultobjekte«, die auch nicht besonders wichtig seien. Warum sich die Frau in dem Augenblick ganz unvermittelt unbehaglich in ihrer Haut fühlte, sollte ich erst genau 20 Jahre später erfahren. Ihr stand, wie ich heute weiß, ein bis dato ungeklärtes Schicksal ins Haus. Doch darüber mehr an späterer Stelle.

Wenigstens erlaubte sie dem Ingenieur aus dem fernen Österreich, eine der Steinscheiben in die Hand zu nehmen und beide zu fotografieren. Mit einer Polaroid-Sofortbildkamera entstanden damals die zum gegenwärtigen Zeitpunkt einzigen existierenden Aufnahmen von zwei jener Scheiben aus den geheimnisumwobenen Funden von Baian Kara Ula.

Das Gewicht der Scheiben gab Wegerer mit jeweils etwa einem Kilogramm an, den Durchmesser schätzte er auf knappe 30 Zentimeter. Und alles war vorhanden: Das Loch in der Mitte wie auch Rillen mit Einkerbungen, die offenbar eine Schrift darstellten. Leider sind diese auf den Fotos nicht zu erkennen, was absolut banale Ursachen hat. Denn einmal waren die steinernen Scheiben im Banpo-Museum etwas verwittert. Zum anderen besitzen Sofortbildkameras einen eingebauten Blitz, der immer auslöst – dabei aber recht oft Einzelheiten unscharf werden lässt.[102]

Ohne Spuren zu hinterlassen

Mein im Oktober 2005 leider viel zu früh dahingeschiedener Freund und Autorenkollege Peter Krassa aus Wien erhielt diese Polaroid-Aufnahmen übrigens erst Mitte der 1980er-Jahre. Also beinahe ein Jahrzehnt, nachdem sie Ingenieur Wegerer im Banpo-Museum aufgenommen hatte. Doch endlich tat sich eine neue Spur auf in diesem »archäologischen Kriminalfall«, bei dem die »Ermittler« viel zu lange auf der Stelle getreten sind. Und Skeptiker, wie es heute aktuell aussieht, alles viel zu vorschnell ad acta gelegt haben.

Das war auch der Stand der Dinge, als ich gemeinsam mit Peter Krassa die Nachforschungen in China aufnahm. Am selben Ort wie Ingenieur Ernst Wegerer, nur 20 Jahre später.

Im März 1994 hatten wir Gelegenheit, mit einigen der prominentesten Archäologen Chinas zu sprechen. Unter anderem wurden wir auch von Professor Wang Zhijun, dem heutigen Direktor des Banpo-Museums, zu einem ausführlichen Meinungsaustausch empfangen. Selbstverständlich ging es – worum auch sonst? – um diese beiden Scheiben, die zu sehen wir stetig ungeduldiger wurden. Mit was wir aber nun konfrontiert wurden, ist eine weitere mysteriöse Grauzone rund um diese geheimnisträchtigen Artefakte. Nach anfänglichem Zögern verriet uns der Wissenschaftler wirklich haarsträubende Einzelheiten.

So verschwand seine erwähnte Vorgängerin damals, ganz kurz nach dem Besuch von Ingenieur Wegerer, plötzlich und von einem Tag zum anderen, aus völlig unbekannten Gründen. Sie ist seitdem, ebenso wie die beiden damals ausgestellten Steinscheiben, spurlos verschwunden!

Welches Schicksal die Museumsleiterin ereilte, darüber kann man nur spekulieren. Aber auch Professor Wang Zhijun war deutlich anzusehen, dass er sich nicht gerade wohl in seiner Haut fühlte. Befragt nach dem Verbleib der beiden Exponate, war ihm sein großes Unbehagen fast greifbar anzumerken, als er uns wie folgt antwortete:

»Die von Ihnen hier angesprochenen Steinscheiben existieren nicht, aber weil es sich um Fremdkörper in diesem für Tonwaren bestimmten Museum handelte, wurden sie wieder entfernt.«

Eine faszinierende Antwort, die man sich mit Genuss auf der Zunge zergehen lassen muss. Sogar unser Dolmetscher hatte Mühe, seine Verwunderung zurückzuhalten ob dieser 180-Grad-Wendung – und alles in nur einem Satz.

Doch es gibt endlich weitere, spannende Neuigkeiten zu diesem Jahrtausendrätsel »Chinesisches Roswell«. Und seit einiger Zeit haben jene wunderlichen Wesen, die im Mittelpunkt der Ereignisse zu stehen scheinen, mit ziemlicher Sicherheit konkrete Gestalt angenommen.

Die letzten lebenden Nachfahren?

Es fing an mit dieser eher unscheinbaren Agenturmeldung der Associated Press, die Ende des Jahres 1995 aus China kam. Lustigerweise ziemlich genau eine Woche, nachdem mich einer jener unvermeidlichen »Berufsskeptiker« vor laufenden Kameras heftig attackiert hatte.

Was war geschehen? Ich war zu Gast in der RTL-Talkshow *Ilona Christen*, Thema der Sendung waren »UFOs und Außerirdische«. Und ich befand mich in wahrlich illustrer Gesellschaft: Neben einem notorischen Radkappenwerfer saß da eine platinblonde Amerikanerin, die behauptete, im zarten Alter von gerade sechs Jahren in einem goldenen Raumschiff von der Venus auf die Erde herabgebracht worden zu sein. Sie hätte noch kein menschliches Verdauungssystem besessen, doch nachdem man ihr dieses gelegt und sie ihre erste Cola getrunken habe, sei das ein unglaubliches Erlebnis gewesen. (Ich habe später einmal anlässlich einer anderen Talkshow gestanden, dass ich acht Jahre alt war und die erste Cola »herabgezischt« habe. Auch für mich war das ein unvergleichliches Erlebnis, doch würde ich nie auf die Idee kommen, zu behaupten, ich stamme von der Venus!) Die letzten fünf

Minuten der Talkshow gehörten mir, und ich beschloss, über jene ominöse Steinscheiben-Geschichte aus dem alten Reich der Mitte zu berichten. Und hatte sogar die Stirn, folgende Einschätzung dazu aus meiner Sicht der Dinge abzugeben: »Wenn an dieser Geschichte wirklich etwas dran sein sollte, dann gab es vielleicht Überlebende bei dem Crash. Und falls es Überlebende gab, dann könnten auch heute noch Nachfahren jener das Unglück Überlebenden existieren.«

Hohn und Spott prasselten nicht zu knapp auf mich herunter. Und zwar vonseiten eines raffiniert unter den Gästen platzierten »Berufsskeptikers«, der auf geradezu unnachahmlich arrogante Weise sagte: »Gerüchte – alles Gerüchte, die man vor Jahren schon ad acta gelegt hat, was der Autor – wie war doch gleich sein Name? – da von sich gibt.«

Das Universum ist anscheinend manchmal doch gerecht, da die darauf folgenden Vorgänge mittlerweile den Berufsskeptiker »ad acta« gelegt haben. Denn eine Woche später tickerte jene Agenturmeldung aus China in unsere Medien, die schier Unglaubliches verhieß. Da hatte man in der Provinz Sichuan – diese grenzt an die östlichen Ausläufer der Baian-Kara-Ula-Berge – noch 120 lebende, ungewöhnlich kleinwüchsige Wesen entdeckt. Der Größte unter ihnen maß 1,15 Meter, der kleinste – Erwachsene! – gerade einmal 63,5 Zentimeter. Die Forscher waren – und sind noch immer – ratlos: Einige vermuten Umweltgifte, andere machen ein spezielles Gen für den Zwergenwuchs verantwortlich.[103, 104] Es hätte gar nicht spannender kommen können.

In der Zwischenzeit habe ich mich mit den spärlichen Informationen, die ich dann noch dank einiger guter Kontakte zu den chinesischen Tourismus-Behörden und ein paar anderen, unerwarteten Fakten erweitern konnte, näher befasst und bin letztlich zu überraschenden Schlussfolgerungen gekommen. Denn tatsächlich liegt nun die Vermutung nahe, dass wir es hier mit den letzten, noch lebenden Nachkommen der Raumschiffbrüchigen aus dem Baian Kara Ula zu tun haben.

So kann beispielsweise Zufall in keinem Fall im Spiel sein. Die Mediziner geben eine statistische Wahrscheinlichkeit von 1 zu 20 000 für eine zwergenwüchsige Geburt an, was bedeutet, dass *ein Kind unter zwanzigtausend* Normalwüchsigen so klein bleibt. Bei den genannten 120 Fällen stoßen wir aber an eine absolute Grenze mathematischer Berechenbarkeit. Denn Wahrscheinlichkeiten addieren sich nicht, sie multiplizieren sich vielmehr. Das weiß jeder, der schon einmal Lotto gespielt hat. Anders gesagt: Ein Sechser mit Superzahl ist leichter zu bekommen!

Auch Umweltgifte kommen kaum in Frage, denn jenes »Dorf der Zwerge« liegt weitab von allen größeren Städten und Industrie-Standorten. Das geht aus mehreren Telefax-Mitteilungen hervor, die ich von den chinesischen Tourismus-Behörden bekam. Selbstverständlich hatte ich mich wiederholt um eine Genehmigung zum Besuch dieser geheimnisvollen Wohnstätte der winzigen Menschen bemüht, doch bis heute stets die Antwort bekommen: »Das Gebiet ist nicht für Ausländer freigegeben.«

Die Minamata-Katastrophe

Im Januar 1997 ging ein neuerlicher Erklärungsversuch durch die Presse. Unter der Schlagzeile »Ärztestreit um das Dorf der Zwerge« zitierten die Medien chinesische Wissenschaftler, welche den mysteriösen Zwergenwuchs auf eine massive Quecksilbervergiftung im Trinkwasser der Region zurückführen.[105]

Diese Theorie ist jedoch schlicht und einfach Blödsinn! Jeder Toxikologe vermag hinreichend zu erklären, dass Quecksilber ein schweres und sehr heimtückisch wirkendes Gift ist, welches alle Organe im Körper schädigt. Ein tragisches Paradebeispiel hierfür ist jener Umweltskandal, der sich in den frühen 1960er-Jahren im Süden der japanischen Insel Kyushu ereignet hat. Eine chemische Firma leitete ihre ungeklärten, quecksilberhaltigen Abwässer in die Bucht von Minamata ein. Spätestens seitdem auch bei uns die Sushi-Restaurants wie die Pilze aus dem Boden schießen, wissen wir, dass der Japaner per se den Fisch gerne in rohem Zustand genießt. Das hatte in Minamata schwerwiegende Folgen: Über die kontaminierten Meerestiere gelangten hochgiftige Schwermetallverbindungen in die menschliche Nahrungskette. Es kam zu Massenvergiftungen. Schwerste Schädigungen waren die Folge, doch nur wenige der Opfer starben gleich. Die allermeisten erlagen erst nach mehrjährigem, qualvollen Siechtum ihrer schleichenden Vergiftung. Die Bilder der beklagenswerten Opfer gingen damals um die Welt.

Und doch kann Quecksilber eines *nicht*: nämlich die menschliche DNS – Trägerin aller Erbinformationen – zu beeinflussen. Der Münchner Toxikologe Dr. Norbert Felgenhauer erklärte dies, mit Hinblick auf die Bewohner des »Dorfes der Zwerge«, mit den folgenden Worten: »Quecksilber führt zu Störungen im zentralen Nervensystem, schädigt Magen, Darm und Nieren. Je nach der Dosierung kann auch der Tod eintreten. Auf keinen Fall aber kann die Aufnahme von Quecksilber eine Veränderung der Chromosomen bewirken, was bedeutet: Quecksilber wirkt sich nach westlichen Erkenntnissen nicht auf das Wachstum aus.«[105]

So löst sich denn die so hoffnungsvoll geäußerte »Quecksilber-Hypothese« bei näherer Betrachtung restlos in Wohlgefallen auf. Bezeichnenderweise wurde die Existenz dieses »Dorfes der Zwerge« vonseiten der chinesischen Behörden nicht dementiert, auch dessen Name – *Huilong* – wird ohne

Zensur genannt. Nur ist das Gebiet für ausländische Besucher gesperrt. Das bringt mich auf die folgende Überlegung: Hätten wir es dabei mit einer Art Getto zu tun – also einer »von oben« verfügten, willkürlichen Zusammensperrung kleinwüchsiger Menschen aus der ganzen Volksrepublik –, so hätten es die Behörden mit Sicherheit geheim gehalten. China ist sehr darauf bedacht, auf dem Gebiet des Tourismus wie auch in anderen Wirtschaftszweigen gute Beziehungen auf internationaler Ebene zu unterhalten. Die künftige Supermacht hat einen Ruf zu verlieren, der Imageschaden wäre gewaltig gewesen. Diesen Schuh wollte man sich in Peking auf keinen Fall anziehen.

Demzufolge müssen jene kleinwüchsigen Wesen von gemeinsamer ethnischer Herkunft sein, und nicht etwa nur aus verschiedenen Regionen der Volksrepublik bunt zusammengewürfelt. Für Mediziner und Ethnologen stellen sie ein bislang nicht zu knackendes Rätsel dar. Und wir hier im Westen rätseln nicht nur, sondern haben auch keine Ahnung, wie weit der Erkenntnisstand zur Zeit im fernen China ist.

Lange Zeit in absoluter Isolation

Last but not least liegt das Gebiet, in dem jene Zwergwesen entdeckt worden sind, nur wenige hundert Kilometer von den Höhenzügen des Baian Kara Ula entfernt – beinahe schon an dessen östlichen Ausläufern. Dort grenzt die Provinz Sichuan an deren Nachbarprovinz Qinghai. Aufgrund dieser nun bekannten Informationen halte ich zwei Szenarien für möglich:

1. Vor nicht allzu langer Zeit – vielleicht erst zur Mitte der 1990er-Jahre – entschlossen sich jene kleinen Wesen, welche möglicherweise tatsächlich die letzten lebenden Nachfahren

der Dropa aus dem Baian Kara Ula sind, den unwirtlichen Höhen der Berge den Rücken zu kehren, um sich endlich in klimatisch angenehmeren Regionen anzusiedeln.

2. Gleichfalls vor wenigen Jahren wurden die Zwergwesen in der Hochgebirgsregion entdeckt und aus Gründen effektiver Studien und Überwachung zwangsweise von den maßgeblichen Stellen und Behörden umgesiedelt.

Szenario Nummer 2 halte ich persönlich für ziemlich unwahrscheinlich – wie bei der Variante mit der »von oben« verfügten Gettobildung wären auch hier keine Informationen nach draußen gedrungen. Daher tendiere ich entschieden zur ersten Alternative. Doch eine Tatsache dürfte bei beiden Denkmodellen wohl als unstrittig gelten: Die kleinen Wesen müssen lange Zeit vollkommen isoliert gelebt haben. Ansonsten wäre es nämlich zur Vermischung mit anderen, benachbarten Volksgruppen gekommen. Dieses wiederum hätte die Durchschnittsgröße der einzelnen Individuen deutlich messbar in die Höhe getrieben.

Ein gutes Beispiel hierfür stellen die Pygmäen dar, menschliche Zwergrassen, die beispielsweise im Kongobecken Äquatorialafrikas beheimatet sind. Bereits Homer und Herodot beschrieben ein sagenhaftes Zwergenvolk, das sie *Pygmaioi* (»Fäustlinge«) nannten. Als sich vor 200 Jahren die ersten europäischen Forscher und Abenteurer durch die Dschungel im Inneren Afrikas schlugen, beschrieben sie diese kleinwüchsigen Menschen, deren Größe damals zwischen 130 und 140 Zentimetern betrug. In unserer Zeit erreichen sie nicht selten eine Körpergröße von 150 Zentimetern, was sich durch die Verschmelzung mit umliegenden normalwüchsigen Stämmen erklärt. Die Mediziner bezeichnen diesen Wachstumsschub als *Akzeleration*.

Doch nichts dergleichen geschah mit jenen Kleinen, die heute in Huilong leben, dem etwa 200 Kilometer südlich von

Chengdu gelegenen »Dorf der Zwerge«. Sie wuchsen nicht, lebten völlig isoliert in den Bergen von Qinghai. Eine konsequent in jener Umgebung über Jahrtausende betriebene Inzucht dürfte dafür gesorgt haben, dass sie noch kleiner wurden, wie jener konkrete Fall eines nur 63,5 Zentimeter großen Erwachsenen höchst eindrucksvoll zu belegen vermag.

Unheimliche Begegnung im Zweiten Weltkrieg

Obwohl zum gegenwärtigen Zeitpunkt westlichen Forschern immer noch der Zutritt zu diesen klein gewachsenen Menschen verwehrt wird, stellt deren Entdeckung den vorläufigen Höhepunkt einer mysteriösen Geschichte dar, die viel zu voreilig von den Kritikern ins Reich der Fabel verwiesen wurde. Auf einer Seite haben wir ethnologisch nicht zuordenbare Wesen – auf der anderen einen mehr als fantastisch anmutenden Bericht über einen UFO-Absturz, der vor rund 12 000 Jahren stattgefunden haben könnte. Verzeichnet auf einem Vermächtnis von 716 steinernen Scheiben, von denen zwei Exemplare für kurze Zeit aufgetaucht sind, dann jedoch wieder unserem Zugriff entzogen wurden. Die Suche geht aber weiter, hier im Westen wie auch in der Volksrepublik, wie ich etwas später noch erläutern werde.

Und sie fördert immer mehr Indizien zutage, die bei der Bewertung des Jahrtausendrätsels »Chinesisches Roswell« die Waagschale deutlich auf jene Seite neigen, die *für* ein ganz konkretes Ereignis hinter den zahllosen Fragezeichen steht. So stieß der Berliner Historiker Dr. Jörg Dendl auf eine Veröffentlichung aus dem Jahre 1933, der ein chinesischer Bericht über zwei Konfrontationen mit zwergwüchsigen Menschen in den Bergen von Tibet zugrunde liegt (im Westen grenzt die Provinz Qinghai mit Ausläufern des Baian Kara Ula an Tibet!).

Der Verfasser des ursprünglichen Berichts mit dem Titel *Hsi Tsang Tu Kao* sah zunächst eine Frau, die von einem chinesischen Soldaten geführt wurde. Sie maß kaum vier Fuß, was etwa einer Körpergröße unter 1,20 Metern entspricht. Einige Zeit später traf er in Menkong auf eine ganze Gruppe dieser Geschöpfe. Von ihnen konnte er einige messen, und er gab für die männlichen Individuen im Durchschnitt vier Fuß, sechs Inches (etwa 1,35 Meter), für die Frauen sogar nur vier Fuß, zwei Inches (etwa 1,25 Meter) an. Die ganze Gruppe wurde als Sklaven gehalten. In dem oben genannten Originalbericht wurde zudem vermerkt, dass diese kleinen Wesen angeblich Kannibalen waren und in einer gebirgigen Gegend lebten. Besagte Gegend wird den Angaben zufolge im Norden durch eine Linie eingegrenzt, die von Assam nach Batang verläuft, während die östliche Grenze von einer Linie zwischen Chiang Ka und Teng Yüeh gebildet wird. Dieses Land wurde »Kepu Chan« genannt, und dessen Einwohner blieben von den religiösen Einflüssen des Buddhismus unberührt, die im Übrigen ganz Asien prägten. Die Kultur jener Kleinen wird in dem Bericht als sehr primitiv beschrieben, denn es ist die Rede davon, dass sie alle Höhlenbewohner seien und sich mit Tierhäuten und Blättern bekleiden.[106]

Dies könnte zu ehemals hochentwickelten Havaristen passen, die sich an einfachste Lebensbedingungen gewöhnen mussten und nach und nach der letzten technischen Annehmlichkeiten beraubt wurden, die sie zunächst hatten retten können. Doch dann wurde ihr Kampf ums Überleben immer härter.

Einen äußerst interessanten Hinweis bekam ich unerwartet am anderen Ende der Welt präsentiert. Gegen Ende der 1990er-Jahre hielt ich an der Ostküste von Australien eine Reihe von Vorträgen über Chinas letzte ungelöste Rätsel. Es war in Brisbane, der Haupt- und Hafenstadt des Bundeslandes Queensland, da nahmen mich nach meinem Vortrag zwei junge Leute zur Seite. Diese beiden erzählten mir die seltsame Geschichte ihres mittlerweile verstorbenen Großvaters, der während des Zweiten Weltkriegs aufseiten der Alliierten gegen die japanischen Truppen kämpfte. Bis zu seinem Tode hatte er seinen Familienangehörigen immer wieder von seltsam kleinwüchsigen Wesen mit großen Köpfen erzählt, auf die er in einsamen Bergregionen Chinas wiederholt gestoßen war. Seine Familie jedoch hielt diese Geschichten für Schauermärchen eines Kriegsveteranen, also glaubte ihm keiner. (»Why should we believe his crazy stories? Bullets kept flying around his head, and everybody knows soldiers become traumatized during battles and other warfare actions.« – »Warum hätten wir ihm auch glauben sollen? Damals pfiffen ihm die Kugeln um den Kopf, und jeder weiß, wie oft Soldaten durch Kampfhandlungen traumatisiert werden.«)

Ich bin mir aber sicher, dass nach jenem Diavortrag in Brisbane, in dem ich natürlich auch die ominöse Steinscheiben-Story von Baian Kara Ula ausführlich zur Sprache brachte, die Familie des längst verstorbenen Weltkrieg-II-Veteranen nun gänzlich anders über die Erlebnisse ihres Großvaters denkt. Häufig kommt die Erkenntnis spät – aber sie kommt.

Neue Expedition nach Baian Kara Ula?

Diese dramatische Entwicklung in einem Fall, der von Kritikern und selbst ernannten Hütern der Wissenschaft zu vorschnell ad acta gelegt wurde, verlangt dringend nach weiteren, gründlichen Recherchen. Ich werde am Ball bleiben, werde versuchen, die rätselhaften Geschehnisse um einen möglichen Raumschiffabsturz vor 12 000 Jahren dem Dunstkreis von Mythen, Legenden und obskuren Gerüchten zu entreißen. Für mich ist es eins der faszinierendsten Mysterien unserer Zeit.

Die Chancen dafür stehen nicht einmal so schlecht. Vor Kurzem wurde ich für eine Titelgeschichte der größten englischsprachigen Wochenzeitschrift Chinas, dem »City Weekend Magazine«, zum Thema »Außerirdische Phänomene in China« interviewt. Breitesten Raum nahmen natürlich die unlängst gefundenen mysteriösen Röhren am Baigong ein, die von offiziellen Vertretern des wissenschaftlichen und politischen China freimütig als die »Ruinen der außerirdischen Menschen« bezeichnet werden (siehe Kap. 8).[107] Zudem erfuhr ich im Verlauf des mehr als 90-minütigen Telefonates, dass man in China auch eine neue Expedition in die Berge von Baian Kara Ula plane. Gewissermaßen eine Neuauflage der 1937/38er-Expedition Chi PuTei, mit der ja das ganze mittlerweile zum »archäologischen Kriminalfall erster Güte« gediehene Rätsel begann. Gesponsert werden soll die Aktion durch führende Massenmedien der Volksrepublik China, unter ihnen die landesweit verbreitete Tageszeitung »China Daily«.

So darf man allen Ernstes darauf gespannt sein, was wohl in absehbarer Zeit an sensationellen Neuigkeiten aus dem nach wie vor geheimnisumwobenen Reich der Mitte zu uns dringt. Künftighin sollte man sich aber tunlichst verkneifen, manche Informationen nur aus jenem Grunde der Lächerlichkeit auszusetzen, da sie auf den ersten Blick reichlich exotisch anmuten. Nur weil wieder einmal nicht sein *kann*, was nicht sein *darf* …

10 Ägypter und andere Außerirdische

Australien birgt noch viele Geheimnisse

> »Den Völkern der Antike war Australien
> bekannt, Tausende Jahre vor der Ära
> eines Magellan oder eines Cook.«
>
> REX GILROY,
> AUSTRALISCHER FORSCHER
> UND ARCHÄOLOGE

Ein leichtes Grauen überfiel mich, als es, kaum einen Meter von mir entfernt, zwischen den Steinen raschelte. Denn mit Bedacht hatte ich mir für meine jüngsten Forschungen die Wintermonate ausgesucht, auf der südlichen Erdhalbkugel die Zeit von Juni bis einschließlich August. Da halten der Taipan und die Death Adder sowie der Copperhead, drei in Australien vorkommende Giftschlangen, deren Biss meist tödlich endet, ihren Winterschlaf. Nicht so die Östliche Braunschlange, ein zwei bis drei Meter langes, äußerst nervöses Reptil, das anders als alle anderen Giftschlangen im Verlaufe einer Attacke mehrere Male zuschlägt. Bis zu viermal, um genau zu sein. Wir werden ihr bei späterer Gelegenheit noch einmal begegnen. Was das Rascheln in meiner Nähe betrifft, wollte mir ein Exemplar dieser im gesamten Osten Australiens verbreiteten Schlangen womöglich nur ein Zeichen geben, dass ich an der falschen Stelle suchte.

Rückblende. Bereits während einer mehrere Jahre zurückliegenden Reise durch den »Fünften Kontinent« hörte ich von einem Fund, der seinerzeit – mit Ausnahme spezieller Kreise in Australien – so gut wie unbekannt geblieben ist. Mitte der 90er-Jahre war der australische Forscher, Schriftsteller und Filmemacher Paul White im Outback des nordöstlichen New South Wales an zwei Felswänden auf Hunderte Hieroglyphen offenbar altägyptischer Herkunft gestoßen.[108]

Mir war klar, dass ich irgendwann wieder nach Australien, in die Wildnis musste, um mir mein eigenes Bild von dieser geheimnisumwobenen Stätte zu machen.

Wie aus dem Boden gewachsen

Am 24. August 2007 mietete ich zu diesem Zweck in einem Vorort von Sydney ein Taxi für den ganzen Tag an. Noch heute wird mir ganz anders, wenn ich an die exorbitant hohen Fahrtkosten denke. Doch als wir dann das Straßengewirr in und um die größte Stadt Australiens hinter uns gelassen hatten, verspürte ich unsagbare Erleichterung. Mit einem Leihwagen, selbst am Steuer, hätte ich mich hoffnungslos verfahren, wäre überall sonst herausgekommen, nur nicht an dem Ort, dem ich mit zunehmender Ungeduld entgegenfieberte.

Wenige Tage zuvor hatte ich erfahren, dass sich der Ort meiner Begierde in der Umgebung der Stadt Gosford befindet, nicht mehr als zwei Autostunden nördlich von Sydney. Und zwar wenige Kilometer außerhalb der Ortschaft Kariong, auf dem Territorium des »Brisbane Water National Park«. Jedoch mittendrin in jenem typisch australischen Buschland, das sofort da beginnt, sobald die letzten Häuser eines Ortes enden.

Auf dem »Pacific Highway« ging es schnurgerade in nördliche Richtung, wo die Autobahn über die »Broken Bay« führt, die das Mündungsgebiet des Hawkesbury River darstellt. Verlässt man den Highway an der Ausfahrt Gosford, so befindet man sich nach ein paar hundert Metern bereits am Ortseingang von Kariong. In einer Tankstelle – noch bevor ich die ersten Worte heraus hatte, sprach mich die Dame an der Kasse in lupenreinem tirolerischen Dialekt an – holte ich mir die letzten Instruktionen, um nicht im Busch verloren zu gehen.

Knappe einhundert Meter nach der Tankstelle zweigt die »Woy Woy Road« zum gleichnamigen Nachbarort ab. Von da aus waren es noch etwa zwei Kilometer, bis linkerhand ein kleiner Parkplatz auftauchte; genau gesagt, nicht mehr als ein paar Quadratmeter flacher, felsiger Untergrund. Etwas zurückversetzt eine Barriere mit dem Hinweisschild »Lyre Trig Fire Trail«. Kein Verbot, also worauf noch warten? Je nach Marschgeschwindigkeit, so die freundliche Dame von der Tankstelle, würden wir 20 bis 30 Minuten bis zum »Lyre Trig Mountain« benötigen. Dies ist ein Hügel von bescheidenen 241 Metern über dem Meeresspiegel, auf dessen Gipfel ein Sockel mit einer Art Windrose steht. Diesen markanten Punkt, an dem auch der Trail endet, erreichten wir bereits nach knapp 20 Minuten forcierter Gangart. Neugier ist doch immer noch der allerbeste Antrieb.

Vom Gipfel des Lyre Trig aus würde diese Felsenschlucht mit den Hieroglyphen leicht zu finden sein. Aber auf welcher Seite sollte ich suchen? Als ich mich etwas in das Dickicht vorwagte, raschelte es plötzlich keinen Meter von meinen Füßen entfernt, worauf ich mich instinktiv zurückzog. Ein Schlangenbiss im Outback wäre wirklich das Allerletzte, was ich gebrauchen konnte. Schließlich entdeckte ich einen schmalen Trampelpfad, der sich zuerst an der Südseite um ein lang gestrecktes Felsplateau zog, um dann talwärts zu führen. Vorsichtig und mit stets zum Boden gesenktem Blick tasteten wir uns über den mit üppiger Vegetation bewachsenen Felsboden, um unliebsamen Überraschungen mit jenen Tieren zu entgehen, die der eigenen Gesundheit nicht gerade zuträglich sind.

Und immer wieder streifte unser prüfender Blick die Stein-
klötze, die steil vor uns aufragten. So weit wir auch schauten –
von den gesuchten Felsklüften mit den Hieroglyphen fand
sich keine Spur.

Man kann im Leben nichts erzwingen, deshalb wollte ich
mich bereits resignierend auf den Rückweg machen. Wir hatten gerade ein paar Schritte in Richtung auf den Gipfel des
Lyre Trig gemacht, da tauchten urplötzlich – wie aus dem
Boden gewachsen – zwei Wanderer auf. Im australischen Outback ist es kaum anders als im kleinen Dorf in Bayern oder
sonstwo: Man grüßt einander und kommt ins Gespräch,
und … in diesem Fall fragte ich ganz ungeniert, ob ihnen die
Felsenschlucht mit den altägyptischen Hieroglyphen denn
ein Begriff sei.

Anubis im Outback

Und tatsächlich: Jene beiden so unvermutet auf den Plan
getretenen Buschwanderer kannten die Stelle! Waren zudem
spontan bereit, uns zu führen. Kaum einen Steinwurf weiter
als wir bereits gekommen waren, stützten wir uns vorsichtig
mit den Händen ab, als es eine Art steinerne Rutsche abwärts
ging. Danach machte der Stieg eine 90-Grad-Wendung nach
links – und genauso unvermutet, wie uns unsere Helfer zuteil
wurden, befanden wir uns zwischen den beiden Felsen. Gerade eineinhalb Meter voneinander getrennt, ragen diese paral-
lel mehrere Meter steil nach oben. Der geheimnisumwitterte
Ort wollte mich, entgegen meinen ursprünglichen Befürchtungen, nun doch haben.

Die etwas über zehn Meter lange Schlucht war einst wie eine
Höhle von flachen Felsen überdacht, von denen jedoch alle,
bis auf einen verbliebenen, herabgestürzt sind. Das wirklich

Weltbewegende an diesem Ort, was sofort sämtliche Blicke auf sich zieht, sind die mehr als 250 tief in beide Felsen eingeritzten hieroglyphischen Zeichen. Sie zeigen überwiegend klar erkennbare altägyptische Symbole wie Schlangen, einen heiligen Skarabäus oder sphinxartige Gestalten. Einige andere wiederum zeigen ungewöhnlichere Symbole, was einige Zeitgenossen schließen lässt, dass es sich nur um grobe Fälschungen handelt. Auf diesen Vorwurf gehe ich natürlich noch detaillierter ein.

Kurz vor dem oberen Ende der Schlucht, geschützt durch den verbliebenen Teil des – einst künstlich errichteten? – Felsendaches, sticht eine bemerkenswert deutliche und gut erkennbare Figur ins Auge. Es ist der alte ägyptische Gott *Anubis*, hundeköpfiger Totengott, den man wohl zu allerletzt in dieser Wildnis auf dem Fünften Kontinent vermuten würde.

Natürlich nutzte ich den Umstand weidlich aus, dass ich jene Felskluft, an der man üblicherweise achtlos vorüberläuft, wenn man den Ort nicht kennt, doch noch in meine Sammlung geheimnisträchtiger Stätten auf diesem Globus einreihen durfte. Ich fotografierte ausgiebig, machte Detailaufnahmen aus allen möglichen Blickwinkeln und Positionen, obwohl die Lichtverhältnisse in diesem Bereich sich alles andere als einfach präsentierten. Und ich arbeitete mich in die faszinierende, neue Materie ein, suchte mir das spärliche zu diesem Fund existierende, auch von unterschiedlichen Standpunkten geprägte Material zusammen. Die ominöse Angelegenheit wird von nur ganz wenigen Interessierten in Australien ziemlich kontrovers diskutiert. Ich habe mir vor Ort im Busch einen Überblick verschafft, wie auch die Argumente pro und contra sorgfältig abgewogen. Das Ergebnis ist überraschend – und zwar für diejenigen, die so schnell mit »Erklärungen« zur Stelle sind wie Fälschungen oder unüberlegten Studentenstreichen. Und weitere Hinweise lassen die Vermutung zu, dass da wieder die gleichen uralten »Lehrmeister« ihre Strippen im Hintergrund gezogen haben, die für so viele Ungereimtheiten auch auf anderen Kontinenten verantwortlich sind.

Bevor ich es vergesse: Ich weiß wirklich nicht, ob es etwas zu bedeuten hat. Aber unsere beiden »rettenden Engel«, welchen ich letztlich den Erfolg meiner Suche zu verdanken habe, wandten sich kurz nach Erreichen um und verließen die Stätte. Es fiel mir nur auf, dass sie gleich darauf verschwunden waren, so als hätte sie der Erdboden verschluckt …

Archaischer Schreibstil

Wohl das schwerwiegendste Argument, das gegen die Echtheit der Hieroglyphen ins Fels geführt wird, besagt, dass diese eine höchst fehlerhafte Schreibweise erkennen lassen. Als hätte jemand, unter Zuhilfenahme von Fotos oder Abrieben echter Hieroglyphen, sich auf den Felsen verewigt. Schnell kamen Gerüchte auf, ein paar Studenten, die Anfang der 1980er-Jahre beim Lyre Trig Mountain campierten, seien die Urheber der – nach Meinung der Kritiker – gefälschten Inschriften.

Dem widersprechen eindeutig zahlreiche Berichte von Einheimischen, welche die Felsritzungen bereits um die Wende vom 19. zum 20. Jahrhundert gesehen hatten!

Auch eine erste Übersetzung spricht gegen den so hartnäckig geäußerten Vorwurf der Fälschung. Hierbei stellte sich heraus, dass die Hieroglyphen einen archaischen Schreibstil aus Zeiten der frühesten Dynastien repräsentieren. Dieser ganz frühe Stil ist offenbar nur den wenigsten Ägyptologen geläufig. Die Hieroglyphen enthalten frühe Formen von Zeichen, die noch sehr viel Ähnlichkeit mit altphönizischen und sumerischen Schriften aufweisen. Wohl deshalb glauben die meisten Archäologen wie auch Laien, es folglich mit einer – noch nicht einmal besonders gelungenen – Fälschung zu tun zu haben.

Der Haken an dieser Fälschungsbehauptung aber ist, dass viele der auf den besagten Felswänden eingemeißelten Hieroglyphen noch gar nicht in den konventionellen Wörterbüchern verzeichnet sind. Logischerweise können sie dann aber nicht von den häufig strapazierten Mitgliedern der »internationalen Fälscher-Mafia« abgekupfert worden sein. Zu diesem Ergebnis kam der Ägyptologe Ray Johnson, der als einer von nur wenigen Gelehrten sein ganzes Leben der Erforschung und Übersetzung der frühesten Hieroglyphen gewidmet hat. Er verfügt über eigene, handgeschriebene Wörterbücher und übertrug schon uralte Texte aus den Archiven des Ägyptischen Museums zu Kairo ins Englische.[108, 109]

Die erste Übersetzung des unkonventionellen Ägyptologen erlaubte Einblicke in die damals abgelaufenen, hoch dramatischen Ereignisse. Weitere Analysen und Erkenntnisse anderer hinzugezogener Experten ließen aus anfänglichen Bruchstücken ein Bild entstehen, welches einmal mehr grundlegend von jenem abweicht, welches wir von der Vergangenheit besitzen.

Was stellt unsere Vorstellungskraft auf eine härtere Probe? Jene Möglichkeit in Betracht zu ziehen, dass es zur See fahrenden Ägyptern bereits vor mehreren tausend Jahren gelungen war, Australien zu erreichen? Oder die reichlich gewundene Annahme, neuzeitliche Fälscher – Scherzbolde vom Scheitel bis zur Sohle – hätten in einem schwer zugänglichen Gebiet einen Schabernack ohnegleichen betrieben? Warum und zu welchem Zweck? Sie hätten zudem über das rare Wissen verfügen müssen, archaische Schriftformen der frühesten Dynastien sinnvoll und zusammenhängend in Wort und Schrift zu beherrschen. Das alles auch noch ohne Wörterbücher, die sie aus dem banalen Grunde nicht zu Rate ziehen konnten, weil es sie nicht gibt. Ganz nebenbei hätten sie auch den typischen Satzbau und spezielle Ausdrücke beherrschen müssen sowie seltene Gebete und Begräbnisrituale, was eine exakte Kenntnis dieser längst vergangenen Zeiten voraussetzt.

Die Schlange, die mehrmals zuschlägt

Was also soll auf den mysteriösen Felsinschriften in dieser Wildnis niedergelegt sein? Gemäß der Übersetzung berichten sie die tragische Geschichte vorzeitlicher Entdecker, welche es in ein fernes Land mit einer unbarmherzigen Natur verschlagen hat. Die Rede ist auch vom viel zu frühen, tragischen Tod des adeligen Anführers der Expedition, eines Prinzen mit Namen *Djeseb*. Eine Sequenz von drei Kartuschen – das sind Umrahmungen um die Herrschernamen in altägyptischen Inschriften – nennt den Namen Ra-Djedef als regierenden König am oberen und unteren Nil, der Sohn des Khufu (Cheops), welcher wiederum Sohn des Pharao Snofru war. Diese Angaben erlauben, den zeitlichen Rahmen der Expedition auf die Periode kurz nach der Regierung Khufus zu datieren, der von 2551 bis 2528 v. Chr. herrschte. Ihm wird auch der Bau der Großen Pyramide in Giza zugeschrieben, obwohl dies sehr fraglich erscheint, da neuere Hinweise auf ein wesentlich höheres Alter des einzigen, noch existierenden Weltwunders der Antike schließen lassen. Die Echtheit vorausgesetzt, muss diese ägyptische Expedition nach Australien vor mindestens 4500 Jahren stattgefunden haben. Und der erwähnte Adelige, Prinz Djeseb, wäre dann mit großer Wahrscheinlichkeit ein Sohn von Pharao Ra-Djedef, der nach Khufu regierte.

Die Hieroglyphen skizzieren die Reise Prinz Djesebs, ebenso die Umstände seines tragischen Ablebens:

»Zwei Jahre schon verfolgte er seinen Weg, müde, aber stark bis zum Ende. Immer die Götter anrufend, frohen Mutes, und die Insekten erschlagend. Er, der Diener der Götter, er sagte, Gott brachte die Insekten (…). Wir wanderten über Berge, Flüsse und Wüsten, in Wind und Regen, und es war kein See in Sicht (…). Er wurde getötet, als er die Standarte des goldenen Falken in diesem fremden Land vor sich hertrug, Berge, Flüsse und Wüsten auf seinem langen Weg durchquerte.«

Die Inschriften auf jenem der beiden Felsen, der die stärkeren Verwitterungsspuren aufweist, geben einen genauen Einblick in die Umstände von Prinz Djesebs Tod. Der Text beginnt mit einer Glyphe für Schlange, gefolgt vom Symbol für die Klauen des Todes (»beißen«) sowie dem Zahlwort für »zwei«. Das liest sich dann übersetzt wie folgt:

»Die Schlange biss zweimal zu. Jene getreuen Nachfolger des göttlichen Herrschers Khufu, dem mächtigen Gebieter des Unteren Ägypten, Herr der zwei Dechsel (beilartiges Werkzeug mit einem quer zum Stiel gestellten Blatt, ein Herrschaftssymbol des alten Ägypten; HH), werden nicht zurückkommen. Wir aber müssen vorwärtsgehen und nicht zurückblicken. Alle Bäche und Flussläufe sind ausgetrocknet. Unser Schiff ist schwer beschädigt, wir haben es mit Stricken notdürftig zusammengeflickt. Der Tod wurde durch eine Schlange gebracht. Wir gaben Eigelb aus der Medizintruhe und beteten zu Amen, dem Verborgenen, denn er wurde zweimal getroffen.«[108, 109]

Dieser ganz besondere Umstand, dass der Prinz nicht nur einmal, sondern gleich zweimal von einer Schlange gebissen wurde, stellt für mich ein weiteres Indiz dar, dass doch mehr an dieser Geschichte dran ist, als uns Skeptiker weismachen wollen. Normalerweise beißen Giftschlangen stets ein einziges Mal zu, wenn sie angreifen, und applizieren bei dieser Attacke so viel Gift als möglich in ihr Opfer. Das ist bei allen Arten gleich, ob es nun Kobras oder Klapperschlangen sind, Schwarze und Grüne Mambas oder was auch immer.

Mit einer einzigen Ausnahme: Die in bestimmten Regionen von Australien und Neuguinea vorkommende *Braunschlange* (Pseudonaja textilis) zeigt ein für Giftschlangen vollkommen atypisches Angriffsverhalten. Sie gilt als äußerst nervös, wird selbst bei vermeintlicher Bedrohung hoch aggressiv und beißt dann sofort zu. Das zur Familie der Giftnattern zählende Reptil belässt es auch nicht bei einem Biss, sondern tut dies mehrere Male – nämlich bis zu vier- oder gar fünfmal.[110]

Es muss eine Braunschlange gewesen sein, welcher der ägyptische Prinz zum Opfer gefallen ist. Sie ist im Buschland dieser Region nördlich von Sydney eines der am weitesten verbreiteten Reptilien. Wer sich durch das Outback bewegt, sollte stets vor diesen tödlich giftigen Kreaturen auf der Hut sein.

Wo steckt die Mumie?

Eine weitere Folge von Glyphen beschreibt einen Leichnam auf der Totenbahre:

»Er, der gestorben ist, wurde hier begraben. Möge er ewiges Leben erlangen. Niemals wieder wird er an den Wassern des heiligen Meeres stehen.«

Die Vorbereitungen und Rituale des Begräbnisses werden dann im weiteren Verlauf des Hieroglyphentextes beschrieben. Offenbar kam es hierbei zu dramatischen Vorfällen, als ein Teil der Expeditionsmannschaft aufbegehrte und den neuen Befehlshabern die Gefolgschaft verweigerte.

»Wir verschlossen den Seiteneingang zur Totenkammer mit den Steinen, die wir ringsum fanden. Die Kammer aber richteten wir nach den Sternen des westlichen Himmels aus.«

Plötzlich aber brach die Litanei der Begräbnisrituale ganz unvermittelt ab, als ob die Arbeiten aufgrund massiver Schwierigkeiten mit einigen der Beteiligten zum jähen Stillstand gekommen wären. Eine separat stehende Schriftzeile mag den Grund hierzu andeuten:

»Ich zählte die Dolche der Fellachen, nahm sie an mich und brachte sie an einen sicheren Ort.«

Zum Glück konnte die Meuterei unblutig beendet und das Begräbnisritual fortgesetzt und auch vollendet werden. Denn nach der Aufzählung einiger Gebete sowie der bei dem Leichnam hinterlassenen Beigaben schließt der Text mit den folgenden Feststellungen:

»Die drei ›Türen der Ewigkeit‹ wurden mit dem hinteren Ende des königlichen Grabes verbunden und daraufhin versiegelt. Daneben stellten wir ein Gefäß mit den heiligen Opfergaben, wenn er von seinem Tode erwachte. So fern von seiner Heimat ist der königliche Körper und sein Besitz bestattet.«[108, 109]

So endet der außergewöhnliche Bericht über die Expedition, den tragischen Tod und das standesgemäße Begräbnis eines ägyptischen Prinzen, dem es anscheinend bereits vor mehr als 4500 Jahren beschieden war, Australien anzusteuern. Jene sagenhafte »Terra Australis Incognita« – das »unbekannte Land im Süden«, das dann für viele lange Jahrhunderte nur als vage Vorstellung in den Köpfen der Menschen spuken sollte. Um ehrlich zu sein: Wären es nur jene Hieroglyphen auf den Felswänden im Buschland des »Brisbane Water National Park«, die auf eine vorgeschichtliche Verbindung mit dem Land am Nil hindeuten – ich hätte mit großer Sicherheit Gefallen an der Argumentation der Skeptiker gefunden. Doch kennen wir mittlerweile derart zahlreiche Funde in Australien – und auch bei den Ureinwohnern praktizierte Mumifizierungsriten lassen keine anderen Schlussfolgerungen zu –, die sogar regelmäßige Kontakte der alten Ägypter mit dem Fünften Kontinent sehr realistisch erscheinen lassen.

Bevor ich jedoch näher auf diese vielfältigen und gewichtigen Hinweise eingehe, möchte ich nicht unter den Tisch fallen lassen, dass bis zum heutigen Tag die Mumie jenes unglücklichen Prinzen nicht gefunden werden konnte. Zwar stieß die australische Geologin Michelle Westerman im Jahre 1998 auf eine unterirdische, tunnelartige Kammer. Doch die enthielt keine brauchbaren Hinweise – geschweige denn alte ägyptische Artefakte.[111] Waren schon früher Grabräuber eingedrungen und hatten sich der Schätze bemächtigt? Oder stellt die aus einer natürlichen Felsenspalte erweiterte, schlauchförmige Kammer nur eine Art »Ablenkungsmanöver« dar, und Mumie nebst Grabbeigaben liegen noch unentdeckt und unangetastet im Schoß der Erde des nordöstlichen New South Wales?

Niemand vermag dies im Augenblick zu sagen, denn systematische Grabungen haben bislang noch nicht begonnen. Und dürften wohl auch noch auf sich warten lassen, denn die offizielle Archäologie stellt den Fund nur allzu gerne als Schwindelmanöver und plumpe Fälschung hin.[112, 113]

Immerhin stieß die erwähnte Geologin Michelle Westerman unweit der Hieroglyphen auf seltsame, in den felsigen Boden eingemeißelte Kreise. Sie suchte das Gebiet ab, vermaß deren Lage und trug alles maßstabsgetreu auf Millimeterpapier ein. Es war merkwürdig, dass sie nicht nur Dutzende dieser Kreise fand: Sie schienen zudem ein Muster zu bilden. Anfangs vermutete Michelle Westerman noch irgendwelche Verbindungen mit lokalen Bodenerhebungen oder »kultischen Handlungen«. Erst die Entdeckungen von Robert Bauval, der herausgefunden hatte, dass die Pyramiden von Giza eine gewaltige Sternenkarte darstellen,[114] brachte in ihr eine verwegene Idee hervor.

Michelle nahm sich im Computer der Universität Sydney sämtliche Aufzeichnungen und Rechenprogramme aller Sternenkonstellationen vor. Und stieß auf eine geradezu unheimliche Übereinstimmung jener kreisförmigen Bodenglyphen mit den Sternbildern der Region. Und zwar genau so, wie sie sich dem Betrachter um das Jahr 2500 v. Chr. präsentiert haben. Das Ganze ist folglich eine gigantische Sternkarte und datiert genau in jene Zeit, da die alten Ägypter in Australien gelandet sein sollen! Mit welchem perfiden »Zufall« die Kritiker wohl diese Übereinstimmung wegdiskutieren wollen, ist mir mehr als schleierhaft.

Der Himmelsgott hält Gericht

Bei den Glaubensinhalten und Ritualen der Aborigines, jener lange unterdrückten Ureinwohner Australiens, die seit ein paar Jahren mit wachsendem Selbstbewusstsein die ihnen zustehenden Rechte einfordern, sind die Parallelen zum alten Ägypten nicht mehr zu übersehen. Im Central-Kimberley-Distrikt bedienen sie sich eigentümlicher Mumifizierungsriten, welche den zuzeiten der 21. Dynastie – also etwa um 900 v. Chr. – gebräuchlichen in unheimlicher Weise gleichen. Als wäre dies nicht schon seltsam genug, verwendete man im Gegenzug im alten Ägypten Harz des Eukalyptusbaumes zur Mumifizierung. Und der wuchs – zumindest in damaligen Zeiten – nachweislich nur in den Wäldern des Fünften Kontinents und nirgendwo sonst.[115]
Im Arnhem-Land im zentralen Norden Australiens ist der Glaube noch immer stark verbreitet, dass die Seele nach dem Tod in einem Boot den Weg der Sonne kreuzt. Die örtlichen Ureinwohner erzählen von Wulluwait, dem Bootsmann der Toten, der in seinem Kanu die Seelen ins Jenseits begleitet.

Dort hält zunächst der Himmelsgott Gericht über sie. Wenn der Dahingeschiedene ein gutes Leben geführt hat, darf er das Land des jenseitigen Lebens betreten. Hat er sich aber zu viel zuschulden kommen lassen, so wird er den Krokodilen zum Fraß vorgeworfen.

Unbestreitbar sind hier die Parallelen zur Vorstellungswelt der alten Ägypter, wo sich die Seelen der Gerichtsbarkeit des Gottes Osiris unterziehen müssen. Die Seele (*Ka*) wird auf eine Waagschale gelegt, während auf der anderen Waagschale eine Feder die Wahrheit symbolisiert. Zieht die Seele durch ihre Sünden in der irdischen Welt die Waage herunter, verfällt sie dem Krokodilgott *Ba*. Auch hier dürfen nur »gute Seelen« den Weg in ein jenseitiges Leben antreten.

Auf Darnley Island in der Torres Strait, die Nordaustralien von Neuguinea trennt, mumifizieren die Eingeborenen ihre Toten durch Entnahme der Organe. Dann wird durch die Nase das Gehirn herausgezogen – genau wie es die alten Ägypter praktiziert haben. Nachdem der Körper mit »magischen Augen« aus Perlmutt versehen wurde, balsamieren sie ihn ein und bemalen ihn mit rotem Ocker. Daraufhin rudern sie mit dem Verstorbenen in einem Boot, welches der Barke des Sonnengottes Ra nachempfunden ist – noch nicht einmal das »Auge des Ra« auf dem Bug fehlt –, zu ihrer Insel der Toten und beerdigen ihn in einer grob aus dem Felsen gehauenen Gruft.[116]

Und wenn wir uns wieder zurück in jene Region mit den »Hieroglyphenfelsen« begeben, unweit der Mündung des Hawkesbury River in die Broken Bay, stoßen wir auf noch verblüffendere Übereinstimmungen linguistischer Art. Denn der Name des Hawkesbury lautet in der Sprache der dortigen Aborigines »Be-row-ra«, was übersetzt so viel wie »Fluss (oder Gewässer) der Sonne« bedeutet. Ein altägyptischer Ausdruck, der wörtlich »Fluss des Sonnengottes« heißt. Der Name bezog sich auf den Lebensspender Ägyptens, den Nil. Die Ägypter, die es in die Gegend von Gosford im heutigen »Brisbane Water National Park« verschlagen hatte, gaben ihrer zeitweiligen neuen Heimat vielleicht denselben Namen.[116]

Sammlung australischer »Trophäen«

Sie blieben nicht für immer auf dem Kontinent »Down Under«, sondern fanden zuverlässig ihren Weg zurück ins Reich der Pharaonen. Dass ihnen seinerzeit fortschrittliche, wenn nicht gar hochtechnische Navigationshilfen zur Verfügung standen, mag im ersten Augenblick weit hergeholt klingen. Ich komme zum Schluss auch noch explizit darauf zurück.

Sie hinterließen aber noch eine ganze Menge weiterer Spuren in Form von greifbaren Artefakten, die so typisch für sie sind, dass eine Verwechslung ausgeschlossen erscheint. Seit den Fünfzigerjahren des 19. Jahrhunderts gruben Siedler und Farmer im östlichen Queensland immer wieder Gegenstände aus, welche unbestreitbar aus dem Raum des östlichen Mittelmeeres stammen müssen. Vornehmlich aus Ägypten. Beim Pflügen seines Feldes stieß der Farmer Dal Berry aus Gympie nördlich von Brisbane im Jahre 1966 auf eine grob geformte Statue, die offenbar so etwas wie ein Idol darstellt. Als das Artefakt vom Schmutz befreit war, stellte Berry fest, dass es sich um die Darstellung eines Affen handelte.

Für den unkonventionellen Archäologen und ehemaligen Direktor des »Mount York Natural History Museum« in Mount Victoria, Rex Gilroy, besitzt diese Statue deutliche Anklänge an den alten ägyptischen Gott Thot. Der wurde in den älteren Dynastien, bis ungefähr 1000 v. Chr., zumeist als Affe dargestellt. Und er galt als hochverehrter Gott der Gelehrsamkeit und als Schreiber der Götter.[117]

Heute steht die kleine Statue in einem Glaskasten im Museum für Heimatgeschichte von Gympie und genießt als »Gympie Ape« zumindest in der näheren Umgebung den Ruf einer kleinen Sensation. Die Aborigines, darüber ist man sich einig, waren sicher nicht die Schöpfer der Figur.

In derselben Gegend wie auch bei Cairns im äußersten Norden von Queensland wurden zu Anfang des 20. Jahrhunderts eine größere Anzahl kleiner Skarabäen mit Hieroglyphen darauf gefunden. Und ein gläsernes Amulett in Pyramidenform mit ägyptischen Inschriften auf allen vier Seiten gab der Boden erst 1983 unweit von Kyogle im nördlichen New South Wales frei. Das »Department of Mines«, die örtliche Bergbaubehörde, datierte den Fund auf ein Alter von mindestens 5000 Jahren.[113]

In der Kupfermine von Mareeba wurde eine Statuette des Gottes Aton ausgegraben, die stilistisch dem *Alten Reich* – um ca. 2620–2100 v. Chr. – zugeordnet werden kann. Nördlich von Cooktown wurden die Abbilder eines Streitwagens sowie Sonnenscheiben entdeckt, und schon 1912 hatten Arbeiter in Gordenvale einen scharfkantigen Monolithen gefunden, auf dem ein altägyptisches Rammboot dargestellt war.

Last but not least wachsen in der Region von Cairns im tropischen Nordosten des Kontinents wilde Lotos- und Papyrusstauden, die erst im 19. Jahrhundert von weißen Siedlern entdeckt wurden. Lotos und Papyrus gehören aber definitiv nicht zur natürlichen Flora Australiens – genauso wenig wie der Eukalyptus zur Pflanzenwelt Ägyptens zur Zeit der Pharaonen. Dessen Harze und Öle wurden dort – wie bereits erwähnt – zur Mumifizierung herangezogen.[116]

So wird schnell klar, dass man sich nicht einzig und alleine auf jene Hieroglyphen von den Felsen im Outback verlassen muss, um die vorgeschichtliche Ankunft einer oder (was wahrscheinlicher ist) mehrerer Expeditionen aus dem Pharaonenreich zu verifizieren. Auch der Umkehrschluss macht Sinn: Fand man doch am Nil »Trophäen« aus Australien, die dazu angetan sind, die gängige Lehrmeinung ad absurdum zu führen.

Schenkt man einer Meldung der *Cairo Times* aus dem Jahr 1982 Glauben, so stießen Archäologen unweit der Wüstenoase von Siwa auf die Skelette von Kängurus und weiteren, typisch australischen Beuteltieren.[117] Und nach wie vor ist ungeklärt, was es mit der Sammlung von *goldenen Bumerangs* auf sich hat, die der legendenumwitterte Altertumsforscher Howard Carter (1873–1939) im Grab des Pharaos Tut-Ench-Amun fand. Dieses Gerät wird einzig von den Ureinwohnern Australiens zu Jagdzwecken verwendet. Ein paar wenige Außenseiter der Archäologie wagten die Behauptung, dass Australien jenes mysteriöse Goldland des Südens ist, in dem unermessliche Mengen des Edelmetalls abgebaut wurden und das bis heute nicht lokalisiert werden konnte. Das wäre zumindest eine Erklärung für die Bumerangs aus purem Gold.

Angesichts dieser unglaublichen Fülle von konkreten Hinweisen auf einen regen Besuchsverkehr der Ägypter mit dem Fünften Kontinent in vorchristlicher Zeit könnte man beinahe schon Vergleiche zum heutigen »Zeitalter der Globalisierung« ziehen. Zu viele Funde, die man nicht mehr wegdiskutieren kann, sprechen dafür. Die Skeptiker werden dieses Mal nicht mit dem gewohnten Schulterzucken zur Tagesordnung übergehen können.

Die leuchtenden Vögel der »Traumzeit«

Zu guter Letzt möchte ich auch hier noch auf das verbindende Element eingehen, das beide Kulturkreise beeinflusst hat. Es ist gewissermaßen der »rote Faden«, der sich durch vorliegende Ausführungen zieht. Oder mit anderen Worten: Auch die Urbevölkerung Australiens erlebte ihre Begegnungen mit jenen fremden, technologisch weit fortgeschrittenen Intelligenzen, die schon seit unbekannten Zeiten unseren Planeten besuchen. Und die mit großer Wahrscheinlichkeit auch ein paar ausgeklügelte technische Gerätschaften zur Verfügung gestellt hatten, um den Abgesandten der Pharaonen zu ermöglichen, buchstäblich den halben Globus zu umrunden. Und dabei ihr »australisches Abenteuer« so erfolgreich wie möglich zu bestehen.

In den über viele Jahrtausende überlieferten, monotonen Gesängen der Aborigines wird ihre »Traumzeit« besungen. Dies war jene sagenhafte Epoche, in der die »Götter« noch auf der Erde waren. In dieser »Zeit ohne Anfang und Ende«, lange vor den ersten Anfängen unserer Geschichtsschreibung, stiegen wundersame Wesen in großen, leuchtenden »Vögeln« vom Himmel herab. Selbige lebten eine Zeit lang unter den Eingeborenen, um danach wieder in ihre himmlischen Gefilde zurückzukehren.

Als Höchster dieser Kulturbringer wurde *Birramee der Vogelmensch* verehrt. Auf zahlreichen Felsmalereien ist er als humanoides Geschöpf abgebildet, das in seltsame Gewänder gekleidet an die Astronauten unserer Tage erinnert.[117]

Dankbar nahm ich auch ihn in meine Sammlung ähnlich gearteter »Götterkollegen« auf, die rund um die Welt übereinstimmend dargestellt und beschrieben werden.

Genauso regelmäßig wie Birramee taucht auf den Petroglyphen der Aborigines die Göttin des Himmels, *Wondijna*, in ihrem hell leuchtenden »Strahlengewand« auf. Die Abbildungen dieser Gottheit, die ohne die Fantasie zu strapazieren an Weltraumfahrer unserer Tage erinnern, findet man am häufigsten in den unwirtlichen Kimberley Mountains im äußersten Norden des Bundesstaates West-Australien.

Auf den Klippen der Ndahla-Schlucht, zehn Kilometer östlich der Stadt Alice Springs im trocken-heißen Zentrum, fanden sich Zeichnungen von Göttergestalten mit antennenähnlichen Gebilden auf ihren Köpfen. Am gleichen Ort blicken in den Fels geritzte Göttergesichter den Betrachter an, welche unverkennbar Schutzbrillen tragen. Der bereits erwähnte Forscher Rex Gilroy fasste in den Siebzigerjahren die Ergebnisse eines Lokaltermins in den westlich von Sydney gelegenen Blue Mountains mit den folgenden Worten zusammen:

»Ich habe in den Blauen Bergen von New South Wales eine Anzahl primitiver Felszeichnungen und Gravierungen gefunden, die unter anderem fremde Figuren und ungewöhnliche Objekte wiedergeben, welche heute nur als Raumschiffe beschrieben werden können, die offenbar von den australischen Ureinwohnern (…) gesehen wurden.«[118]

Bei anderer Gelegenheit unternahm Gilroy dort Ausgrabungen, bei denen er eine große Felsplatte freizulegen vermochte. Auch in diesem Fall fand sich ein Sammelsurium an fremdartigen, humanoiden Gestalten sowie ein Objekt, welches man heute noch am ehesten in die Rubrik *UFO* einordnen würde.[118]

Apropos UFOs: Die bewussten Blue Mountains, die noch vor etwas mehr als hundert Jahren ein unüberwindliches Hindernis auf dem Weg nach Westen darstellten, machten in den letzten Jahren als »bevorzugter Erscheinungsort« des UFO-Phänomens von sich reden. Immer wieder werden dort von Einheimischen nicht identifizierte Flugobjekte gesichtet, deren Flugeigenschaften jeder Physik spotten. Und mysteriöse explosionsartige Geräusche, welche aus dem Erdinneren zu kommen scheinen, nähren die Gerüchteküche in Sachen unterirdischer UFO-Basen, aber dies nur am Rande.

Mit dem »Sternencomputer« um die halbe Welt

Kommen wir an dieser Stelle ein letztes Mal zurück zu jener Expedition Prinz Djesebs, die vor 4500 Jahren nach Australien führte und von der die Hieroglyphen auf den Felswänden am Fuß des Lyre Trig Mountain berichten. Nach allem, was sich an Spuren ägyptischer Präsenz auf dem fernen Kontinent gefunden hat, dürfte sich die Waage jetzt eher *zugunsten* der zu Unrecht als Schwindel verunglimpften Angelegenheit neigen.

Deshalb ist es nun an der Zeit, den Versuch zu unternehmen, die damaligen Geschehnisse dem Dunstkreis obskurer Mythen und Legenden zu entreißen. Und die Abläufe zu rekonstruieren, welche auf den ersten Blick vielleicht ein wenig nach Science-Fiction anmuten mögen, weil sie ein so gänzlich anderes Bild von unserer fernen Vergangenheit zeichnen, als uns dies unsere »Schulweisheit« träumen lässt.

In seinem Werk »Pyramids in the Pacific« (*Pyramiden im pazifischen Raum*) legt Altertumsforscher Rex Gilroy schlüssig dar, »dass die alten Völker nicht nur große, hölzerne Schiffe konstruierten, welche es ihnen erlaubten, Reisen über die Ozeane zu unternehmen, sondern gleichfalls über fortgeschrittene Navigationsgeräte verfügten.«[119]

Im dritten Kapitel dieses Buches habe ich an jene »Maschine von Antikythera« erinnert – eine Art Navigationscomputer, dessen *Konzept* vermutlich kaum auf der Genialität irdischer Tüftler, dazu noch aus vorchristlicher Zeit, beruht. Das denn doch letztlich auf diesem Planeten realisiert wurde, aber als technisch vollkommen ausgereiftes Produkt anzusehen ist, das seine Bewährungsproben schon im ersten Jahrhundert unserer Zeitrechnung längst hinter sich hatte.

Es ist ohne weiteres denkbar, dass Vorläufer dieser genialen

Konstruktion schon zur Blütezeit des alten Ägypten im Einsatz waren, das ja bekanntermaßen intensive Beziehungen zu den Hellenen unterhielt. Dann wäre die »Maschine von Antikythera« ein Exportartikel einer noch älteren als der griechischen Kultur – und auch die Ägypter könnten nicht den Ruhm des Erfinders für sich beanspruchen.

»So höre, Djeseb«, sprach der alte Priester zu dem Prinzen, als er ihm ein geheimnisvolles Kästchen aus Metall in die Hand drückte. »Ein Vorgänger in meinem Amt hat dieses ›Wundergerät‹ von den alten Göttern selbst erhalten, die uns schon lange von Zeit zu Zeit besuchen. Es wird dir auf deiner weiten Reise unschätzbare Dienste leisten, denn es wird dir stets den richtigen Weg nach dem fernen Land im Süden weisen.«

Mit diesen kryptischen Worten begann die Einweisung des jungen Adeligen, der vor dem größten, aber auch letzten Abenteuer seines Lebens stand, in das nicht auf Technologie unserer Welt beruhende Navigationsgerät. Rasch begriff Prinz Djeseb, wie er an den filigranen Hebeln und Übersetzungen zu hantieren hatte, damit er auf den Skalen die wichtigen Informationen über seine jeweilige Position ablesen konnte. Von den gleichen »Göttern«, von denen sie das technische Know-how erhalten hatten, war die religiöse und herrschende Oberschicht auch darüber informiert worden, dass diese Erde rund ist und auf der anderen Seite der Kugel noch weitere Kontinente existieren.

Sein Boot war uneingeschränkt hochseetüchtig. Doch auf seiner beinahe zwei Jahre dauernden Reise, in deren Verlauf Prinz Djeseb und seine Männer auch die indonesische Inselwelt sowie Neuguinea anliefen, fielen natürlich immer wieder kleinere und größere Reparaturen an. Sie fuhren auf einem jener mehr als 30 Meter langen, stromlinienförmigen Schiffe, wie man eines in den Fünfzigerjahren in einem »Bootsgrab« aus der Wüste bei Giza gegraben hatte. Im Jahre 1991 entdeckte man sogar eine ganze Flotte noch älterer Schiffe dieser Art unweit von Abydos, im Sandmeer Oberägyptens.

Wenn auch der glücklose Prinz zum Schluss fernab seiner Heimat sein Leben lassen musste, schafften seine Leute – nicht zuletzt mit Hilfe des bewussten Sternencomputers – den Weg zurück ins Reich der Pharaonen. Dort wurden dann weitere Schiffe ausgerüstet, deren Mannschaften in weitaus bescheidenerem Rahmen praktizierten, worin ihnen die »Götter« aus dem All im Großen ein Vorbild waren: sich auf den Weg ins Unbekannte zu begeben, damit ihr Wissen zu vermehren und Kontakte mit anderen intelligenten Wesen zu knüpfen.

Ob sie auch nur im Entfernten geahnt haben, dass zukünftige Menschen, die mehr als 4000 Jahre nach ihnen leben würden, die Erinnerungen an ihre Expeditionen dereinst ins Reich der Fabel verweisen? Und ihre Götter, die alten Kulturbringer, zu reinen Fantasieprodukten früherer Völker verkommen lassen? Doch wie sehr der Mensch auch derzeit mit Blindheit geschlagen sein mag: Eines Tages wird der »göttliche Funke« auch in ihm zünden und ihn aufbrechen lassen in die Weiten des Universums. Allen klugen Beteuerungen zum Trotz, dass die Distanzen im Weltraum viel zu riesig wären, um jemals überwunden zu werden. Der erste Tag eines neuen, kosmischen Zeitalters.

Auch jene nicht von dieser Welt stammenden Fremden, die uns so viele konkrete Hinweise auf ihre einstige Präsenz auf Erden hinterließen, haben mit ihm den spannendsten Weg begonnen, den eine hoch entwickelte Zivilisation beschreiten kann.

Begriffserklärungen

Aborigines (auch *Aboriginals*). Die dunkelhäutigen, ursprünglichen Bewohner Australiens. Sie leben heute größtenteils in Reservationen in abgelegenen Gebieten Nord- und Westaustraliens. Die Überlieferungen der Aborigines erzählen von einer weit zurückliegenden »Traumzeit«, in der ihre Götter als Kulturbringer zur Erde herabkamen. Jüngste Forschungen ergaben, dass sich die australischen Ureinwohner seit mindestens 50 000 Jahren nicht mehr mit anderen Völkern vermischt haben.

Aschoka. Legendärer nordindischer Kaiser (ca. 273–232 v. Chr.). Sein Name steht für einen buddhistischen Pazifismus, zu dem er sich nach ausgedehnten Kriegen und Eroberungen bekannte. Durch Entsendung zahlreicher Missionare förderte er die Ausbreitung des Buddhismus. Viele seiner auch für heutige Vergleiche liberalen Gesetze sind durch Inschriften auf Säulen und Felsen bis in unsere Zeit erhalten geblieben.

Aymara. Südamerikanischer Indianerstamm, hauptsächlich in Peru und Bolivien, vor allem in der Region um den Titicaca-See. Ihm wird der Bau zyklopischer Anlagen zugeschrieben, was aber mangels geeigneter technischer Möglichkeiten zu bezweifeln ist.

Bumerang. Ein nur in Australien verbreitetes Wurfholz, das als Jagd- und Kriegswaffe der → Aborigines noch heute Verwendung findet. Wenn der Bumerang sein Ziel nicht trifft, kehrt er zum Werfer zurück, was durch eine leicht gegenständige Verdrehung der beiden Schenkelebenen bewirkt wird.

Cheops (auch: *Khufu*). Ägyptischer Pharao aus der 4. Dynastie. Er regierte von 2551–2528 v. Chr., und ihm wird in aller Regel der Bau der Cheops-Pyramide zugeschrieben. Dies dürfte jedoch zumindest als strittig betrachtet werden, da Spuren im Gestein des Bauwerkes auf ein deutlich höheres Alter schließen lassen.

DNS (*Desoxyribonukleinsäure*). Die DNS ist die Trägersubstanz aller genetischen Informationen. Phosphorsäure, Zucker und daran angekoppelte Phosphorsäurebasen bilden zusammen eine Struktur, die einer zur Doppelspirale (»Doppel-Helix«) verdrehten Strickleiter ähnelt. Die beiden

»Stricke« der Leiter sind abwechselnd aus Phosphatgruppen und aus Zuckermolekülen aufgebaut. Dagegen bestehen die »Sprossen« aus organischen Basen und verbinden die sich jeweils gegenüberliegenden Zuckermoleküle. Die Abfolge der vier unterschiedlichen Basenarten (Adenin, Guanin, Cytosin und Thymin), von denen je zwei zur Paarbildung tendieren, liefert den genetischen Code. Darin sind sämtliche Informationen über Aufbau und Entwicklung des betreffenden Lebewesens gespeichert.

Druckwasser-Reaktor. Ein mit atomaren Brennstoffen arbeitender Reaktortyp, der aus einem System von Brennelementen mit einer bestimmten Anzahl von Brenn- und Regelstäben besteht. Zwischen diesen strömt Wasser unter hohem Druck hindurch und wird knapp unter die Siedetemperatur aufgeheizt. Das heiße Wasser gibt die Energie als Dampf an die Turbine eines Generators weiter.

Dynastien. Dies sind Herrschergeschlechter, die ihre Legitimation von einer Generation zur nächsten vererben. Besondere Bedeutung kommt der Abfolge der Dynastien in der Geschichte Ägyptens wie auch des »Reiches der Mitte«, also Chinas, zu.

Evolutionstheorie. Die heute in den Naturwissenschaften favorisierte Erklärung für Entstehung und Weiterentwicklung der Arten sowohl in der Pflanzen- als auch in der Tierwelt und auch beim Menschen. Im Mittelpunkt dieser vor allem durch Charles Darwin (1809–1882) postulierten Lehre steht der Vorgang der allmählichen und kontinuierlichen Veränderung. Demgegenüber steht aber die Erkenntnis, dass sich nicht alle Entwicklungen auf »darwinistische« Weise erklären lassen. Vor allem, wo es zu sprunghaften Veränderungen kommt, wie etwa der Ausbildung der Intelligenz beim Homo sapiens. Hier nimmt die → Paläo-SETI-Forschung das gezielte Eingreifen außerirdischer Intelligenzen an.

Gyalwa Karmapa. Im tibetischen Buddhismus verkörpert der Gyalwa Karmapa neben dem geistlichen und weltlichen Herrscher, dem Gyalwa Rinpoche oder Dalai Lama, die höchste Autorität in der Welt des Glaubens. Er gilt als die wahre Wiedergeburt Buddhas. Die Linie der Karmapas gilt als die längste ununterbrochene Inkarnationsfolge, die seit Dusum Khyenpa, dem allerersten Gyalwa Karmapa, bereits seit fast 900 Jahren anhält.

Halbwertszeit. In der Physik die Zeitspanne, in der von einem radioaktiven → Isotop die Hälfte eines beliebigen Anfangswertes von Atomen zerfallen ist, das bedeutet, sich in neue Atome umgewandelt hat. Die H. ist für jedes radioaktive Element verschieden: So beträgt sie für Uran U_{238} 4,5 x 10^9 Jahre, jedoch für Radium gerade einmal 1622 Jahre.

Hieroglyphen (aus dem Griechischen: »heilige Einmeißelungen«). Diese sind Schriftzeichen mit erkennbar bildhaftem Charakter, insbesondere bei den altägyptischen Hieroglyphen, deren Bildzeichen außer für die dargestellten Dinge auch für gleichlautende Wörter benutzt wurden.

Immunreaktionen. In der Transplantations-Chirurgie regelmäßig auftretendes Problem der Unverträglichkeit körperfremden Gewebes. Wird ein fremdes Organ, etwa ein Herz, übertragen, könnte durch Immunreaktionen die Abstoßung des fremden Organs ausgelöst werden. An dieser Unverträglichkeit scheiterten die allerersten Herzverpflanzungen in den 1960er-Jahren. Heute wird die Immunreaktion durch Abgabe hoher medikamentöser Dosen nahezu ausgeschaltet, wodurch aber das Immunsystem geschwächt wird.

Isotope sind chemische Elemente derselben Ordnungszahl, jedoch verschiedener Massenzahlen, in vielen Fällen auch unterschiedlicher → Radioaktivität. Die Isotope eines Elementes verhalten sich in chemischer Hinsicht gleich und werden mit demselben Symbol bezeichnet. Die Erscheinung, dass die meisten Elemente eigentlich keine einheitlichen Stoffe sind, sondern Gemische von Isotopen, wird als Isotopie bezeichnet. Dies erklärt auch, warum die Atomgewichte vieler Elemente zueinander nicht im Verhältnis ganzer Zahlen stehen, wie beim Uran (238,03), welches sowohl als Isotop U_{235} als auch U_{238} vorkommt.

Keilschrift. Die im alten Vorderasien, besonders in Assyrien und Babylon verwendete Schrift, deren keilförmige Striche mit einem Rohrgriffel in noch weichen Ton eingedrückt wurden. Sie besteht aus ursprünglich bildlichen, später stark vereinfachten Wort- und Silbenzeichen, die nicht den Wortsinn, sondern ihren Lautwert angeben. Die K. kam um 3000 v. Chr. bei den Sumerern auf und wurde bald von den anderen Völkern des Zweistromlandes übernommen.

Khufu → siehe unter Cheops.

Kreidezeit. Jüngste Formation des Erdmittelalters (Mesozoikum) vor ungefähr 140 bis 60 Millionen Jahren. Das Ende der Kreidezeit vor etwa 60 Millionen Jahren ist geprägt durch das Aussterben der Dinosaurier und anderer erdmittelalterlicher Leitfossilien. Durch diesen »Faunenschnitt« wurde der Weg für die Säugetiere geebnet, die heute die dominanten Spezies auf Erden darstellen.

Kun-Lun-Gebirge. Bedeutendes Hochgebirgssystem Zentralasiens, das sich vom Karakorum und Pamir 3000 Kilometer weit in östlicher Richtung erstreckt und zur Volksrepublik China gehört. Eine Nebenkette des Kun-Lun sind die Berge von Baian Kara Ula.

Mahabharata. Das indische Nationalepos, das zwischen dem vierten Jahrhundert v. Chr. und dem vierten Jahrhundert n. Chr. erstmalig in schriftlicher Form, in → Sanskrit, niedergeschrieben wurde. Es existiert eine »nördliche Überlieferung« mit 18 Büchern sowie eine »südliche« mit 24 Büchern. Der Gesamtumfang beträgt über 100 000 Doppelverse. Die Entstehungszeit des Mahabharata reicht in unbekannte Zeiten zurück, bis zur ersten Niederschrift wurde der Inhalt mündlich weitergegeben. Immer wieder werden Kriege mit furchtbaren Waffen geschildert, die auffällige Parallelen zu den Atombombenabwürfen des Zweiten Weltkrieges in Hiroshima und Nagasaki erkennen lassen.

Mayas. Altes indianisches Volk in Zentralamerika, in den Staaten Mexiko, Guatemala, Belize, El Salvador und Honduras. Zwar wurden die Mayas seit dem 16. Jahrhundert durch die spanischen Eroberer stark dezimiert, haben sich aber bis heute als ethnische Gruppe behaupten können. Die mehr als zwei Millionen Angehörigen sind in mehrere Untergruppen aufgesplittert. Mit großartigen Stätten wie Palenque, Tikal, Yaxchilan und vielen anderen hinterließen sie Relikte, die für die → Paläo-SETI-Forschung starke Hinweise auf die Präsenz außerirdischer Intelligenzen in der Vergangenheit darstellen.

Molybdän (chem. Zeichen Mo). Metall aus der Gruppe der »seltenen Erden«, Ordnungszahl 42. Es verfügt über eine hohe Dichte, der Schmelzpunkt liegt bei 2650 Grad Celsius. Es wird zur Härtung und Veredelung von Stählen, für Glühlampen und Hochtemperaturöfen benutzt. Am Aufbau der Erdrinde ist es mit nur 0,001 Prozent beteiligt.

Mumifizierungen. Die Erhaltung von Leichen entweder durch eine natürliche Austrocknung oder durch entsprechende Behandlungen mit verschiedenen chemischen Substanzen zur Verhinderung ihrer Verwesung. Die Mumifizierung war bei vielen Völkern rund um den Globus verbreitet; speziell bei den Ägyptern, aber auch bei den Inkas in Südamerika, den alten Chinesen oder sogar bei den → Aborigines, den Ureinwohnern Australiens.

Nekropole (griech. Totenstadt). In vorgeschichtlichen Zeiten und den vorchristlichen Jahrhunderten, sogar bis in die griechisch-römische Antike hinein ausgedehnte Begräbnisstätten, die stadtartigen Charakter und Ausmaße besaßen.

Olmeken. Aus der Sprache der Azteken stammende Bezeichnung für die Bewohner der Südküste des Golfes von Mexiko. Die dort entstandene Hochkultur wurde zwar nach den Olmeken benannt, doch möglicherweise wurde sie von einem anderen, noch älteren Volk geschaffen. Daher bürgerte sich – nach dem Hauptfundort – auch der Name »La-Venta-Kultur« ein. Besonders eindrucksvolle Funde sind die als »Olmekenköpfe« bekannt gewordenen monumentalen Basaltköpfe, die ein Gewicht bis zu 30 Tonnen aufweisen.

Outback. In Australien die allgemein verbreitete Bezeichnung für Buschland und urwaldähnliche sowie Steppenregionen. Diese australische Wildnis ist bekannt für ihre Vielfalt an sehr gefährlichen Tieren, allen voran Schlangen, Spinnen und Skorpione, im Norden auch Krokodile. Mehrere der giftigsten Schlangen und Spinnen der Welt sind im »Fünften Kontinent« beheimatet.

Paläontologie. Die Wissenschaft vom Leben der Urzeit. Sie beschäftigt sich anhand der Überreste von ausgestorbenen (fossilen) Lebewesen aus vergangenen Erdzeitaltern mit der Geschichte des Lebens auf der Erde. Dabei bieten sich Einblicke in die Tier- und Pflanzenwelt der verschiedenen Erdzeitalter.

Paläo-SETI-Forschung (SETI: von »Search for Extraterrestrial Intelligence«). Damit wird die Suche nach Indizien bezeichnet, die den Besuch oder sogar steuernde Eingriffe außerirdischer Intelligenzen in vor-, früh- und möglicherweise schon in erdgeschichtlichen Zeiten belegen. Dabei soll sich die Einflussnahme jener Fremden sowohl auf die Entwicklung verschiedener Spezies als auch auf die kulturgeschichtliche Entwicklung unserer Menschheit erstreckt haben.
Als prominentester Vertreter dieser Forschungsrichtung gilt unangefochten der Schweizer Bestsellerautor Erich von Däniken. In der Vergangenheit wurde zwar gelegentlich in spekulativer Weise die Möglichkeit vorzeitlicher Besuche von Außerirdischen geäußert, doch gebührt Erich von Däniken das Verdienst, diese in keinem Widerspruch zu gültigen Naturgesetzen stehende Theorie weltweit einem breiten Publikum bekannt und akademisch diskussionsfähig gemacht zu haben.

Papua. Gebräuchliche Bezeichnung sowohl für Neuguinea als auch die Bewohner Neuguineas und der vorgelagerten Inseln. Die Menschen dieser Region befanden sich noch vor wenigen Jahrzehnten kulturell in der Steinzeit, was bei deren Konfrontation mit den Soldaten der Alliierten während des Zweiten Weltkrieges zu jenen seltsamen »Cargo-Kulten« führte. Diese durch Ethnologen bestens dokumentierten Verhaltensformen geben uns heute eine gute Vorstellung davon, wie ein Zusammentreffen vergleichbar primitiver Menschen der Vorzeit mit hochentwickelten außerirdischen Intelligenzen verlaufen sein könnte.

Quecksilber (chem. Zeichen Hg von Hydrargyrum). Silberweißes, bei normalen Temperaturen flüssiges Metall mit der Ordnungszahl 80. Reines Quecksilber ist ziemlich beständig. An der Luft oxydiert es erst oberhalb 300 Grad Celsius und verliert dabei seinen Glanz. Besonders die Dämpfe sind ausnehmend giftig, und es gab in der Geschichte immer wieder große Katastrophen, bei denen zahlreiche Vergiftungsopfer zu beklagen waren. Dabei tritt der Tod meist erst nach einiger Zeit ein. Auswirkungen auf die Erbanlagen sind jedoch nicht bekannt geworden.

Radioaktivität. Die Eigenschaft von Atomkernen, infolge eines Überschusses an Protonen und Neutronen sich spontan, also ohne äußere Einwirkung wie Druck oder Temperatur, in andere Atomkerne umzuwandeln. Dabei wird Energie in Form von Teilchen bzw. elektromagnetischer Strahlung frei. Die Radioaktivität wurde 1896 von Antoine Henri Becquerel am Uran entdeckt; sein Name wurde zur Maßeinheit für die Aktivität einer radioaktiven Substanz. Man unterscheidet zwischen natürlicher Radioaktivität, die bei einigen in der Natur vorkommenden Elementen auftritt, und künstlicher R. bei im Labor hergestellten Atomkernen.

Sanskrit (von ind. samskrta = zurechtgemacht). Uralte, sich im Nebel der Vergangenheit verlierende Sprache und Schrift in der klassischen Literatur des alten Indien. In Sanskrit wurden die altindischen Überlieferungen wie das Nationalepos → Mahabharata niedergeschrieben. Grammatikalische Regeln wurden erstmalig im 5. Jahrhundert v. Chr. durch den Gelehrten Panini aufgestellt. Heute wird Sanskrit – wie Griechisch und Latein – nurmehr von einigen Fachgelehrten an speziellen Universitäten des indischen Subkontinents beherrscht.

Schneller Brüter (auch schneller Brutreaktor). Ein Kernreaktor, bei dem die Kernspaltung durch schnelle Neutronen in einer Plutonium-Spaltzone erfolgt. Ein Teil der dabei entstehenden Neutronen erzeugt in einer sogenannten Brutzone aus Uran U_{238} das spaltbare Plutonium. Als Kühlmittel wird das sehr gut wärmeleitende Natrium verwendet, welches im Gegensatz zu Wasser die Neutronen nicht abbremst.

Seifen. Darunter versteht man geologisch – im Gegensatz zu den gleichgenannten, waschaktiven Substanzen – Sand und Geröllmassen mit einem abbauwürdigen Gehalt an Edelmetallen und Erzen, wie etwa Gold, Platin, Zinnstein, Magneteisenerz, Titaneisen sowie seltenen Erden. Von ihrer Schichtung her sind Seifen sekundäre Lagerstätten, in denen das abbauwürdige Material durch Transport und Umlagerung angereichert wurde.

Skarabäus (Mehrzahl: Skarabäen). Bezeichnung für einen Käfer, dessen Weibchen die Eier in von ihr aus Dung gedrehte Kugeln legt. Deshalb wird der Skarabäus auch »Pillendreher« genannt. Seine »Entstehung« aus der Dungkugel brachte ihm im alten Ägypten das Ansehen und die Verehrung eines heiligen und göttlichen Wesens. In ihm wurde auch eine der verschiedenen Gestalten des Sonnengottes Ra gesehen. Seit dem Mittleren Reich gab man Siegeln die Form eines Skarabäus. Ursprünglich in der Funktion eines schützenden Amuletts, wandelten sich diese Skarabäus-Darstellungen immer mehr in Schmuckstücke, die auch heute noch in Ägypten in großer Zahl hergestellt und verkauft werden.

Tiefengesteine. Sammelbezeichnung für eine Hauptgruppe der magmatischen Gesteine (auch plutonische Gesteine genannt). Selbige entstehen durch die Erstarrung von glutflüssigem Magma in größerer Erdtiefe – im Gegensatz zu an der Erdoberfläche erstarrten Gesteinsarten. Die in jenen Tiefen wirksame Wärmedämmung bedingt ein nur langsames Fortschreiten der Kristallisation, was wiederum die Bildung relativ großer Kristalle zur Folge hat. Die verbreitetsten Tiefengesteine sind Granit, Andesit und Diorit; sie besitzen allesamt aufgrund ihrer mittel- bis grobkörnigen Struktur einen sehr hohen Härtegrad, was für Bearbeitungen einen nicht unerheblichen technischen Aufwand erfordert.

Tolteken (aus dem Nahuatl: »das Volk von Tollan«). Altes Kulturvolk im Hochland von Mexiko und Bewohner der Stadt Tollan, die heute als Ruinenstätte von Tula bekannt für ihre überdimensionalen Statuen ist. Für die Azteken, die von den Tolteken sehr stark beeinflusst wurden, galt die toltekische Epoche als »goldenes Zeitalter«. Um das Jahr 1000 n. Chr. zogen die Tolteken an die Golfküste der Halbinsel Yucatán ins Gebiet der → Mayas, die unter dem toltekischen Einfluss eine allerletzte Blütezeit erlebten. Heute zeugen die Ruinen beeindruckender Bauten von dieser Hochkultur des alten Mexiko.

Wolfram (chem. Zeichen W). Metall aus der Gruppe der »seltenen Erden«, mit einem Anteil von 0,0064 Prozent an der Erdrinde jedoch häufiger vorkommend als das ebenfalls seltene → Molybdän. Wolfram besitzt ein hohes Atomgewicht und eine hohe molekulare Dichte. In reiner Form ist es ein weißlich glänzendes, bei höheren Temperaturen walz-, zieh- und hämmerbares Metall. Dessen Schmelzpunkt liegt bei 3410 Grad Celsius, der Siedepunkt bei ca. 5400 Grad Celsius. Es findet sowohl Verwendung als Legierungsmetall für verschleißfeste Werkstoffe als auch in Reinform für Raketendüsen und Glühlampendrähte.

Zelle. Grundstruktur aller lebenden Organismen, aber auch – in Form von Einzellern – selbst ein einfaches Lebewesen. Eine Zelle besteht aus Membranen (nur bei Pflanzen gibt es Zellwände), Zytoplasma mit Einschlüssen sowie einem Zellkern mit den Chromosomen, welche die → DNS mit den Erbanlagen des Lebewesens enthalten. Nach den verschiedenen Aufgaben der unterschiedlich spezialisierten Zellen unterscheidet man Muskel-, Nerven-, Drüsen-, Ei- und Samenzellen. Das Baugefüge sowie die stoffliche Zusammensetzung der Zellen sind trotz ihrer unterschiedlichen Funktionen sehr ähnlich.

Danksagung

Selbst wenn es für einen »altgedienten« Autor, als den ich mich nach fast 20 Buchveröffentlichungen eigentlich bezeichnen darf, fast schon zur Routine geworden ist: Meinen Dank an alle jene zu richten, ohne deren tatkräftige Unterstützung das vorliegende Buch kaum zustande gekommen wäre, ist mir nach wie vor ein inniges Anliegen.

Da wäre Autorenkollegen wie Erich von Däniken und dem Indienspezialisten Franz Bätz herzlich zu danken, die ich auch bereits seit langer Zeit zu meinen Freunden zählen darf. Bei der Gelegenheit will ich auch an Johannes Fiebag und Peter Krassa erinnern, die zwar nicht mehr unter uns weilen, aber mit ihren Forschungen manche Grundlagen erarbeitet haben, auf die ich in diesem Werk zurückgreifen kann.

Großen Dank auch an Hansjörg Ruh, Jörg Dendl, Diplom-Ingenieur Klaus Deistung, Sabine und Werner Rossow sowie Dietmar Schrader, der hinsichtlich der Erforschung der geheimnisumwobenen Artefakte vom Baigong viele neue und spannende Erkenntnisse mitbrachte. Und an Valerij Ouvarov in Russland wie auch Werner Forster für deren fantastisches Material zu den unglaublichen Nanotechnik-Artefakten aus dem östlichen Ural.

An Jo Lusby und Abby Wan in der Pekinger Redaktion des »City Weekend Magazine« ergeht ebenso herzlicher Dank wie an meine australischen Freunde Julie Byron, Ali Mohammed Hassan, David M. Summers, Duncan Roads und Paul White. Last but not least danke ich meiner rührigen Verlegerin des Verlagshauses Langen*Müller* Herbig nymphenburger, Frau

Brigitte Fleissner-Mikorey wie auch dem ganzen bewährten Verlagsteam meiner »literarischen Heimat«. Dasselbe gilt für meinen langjährigen Lektor Hermann Hemminger, mit dem gemeinsam ein Buch heranreifen zu lassen, immer wieder große Freude bereitet.

Habe ich jemanden vergessen? Oh ja – ganz wichtig! Denn was wäre der Autor ohne seine immer größer werdende internationale Leserschar, die ihm seit den legendären Tagen der »Weißen Pyramide« die Treue hält? Auch hier ein herzliches Danke für die wachsende Begeisterung für Themen, welche die Meinungen in unglaublicher Weise zu polarisieren vermögen.

Hartwig Hausdorf

Quellenverzeichnis

1 Hausdorf, Hartwig: »Geheime Geschichte II. Die Verschwörung bei Tageslicht.« Marktoberdorf 2003

2 Michaelis, Hans: »Handbuch der Kernenergie.« Frankfurt 1987

3 Ruh, Hansjörg: »Die fossilen Naturreaktoren von Oklo und Bangombé – ein einmaliges, faszinierendes Weltwunder«, in: Mehner, Thomas (Hrsg.): »An den Grenzen unseres Wissens.« Suhl 1999

4 o. V.: »Comptes Rendues de l'Académie des Sciences«, Paris, vom 16. Oktober 1972

5 o. V.: Mitteilung des Commissariat à l'Energie Atomique (CEA) vom 12. März 1999

6 Lancelot, J. L. et al.: »A Prehistoric Nuclear Reactor?«, in: »Earth and Planetary Science Letters«, Vol. 25 vom März 1975

7 Hausdorf, Hartwig: »Experiment: Erde.« München 2001

8 Cowan, George A.: »A Natural Fission Reactor«, in: »Scientific American«, Juli 1976

9 Fiebag, Johannes: »Das Genesis-Projekt.« Vortrag zur Weltkonferenz der Ancient Astronaut Society (AAS) in Bern (Schweiz) am 18. April 1995

10 Fiebag, Johannes: »Ein prähistorischer Kernreaktor in Gabun«, in: Dopatka, Ulrich (Hrsg.): »Sind wir allein?« Düsseldorf 1996

11 Gauthier-Lafaye, François et al.: »The Last Natural Nuclear Fission Reactor«, in: »Nature«, Vol. 387 vom Mai 1997

12 Mitteilung der Compagnie des Mines d'Uranium de Franceville (COMUF) vom 17. Februar 1998

13 Berlitz, Charles: »Das Drachen-Dreieck.« München 1990

14 Hausdorf, Hartwig: »Die weiße Pyramide.« München 1994

15 Roy, Chandra P.: »The Mahabharata.« Calcutta 1888

16 Däniken, Erich von: »Beweise. Lokaltermin in fünf Kontinenten.« Düsseldorf 1977

17 Bätz, Franz: »Indische Geisterstädte.« Marktoberdorf 2003

18 Däniken, Erich von: »Erinnerungen an die Zukunft.« Düsseldorf 1968

19   Däniken, Erich von: »Habe ich mich geirrt? Neue Erinnerungen an die Zukunft.« München 1985

20   Bhushan, Ashri, Sh.: »Delhi, a City of Cities.« Delhi 2000

21   Balasubramaniam, R.: »Current Science«, Bd. 82, hrsg. von der Indischen Akademie der Wissenschaften. Delhi 2000

22   Bätz, Franz: »Die nichtrostende Eisensäule von Delhi«, in: »Sagenhafte Zeiten«, Nr. 1/2004

23   Bellinger, Gerhard J.: »Lexikon der Mythologie.« Augsburg 1997

24   Däniken, Erich von: »Prophet der Vergangenheit.« Düsseldorf 1979

25   Smith, V. A.: »The Iron Pillar of Dhâr«, in: »Journal of the Royal Asiatic Society of Great Britain and Ireland.« Delhi 1898

26   Cousins, H.: »The Iron Pillar at Dhâr«, in: »Almanac of the Archeological Survey of India 1902/03.« Delhi 1903

27   Rössler, Klaus: »The Non-rusting Iron Pillar at Dhâr«, in: »Technical Journal«, Vol. 37, No. 2, Oct.–Dec. 2003

28   Bätz, Franz: »Die nichtrostende Eisensäule von Dhâr«, in: »Sagenhafte Zeiten«, Nr. 4/2005

29   Bätz, Franz: Persönliche Korrespondenz mit dem Autor vom 1. Januar 2007

30   Ngakpa Chögyam Rinpoche: »Der Biss des Murmeltieres.« Paderborn 1993

31   Kunsang, E. P. und Binder-Schmidt, M.: »Blazing Splendor. The Memoirs of the Dzogchen Yogi Tulku Urgyen Rinpoche.« Hongkong 2005

32   Bätz, Franz: Persönliche Korrespondenz mit dem Autor vom 17. Juli 2007

33   Groth, Klaus-Ulrich: »Präastronautische Artefakte im Ägyptischen Museum von Kairo«, in: Däniken, Erich von (Hrsg.): »Das Erbe der Götter.« München 1997

34   Hausdorf, Hartwig: »Geheime Geschichte. Was unsere Historiker verschweigen.« Marktoberdorf 2001

35   De Solla Price, Derek: »Gears from the Greek.« New York 1975

36   De Solla Price, Derek: »An Ancient Greek Computer«, in: »Scientific American«, Juni 1959

37   Steiger, Brad: »Mysteries of Time and Space.« West Chester (Pennsylvania) 1989

38   Genzmer, H. und Hellenbrand, U.: »Rätsel der Menschheit.« Köln 2006

39   Becker, Markus: »Forscher enträtseln Computer aus der Antike«, auf: »SPIEGEL online« vom 29. November 2006

40 Clarke, Arthur C., Welfare, S. und Fairley, J.: »Geheimnisvolle Welten. An den Grenzen unserer Wirklichkeit.« Augsburg 1990

41 Dopatka, Ulrich: »Lexikon der Präastronautik.« Rastatt 1981

42 Kolosimo, Peter: »Woher wir kommen.« Wiesbaden 1972

43 o. V.: »US-Astronomen entdecken zehnten Planeten unseres Sonnensystems«, in: »Passauer Neue Presse« vom 28. Oktober 2005

44 Steinbauer, Friedrich: »Die Cargo-Kulte – als religionsgeschichtliches Problem.« Erlangen 1971

45 Guariglia, Guglielmo: »Prophetismus und Heilserwartungsbewegungen als völkerkundliches und religionsgeschichtliches Problem«, in: »Wiener Beiträge zur Kulturgeschichte und Linguistik, Band XIII.« Wien 1959

46 Däniken, Erich von: »Auf den Spuren der All-Mächtigen.« Gütersloh 1993

47 Pauwels, Louis und Bergier, Jacques: »Aufbruch ins Dritte Jahrtausend.« Bern und München 1962

48 Däniken, Erich von: »Die Spuren der Außerirdischen.« München 1990

49 Fiebag, Peter und Fiebag, Johannes: »Der steinerne Gott von Xunantunich«, in: Däniken, Erich von (Hrsg.): »Fremde aus dem All.« München 1995

50 Kennedy, Easby E. und Scott, John F.: »Before Cortez – Sculpture of Middle America.« New York 1970

51 Habeck, Reinhard et al.: »Unsolved Mysteries. Die Welt des Unerklärlichen.« Wien 2001

52 Grünfeld, Frederic V.: »Spiele der Welt – Tlachtli.« Hrsg. vom Schweizer Komitee für UNICEF. Zürich, o. J.

53 Wilhelmy, Herbert: »Welt und Umwelt der Maya.« München 1981

54 Stingl, Miloslav: »Den Maya auf der Spur.« Leipzig 1971

55 Rivet, Paul: »Les Origines de l'Homme Américain.« Paris 1943 und 1957

56 Hausdorf, Hartwig: »Von Rüsselwesen, Roboterarmen und Headsets«, in: »Sagenhafte Zeiten«, Nr. 4/2006

57 Karst, Josef: »Eusebius' Werke. 5. Band: Die Chronik.« Leipzig 1911

58 Däniken, Erich von: »Die Augen der Sphinx.« München 1989

59 Däniken, Erich von: »Wir alle sind Kinder der Götter.« München 1987

60 Presseerklärung von Greenpeace Deutschland vom 19. November 2000

61 o. V.: »Neue Rechtsbrüche am Europäischen Patentamt.« Online-

Verlautbarung von Greenpeace Deutschland aus dem Monat Dezember 2000

62 Tripp, Edward: »Reclams Lexikon der antiken Mythologie.« Stuttgart 1974

63 Herodot: »Historia. Bücher I und II.« München 1963

64 Stadler, Beda M.: »Haben wir außerirdische Gene?«, in: »Sagenhafte Zeiten«, Nr. 6/2003

65 Steinhardt, Martina: »Autoimmunkrankheiten: Spur prähistorischer Gentechnologie durch Außerirdische?«, in: Däniken, Erich von (Hrsg.): »Neue kosmische Spuren.« München 1992

66 Furduy, Rostislav: »Die Gene und die Außerirdischen«, in: »Sagenhafte Zeiten«, Nr. 6/1999

67 Adamson, Joy: »The Spotted Sphinx.« London 1969

68 Hausdorf, Hartwig: »»Designerfauna‹ oder das Rätsel der Zwischenarthybriden«, in: »Sagenhafte Zeiten« Nr.1/2007

69 o. V.: »Kritik an Patent auf Sonnenblumen.« Meldung von dpa in: »Passauer Neue Presse« vom 11. Juli 2007

70 Hausdorf, Hartwig: »Das Jahrhundert der Rätsel und Phänomene.« München 1999

71 Versch. Autoren: »Nanotechnologie: Miniaturroboter können unsere Zukunft verändern«, in: »Faktor X«, Nr. 5/1997

72 o. V.: »Ein Rettungs-U-Boot auf Patrouille in unserem Körper«, in: »Bild« vom 9. Oktober 1999

73 Versch. Autoren: »Minispione reisen durch den Körper«, in: »Apotheken-Umschau« vom 2. Mai 2001

74 o. V.: »Durchbruch bei neuer Chip-Technologie«, in: »Passauer Neue Presse« vom 29. Januar 2007

75 Ouvarov, Valerij: Persönliche Korrespondenz mit dem Autor vom 2. Oktober 1996

76 Matwejewa, E. W. et al.: »Schlussfolgerungen zu den Funden an fadenförmigen Wolframspiralen in den alluvialen Ablagerungen des Flusses Balbanju.« Bericht Nr. 18/485 des »Zentralen Wissenschaftlichen Forschungsinstitutes für Geologie und Erkundung von Bunt- und Edelmetallen« (ZNIGRI), Moskau, vom 29. November 1996

77 Bagnasco, Stefano: Schreiben an den Autor im Namen des »Comitato Italiano per il Controllo delle Affermazioni sul Paranormale« vom 5. Dezember 2006

78 Ehrenreich, Paul: »Die Mythen und Legenden der südamerikanischen Urvölker.« Berlin 1905

79 Stingl, Miloslav: »Die Inkas.« Wien 1978

80   Nussbaumer, Valentin: »Das Stargate in Peru«, in: Däniken, Erich von (Hrsg.): »Jäger verlorenen Wissens.« Rottenburg 2003

81   Vega, Garcilaso de la: »Primera Parte de los Commentarios Reales.« Madrid 1723

82   Vega, Garcilaso de la: »Historia General de Perú.« Madrid 1722

83   Däniken, Erich von: »Zurück zu den Sternen.« Düsseldorf 1969

84   Charroux, Robert: »Histoire inconnue des hommes dépuis cent mille ans.« Paris 1963

85   Bellamy, Hans S. und Allan, P.: »The Calendar of Tiahuanaco.« London 1956

86   Hausdorf, Hartwig: »Neue Rätsel im Hochland der Anden«, in: »Sagenhafte Zeiten« Nr. 6/2003

87   o. V.: »Forscher inspizieren UFO-Startrampe«, auf: »SPIEGEL online« vom Juli 2002

88   Fiebag, Peter: »Mysteriöses Röhrensystem – von ETs erbaut?« in: »Sagenhafte Zeiten« Nr. 5/2002

89   Fiebag, Peter: »Mysteriöses Röhrensystem – von ETs erbaut?« in: Däniken, Erich von (Hrsg.): »Jäger verlorenen Wissens.« Rottenburg 2003

90   Hausdorf, Hartwig: »Die ›Ruinen der Außerirdischen‹ am Baigong«, in: »Sagenhafte Zeiten« Nr. 1/2005

91   Ma Pei Hua: »Unknown Qinghai.« Qinghai Volksredaktion 2003

92   Schrader, Dietmar: »Die außerirdischen Relikte am Baigong: Neues von Chinas uraltem Geheimnis«, in: »Sagenhafte Zeiten« Nr. 6/2006

93   o. V.: »E.T.-Berg in China: Erste Untersuchungsergebnisse«, in: »Sagenhafte Zeiten« Nr. 1/2006

94   Wehner-v. Segesser, Sibylle: »Die Zwergmenschen von Flores. Spektakulärer Fossilienfund in Indonesien«, in: »Neue Zürcher Zeitung« vom 28. Oktober 2004

95   Verrengia, Joseph: »Mensch oder Nicht-Mensch«, in: »Der Bund« (Bern/Schweiz) vom 28. Oktober 2004

96   Kolosimo, Peter: »Sie kamen von einem anderen Stern.« Wiesbaden 1969

97   Krassa, Peter: »Als die gelben Götter kamen.« München 1973

98   Hausdorf, Hartwig: »The Chinese Roswell.« Boca Raton (Florida) 1998

99   o. V.: »UFOs in der Vorzeit?«, in: »Das vegetarische Universum«, Ausgabe Juli 1962

100 Dendl, Jörg: »Die Steinscheiben von Baian Kara Ula: Der erste Bericht«, in: »Ancient Skies«, Nr. 1/1996

101 Stoneley, J. und Lawton, A. T.: »Is anyone out there?« London 1975

102 Krassa, Peter: »… und kamen auf feurigen Drachen.« München 1990

103 o. V.: »Das Dorf der Zwerge – Umweltgifte schuld?«, in: »Bild« vom 9. November 1995

104 Williams, L.: »Für Experten ein Rätsel: Das chinesische Dorf der Zwerge«, in: »Täglich alles« (Wien/Österreich) vom 9. November 1995

105 o. V.: »Ärztestreit um das Dorf der Zwerge«, in: »Bild« vom 27. Januar 1997

106 Dendl, Jörg: »Das Geheimnis der Steinscheiben von Baian Kara Ula: Fiktion oder Wirklichkeit?«, in: Däniken, Erich von (Hrsg.): »Das Erbe der Götter.« München 1997

107 Lusby, Jo und Wan, Abby: »Has the Site of the Chinese Roswell Actually Been Found?«, in: »City Weekend Magazine« vom 18. Juli 2003

108 White, Paul: »Egyptian Enigma – Our History Rewritten«, in: »Exposure Magazine«, Vol. 2/Nr.6, Feb/Mar 1996

109 Summers, David M.: »Ancient Secrets Revealed.« A Film by CNI/Exposure TV. Noosa Heads, Queensland/Aus. 1996

110 o. V.: »Braunschlange, östliche«, auf: http://goruma.de

111 White, Paul: »The Strange Case of the Missing Mummy.« Forschungs-Update aus 1998

112 Coltheart, David: »The Gosford Glyphs«, auf: http://donsmaps.com

113 Keating, Adrian: »Egyptian Relics in Australia?«, auf: http://members.ozemail.com.au

114 Bauval, Robert und Gilbert, Adrian: »The Orion Mystery. Unlocking the Secrets of the Pyramids.« New York 1994

115 Gilroy, Rex: »Ancient Egyptian Colonists of Australia«, in: »Exposure Magazine«, Vol. 7/Nr.4, Sep/Oct 2000

116 Schlegel, Rüdiger: »Die ›Kulturbringer der Traumzeit‹«, in: »Esotera«, September 1995

117 Gilroy, Rex: »Mysterious Australia.« Mapleton/Qld. 1995

118 Däniken, Erich von: »Meine Welt in Bildern.« Düsseldorf 1973

119 Gilroy, Rex: »Pyramids in the Pacific.« Mapleton/Qld. 1999

Register

Aborigines 210, 213, 215, 220, 223
Adamson, Joy 116
Ägyptisches Museum 60, 204
Ahobilam 52
Akzeleration 193
Altsteinzeit 114, 123
Aluminium 59
Anden 10, 140 ff., 147 f., 153 f.
Andesit 147, 149, 154
Antikythera 62 ff., 74
Anubis 201 f.
Apis-Stiere 99
Aramu Maru 145
Aschoka 40, 220
Atombombe 15, 30, 32
Atomkraftwerk 13, 19
Australien 195, 198 ff., 204 ff.,
    210, 213 f.
Autoimmunkrankheiten 111 ff.
Aymara 142 ff., 147, 152, 220

Bätz, Franz 45, 48 f., 55 ff.
Baian Kara Ula 176 ff., 183 ff.,
    189 ff., 194, 196, 197
Baigong 161 ff., 168 f., 173, 177,
    197
Balasubramaniam, R. 43, 51
Balbanju 133 ff.
Bamijan 55
Bangombé 19, 23, 27
Banpo-Museum 185 ff.
Becquerel, Antoine H. 14, 225
Birramee 215

Bolivien 143, 146, 153, 158, 220
Bonampak 92 f.
Bouzigues, Henri 17 f.
Braunschlange 198, 207
Brisbane Water National Park 199,
    208, 212
Buddhismus 56, 195, 220 f.
Bunescu, Carmen 58

Cakchiquel 81
Candra Gupta 45
Cargo-Kulte 80, 225
Carter, Howard 214
CEA 17
Charroux, Robert 151
Chasmaporthetes 118 f.
Cheops 205, 220, 222
Chichen Itza 84
Chimären 97 f., 102 ff., 108 f., 113 f.,
    117 f.
China 11, 33, 105–108, 168, 173,
    176 f., 182 f., 192, 195 f., 221
»China Daily« 197
Chi Pu-Tei 174, 176 ff., 197
CICAP/CSICOP 138 f.
»City Weekend Magazine« 197
Clarke, Arthur C. 73 f., 78
COMUF 18, 23, 27 f.
Condos, Demetrios 62 ff.
Cortez, Hernando 87
Coso-Artefakt 125 f., 138
Coso Mountains 123, 167
Curie, Pierre und Marie 14

Däniken, Erich von 34 f., 41, 94,
    155, 162, 224
Delhi 38 f., 41, 48 ff.
Dendl, Jörg 181, 194
Dhâr 48 ff., 52 f.
Differential-Drehscheibe 71
Diorit 149, 154 f., 157
Djeseb (ägypt. Prinz) 205 f., 217 f.
DNS 109, 113, 117, 191, 220, 227
Drexler, K. Eric 130 ff., 138
Dropa 180, 193
Druckwasser-Reaktor 21 f., 26, 221

El Ceibal 91 f.
Europäisches Patentamt (EPA)
    101 f., 121 f.
Eusebius von Caesarea 98 f.

Felgenhauer, Norbert 191
Fermi, Enrico 14
Feynman, Richard 126 f.
Fiebag, Johannes 13, 25 f.
Firozabâd 40
Forsmark 13
Fort, Charles 37, 124

Galdhan (Kloster) 75
Garuda 45 ff.
Genmanipulationen 105, 108 f.,
    113, 117, 119
Gentechnik 97, 102, 106 ff., 113,
    121 f., 126
Gepard 115 f., 119
Gilroy, Rex 198, 212, 216 f.
Götterwaffen 31
Greenpeace 101 f., 122

Hahn, Otto 14
Halbwertszeit 18, 20, 221
Hawkesbury River 199 f., 211

Hayu Marca 141, 143 ff., 150
Herodot 105, 193
Hieroglyphen 178 f., 199 ff., 204 f.,
    207 ff., 217, 222
Hinduismus 56
Hiroshima 14, 30, 32, 223
Homer 193
Homo florensis 175
Huilong 191, 193
Hyänen 118 f.

IBM 131
IfOD 58
Indien 11, 28 f., 31 ff., 37 ff., 48,
    54, 58, 60, 115, 225
Indraprastha 38, 40, 45
Isotope 17, 20, 221 f.

Jahanpana 40
Johnson, Ray 204

Kabah 95
Kaschmir 33 f.
Kernfusion 13
Kettenreaktion 13, 15 f., 19 ff.
Kham 180
Khufu 205 f., 220, 222
Kîla 55 ff., 59
Kobalt 160, 184
Kodachadri 54
Kolosimo, Peter 75
Koluke (See) 162
Konquistadoren 81, 142, 145
Krassa, Peter 186 f.
Kulturschock 80
Kung Fu-Tze (Konfuzius) 107
Kun-Lun-Gebirge 174, 223

Lakandonen 92 f.
Lalkot 39, 44

La-Tolita-Kultur 86
La-Venta-Park 82
Lithium 171 f.
Liu Shaolin 169 f.
Lyre Trig Mountain 200, 203, 217

Mahabharata 31 ff., 38, 223, 225
Mandu 49, 52
Mao Zedong 182 f., 185
Ma Pei Hua 164 f., 172
Marand 34 ff.
»Maschine von Antikythera«
   69 f., 78, 217 f.
Matwejewa, Elena W. 135, 137
Mayas 34, 81, 84, 91, 94 f., 223,
   226
Mekong 177
Meng-Tzu (Menzius) 107
Metallurgie 10 f.
Mexico City 82, 89
Micro-Tec 129
Minamata 190 f.
Minotaurus 104
Mischwesen 97 ff., 102 ff., 107 f.,
   120 f.
Moderatoren 16, 21
Molybdän 133, 223, 227
Mykene 61
Myotragus balearicus 120

Nanotechnologie 126 ff., 130 ff.,
   138
NASA 77
Neuguinea 79, 207, 211, 218, 224
New South Wales 199, 209, 216

Oklo 17–20, 22 f., 25 ff.
Olmekenköpfe 82, 224
Oppenheimer, J. Robert 14, 29
Orejona 151

Osterinsel 98, 152
Ost-Pakistan 29

Pakistan 33
Paläo-SETI-Forschung 140, 221,
   223 f.
Palenque 84, 92, 94 f., 223
Papua 80, 224
Paradigmenrahmen 11
Parhaspur 34 ff.
Peru 10, 145, 150, 220
Phurba 56, 58
Pizarro, Francisco de 145
Plutonium 20
Puma Punku 35, 146, 153 ff., 157
Pygmäen 193
»Pyramide des Zauberers« 83, 95

Qaidam-Becken 161, 168, 171
Qinghai 161, 164 ff., 172, 177,
   184, 192, 194
Quecksilber 190 f., 225
Queensland 195, 212 f.
Qu'fu 107
Qut'b 39, 41
Quwwat-ul-Islam 41

Radioaktivität 14, 222, 225
Rajmahalberge 29
Raj Pithora 39
Raster-Elektronenmikroskop 58
Regenwald 33, 79, 87
Roboterarme 10, 94, 96
Ruh, Hansjörg 23 f.

Samarangana Sudradhara 31
Sanskrit 31, 223, 225
Schindler-Bellamy, Hans 140,
   151
Schliemann, Heinrich 61

»Schneller Brüter« 21 f., 225
Schrader, Dietmar 165 f., 169
Siri 39
Solla Price, Derek de 68 f., 72 f.
Sonnensystem 76, 175, 179
Stais, Spiridon 67 f.
Steinhardt, Martina 111 f.
»Sternen-Computer« 71, 73, 217, 219
Sternentor 10, 140 f., 143 ff.
Straßmann, Fritz 14
Super-GAU 13, 25
Swift, Jonathan 12
Sydney 199, 207, 210, 216

Thot 212
Tiahuanaco 35, 146 ff., 150, 153, 157
Tibet 56, 58, 177, 194
Tikal 84, 92, 223
Titicaca-See 35, 141 ff., 154, 220
Tlachtli 87 f.
Toson-See 162 ff., 166, 171
Tschernobyl 13, 25
Tsum Um-Nui 179 ff.
Tughlaqabâd 39
Tulku Urgyen Rinpoche 56
Tut-Ench-Amun 60 f., 71, 214

Udimus 109
UFOs 181, 188, 194, 216
Ural 132 ff., 138, 167
Uran 14, 17 ff., 25 ff., 222, 225

Uros 142 f.
Uxmal 83, 95

Vajrakîla 56
Villahermosa 82
Vishnu 45, 47
Vishnupâd 45
Vymaanika Shastra 31

Wang Zhijun 187
Wegerer, Ernst 185 f.
Westerman, Michelle 209
White, Paul 199
Wolfram 133 f., 137, 226
Wondijna 215
Wullawait 210

Xian 106, 185
Xinjiang 164
»Xitieshan Schmelzwerke« 169
Xochipala 85
Xunantunich 84

Yale-Universität 68
Ya-Lung (Fluss) 177
Yamunâ (Fluss) 38 f.
Yang-Tze 177
Yucatán 34, 83 f., 92, 95, 226
Yum Kox 94

Zentralamerika 10, 81, 87
Zhou-Dynastie 106
ZNIGRI 134 ff., 139
Zoucheng 107
Zwischenarthybriden 114

Auf geheimen Wegen ins Unbekannte

Wenn Sie dieses Buch gelesen haben, halten Sie nichts mehr für real und alles für möglich!

Tiere tragen Schriftzeichen, die den Namen Gottes bilden. Gedanken werden auf Fotografien sichtbar. Geisterlichter lassen intelligentes Verhalten erkennen. Die Gesetze der Physik werden kurzerhand ungültig, wenn Wasser sich bergauf bewegt. Reihenweise ereignen sich Koinzidenzen, unglaubliche Serien geheimnisvoll miteinander verknüpfter Ereignisse, die alle Gesetze der Wahrscheinlichkeit sprengen.

Hartwig Hausdorf dokumentiert diese und andere atemberaubende Vorfälle, die beweisen: Die Realität, die wir so gut zu kennen glauben, gibt es nicht! Sensationelles Bildmaterial untermauert seine Berichte.

Hartwig Hausdorf
Bizarre Wirklichkeiten

256 Seiten mit Fotos und Abb., ISBN 978-3-7766-2473-1

HERBiG
www.herbig-verlag.de